Dan Bwysau

nofel dditectif gan

John Alwyn Griffiths

Hoffwn ddiolch eto i Myrddin ap Dafydd am ei ddiddordeb ac am gyhoeddi'r nofel hon. Hefyd i Nia Roberts am ei gwaith campus yn golygu'r testun a phawb arall yng Ngwasg Carreg Gwalch sy'n gweithio'n ddibynadwy yn y cefndir.

Argraffiad cyntaf: 2018
Ail argraffiad: 2020

Rhif rhyngwladol: 9781845276652

CYNGOR LLYFRAU CYMRU

Mae'r cyhoeddwyr yn cydnabod cefnogaeth ariannol Cyngor Llyfrau Cymru

Cynllun clawr: Tanwen Haf

Cyhoeddwyd gan Wasg Carreg Gwalch,
12 Iard yr Orsaf, Llanrwst, Conwy, LL26 0EH.
Ffôn: 01492 642031
e-bost: llyfrau@carreg-gwalch.cymru
lle ar y we: www.carreg-gwalch.cymru

I Julia

Pennod 1

'Dad! Ma' 'nhraed i'n llosgi,' cwynodd Twm wrth gyrraedd y tywod gwynias nad oedd y tonnau hallt wedi'i oeri.

Cododd Jeff Evans ei fab, oedd yn wlyb diferol ar ôl bod yn chwarae yn y môr, a'i roi i eistedd ar ei ysgwyddau am weddill y daith fer tuag at y gwlâu haul. Yno, o dan gysgod y parasol, roedd Meira, ei wraig, a Mairwen fach yn disgwyl amdanynt. Teimlodd Jeff y tywod yn dechrau llosgi ei draed yntau hefyd a dechreuodd redeg – dyma unig anfantais bod ar draeth Bae Troulos yn Skiathos, Groeg, am dri o'r gloch y prynhawn yng nghanol mis Awst, meddyliodd. Bu'r haul yn tywynnu bob dydd o'u gwyliau mewn awyr las ddigwmwl.

'Ylwch arna i!' gwaeddodd y bachgen eto wrth geisio'i orau i ddal ei afael ym mhen ei dad gydag un llaw, a chwifio'r llall yn yr awyr fel cowboi yn ceisio aros ar gefn ceffyl gwyllt. Chwarddodd y teulu bach wrth i Jeff wyro i lawr i alluogi Twm i lithro'n swp blêr i freichiau ei fam.

Ar ôl defnyddio'r tywel i sychu'i hun, cythrodd Twm weddillion y picnic a ddaethant efo nhw o'r gwesty, a pharatôdd Jeff i orffwys ar y gwely haul am gyn hired ag y gallai nes y byddai Twm neu Mairwen angen ei sylw unwaith eto – gwyddai o brofiad na fyddai hynny'n amser hir. Er bod cyfrifoldebau magu plant yn gyson, hyd yn oed ar wyliau fel hyn, roedd y rhyddhad a deimlai o fod allan o'r gweithle am fwy na diwrnod neu ddau yn fendith, a gwyddai gymaint yr oedd Meira'n gwerthfawrogi hynny hefyd. Yn fwy na dim, trysorai ei wraig yr amser y gallai'r pedwar ohonynt ei dreulio gyda'i gilydd heb ffôn yn canu ddydd a nos i fynnu presenoldeb ei gŵr yn rhywle arall. Jeff oedd o am y pythefnos hwn, nid Ditectif Sarjant Evans, Glan Morfa, ac roedd dau ddiwrnod arall o'r gwyliau ar ôl. Dau ddiwrnod arall o ddedwyddwch.

Ac efallai mai dyna sut fyddai pethau wedi parhau, petai Jeff ddim wedi gweld y papur newydd Prydeinig a adawyd ar y gwely haul gwag drws nesaf iddynt. Y pennawd dynnodd ei lygad: 'Welsh Town Shocked By Death Drug'. Cododd Jeff y papur a dechrau ei ddarllen. Rhewodd pan welodd fod y paragraff cyntaf yn cyfeirio at dref Glan Morfa, ac er bod y tymheredd ar y traeth dros ddeg gradd ar hugain, rhedodd ias oer anghyfforddus trwyddo. Eisteddodd ar ochr y gwely haul a'i gefn tuag at ei deulu, a dechrau darllen.

Dysgodd fod car, ac ynddo dri o fechgyn o'r ardal yn eu harddegau, wedi bod mewn damwain. Doedd yr un cerbyd arall yn bresennol, a thybiwyd mai olion cyffuriau yng ngwaed y gyrrwr oedd yn gyfrifol am y digwyddiad. Yn blismon profiadol, gwyddai Jeff yn iawn fod digwyddiadau fel hyn yn frith ledled Prydain – a Chymru – bellach, gwaetha'r modd, ond yr hyn oedd yn ei boeni'n fwy na dim oedd honiad y papur newydd mai rhyw fath o docsin yn y cyffur oedd yn gyfrifol am farwolaeth y gyrrwr yn hytrach na'r cyffur ei hun. Yn ôl pob golwg, byddai lefel y tocsin yn ei waed wedi bod yn ddigon i'w ladd hyd yn oed pe na byddai'r ddamwain wedi digwydd. Ar ben hynny, darllenodd, roedd dwsinau o bobl wedi profi symptomau difrifol tebyg ar ôl cymryd yr un math o goctel o gyffur a thocsin yn ystod yr wythnos flaenorol – rhai ohonynt yn fechgyn ifanc ac yn aelodau o dîm pêl-droed y dref. Yn amlwg, roedd swp o gyffur drwg wedi cael ei rannu yn yr ardal, a gwyddai Jeff ei bod yn debygol iawn nad dyna'i diwedd hi.

'Dad, 'newch chi fy helpu fi i roi mwy o wynt yn y bêl 'ma plis?' gofynnodd Twm, ond nid atebodd ei dad.

'Daaad?'

'Aros am funud, wnei di, Twm?' meddai Jeff yn frysiog, ei feddwl yn bell o'r traeth ac anghenion ei fab.

'Be sy 'matar?' gofynnodd Meira, oedd wedi sylwi'n syth ar y newid yn nhôn llais ei gŵr. Clywsai hi'n bur aml pan fyddai Jeff wedi methu gadael pwysau ei waith yn swyddfa'r heddlu. Nid atebodd Jeff yn syth, a sylwodd Meira fod cymalau ei ddwylo'n glaer wyn o afael mor dynn yn y papur newydd. Gwyddai nad dyma'r amser i'w holi ymhellach. 'Ty'd â'r bêl i mi, Twm,' meddai. 'Gawn ni weld os oes gen i ddigon o wynt i chwythu.'

Wedi i Meira orffen chwythu'r bêl a'i rhoi yn ôl i Twm a Mairwen, rhoddodd Jeff y papur newydd iddi.

'Drycha,' meddai.

Darllenodd Meira'r stori, yna cododd ei llygaid i gyfeiriad ei gŵr a oedd yn disgwyl am ymateb. Chafodd o mo'r ymateb yr oedd o'n ei ddisgwyl.

'O, Jeff! Ti ar dy wyliau, cofia. Dim chdi 'di'r unig blisman yn Glan Morfa, w'sti. Gad i rywun arall gymryd y cyfrifoldeb am unwaith!'

Roedd yn rhaid i Jeff gyfaddef mai hi oedd yn iawn, a gwenodd arni. Ond er hynny, ni allodd ymlacio am weddill y prynhawn, a doedd dŵr y môr hyd yn oed, a oedd mor oer o'i gymharu â gwres y prynhawn, ddim yn ddigon i dynnu ei feddwl oddi ar y trafferthion gartref yng Nglan Morfa.

Cynigiodd fynd i far y gwesty i brynu hufen iâ i bawb, gan roi ei ffôn symudol yn ei boced heb i Meira ei weld. Roedd angen cael gafael ar ei gyd-weithiwr a'i gyfaill, Sarjant Rob Taylor – byddai ganddo fo fwy o wybodaeth nag yr oedd y papur newydd yn ei ddadlennu. Efallai mai camddealltwriaeth oedd y cyfan, a'r papur pengoch yn gwneud môr a mynydd o sefyllfa drist er mwyn gwerthu mwy o'u papurau. Daeth cwmwl o euogrwydd drosto pan dynnodd y ffôn o'i boced, ac edrychodd i gyfeiriad ei deulu ganllath i ffwrdd ar y traeth. Fel rheol fyddai o byth yn gwneud dim tu ôl i gefn Meira, ond doedd o ddim am droi'r drol a hwythau ar eu gwyliau, chwaith.

Heulwen, gwraig Rob, atebodd y ffôn, ac ar ôl iddi fynegi ei syndod o gael galwad yr holl ffordd o wlad Groeg, eglurodd fod ei gŵr yn mynychu un o gyrsiau'r heddlu ar ddefnyddio drylliau. Gan fod Rob yn un o'r heddweision lleol oedd wedi cael ei hyfforddi i fod yn arbenigwr ar ddefnyddio gynnau, roedd angen iddo brofi ei allu i'w defnyddio i safon uchel yn gyson. Cynigiodd Heulwen ofyn i Rob ei ffonio'n ôl, ond gwrthododd Jeff.

Dychwelodd i'r traeth cyn i'r hufen iâ ddechrau toddi, ac er i'r pedwar fwynhau gweddill y prynhawn, gallai Meira weld nad oedd y newyddion annisgwyl ymhell o feddwl ei gŵr. Ond gwyddai sut un oedd o cyn iddi ei briodi, rhesymodd – yn cymryd cyfrifoldeb personol am ddatrys pob trais a throsedd ymysg trigolion Glan Morfa. Dysgodd hynny'n fuan iawn saith mlynedd yn ôl pan fu i'r ddau gyfarfod, ac roedd hi'n edmygu ei ddiffuantrwydd, nodwedd nad oedd pob un o'i gyd-weithwyr yn ei rhannu.

Ond ar y llaw arall, wrth gwrs, y rhan yma o'i bersonoliaeth oedd yn gyfrifol am ei ddenu oddi cartref yn amlach nag oedd yn angenrheidiol.

Gobeithiai Meira na fyddai cynnwys y rhacsyn papur newydd, na dim byd arall, yn ansefydlogi deuddydd olaf eu gwyliau perffaith. Ond ni wyddai – mwy nag y gwyddai Jeff ar y pryd – fod cynllun ar droed, a hwnnw a'i wreiddiau yn ddwfn yn y gorffennol, i chwalu'r heddwch. Ac ni wyddai fod rhywun ym Mae Troulos yn rhan o'r cynllun hwnnw ... y gŵr a adawodd y papur newydd yn bwrpasol ar y gwely haul.

Pennod 2

'Pam ma' hi'n tywyllu'n gynt yn fan 'ma na mae hi adra?' gofynnodd Twm wrth orffen ei bwdin yn y taferna bychan a oedd yn sownd yn y gwesty.

Gwenodd Jeff a Meira ar ei gilydd yn llawn balchder fod eu mab ifanc yn tyfu i sylwi cymaint ar ei amgylchedd, ac i chwilio am atebion.

'Am ein bod ni'n nes at y cyhydedd,' atebodd Jeff.

'Be 'di hwnnw?'

Meddyliodd Jeff am y ffordd orau i ateb, a galwodd ar y gweinydd a oedd yn sefyll gerllaw. 'Ga' i oren, os gwelwch yn dda, Ioannis?' gofynnodd. 'Yr un mwya sydd ganddoch chi ... a dowch â melon hefyd, plis,' ychwanegodd, cyn i'r gweinydd droi oddi wrtho.

Wedi i'r ffrwythau gyrraedd, defnyddiodd Jeff feiro i farcio llinell rownd canol yr oren.

'Mi gaiff Mam ddal y melon i fyny yn fan'cw,' meddai, gan estyn y ffrwyth trwm i Meira. 'Reit,' dechreuodd ar ei ddarlith wyddonol, 'yr oren 'ma di'r byd, iawn Twm? A'r melon yn llaw Mam ydi'r haul. Y llinell yma dwi wedi'i rhoi o'i gwmpas o ydi'r cyhydedd sydd rownd canol y byd – hanner ffordd rhwng pegwn y gogledd yn y fan yma a phegwn y de yn fama. Ti'n dallt hyd yn hyn?' gofynnodd.

'Ydw ... dwi'n meddwl,' atebodd Twm, ei lygaid yn agored led y pen, yn barod i feistroli esboniad y ffrwythau.

'Yn fan hyn mae Cymru, ac yn fan hyn 'dan ni rŵan,'

parhaodd Jeff, yn cyfeirio at ddau bric coctel a roddodd yn y llefydd priodol ar yr oren. 'Ac mi ydan ni'n nes at y cyhydedd, reit? Ti'n gweld?'

'Ydw,' atebodd y bachgen.

Nid oedd Meira yn sicr faint roedd y bachgen yn ei ddeall, ond erbyn hyn roedd nifer o blant chwilfrydig o fyrddau cyfagos wedi dechrau cymryd diddordeb yn y wers, ac un neu ddau o'u rhieni hefyd. Gwenodd Meira, gyda'r melon yn dal yn ei llaw, pan ddywedodd Jeff fod y ffrwyth melyn naw deg a thair miliwn o filltiroedd i ffwrdd. Syfrdanwyd ei holl gynulleidfa ifanc, er nad oedd y mwyafrif yn deall gair o'r hyn ddywedai Jeff.

'Well ti gael hyn i gyd yn gywir, Jeff bach,' sibrydodd dan ei gwynt, ar ôl sylweddoli bod hanner y bwytawyr o'u cwmpas yn gwrando erbyn hyn.

Erbyn diwedd y bregeth ni wyddai Jeff faint roedd Twm na'r plant eraill wedi ei ddeall, ond roedd yn mawr obeithio nad oedd gwyddonwyr na seryddwyr o fewn clyw. Gobeithiai hefyd y byddai Twm yn cysgu'n sownd cyn hir, yn pendroni dros ddarlith ei dad.

Cododd Meira ei merch gysglyd a gafael yn llaw ei mab cyn troi at Jeff.

'Cymera di dy amser i orffen y gwin 'na,' awgrymodd. 'Mi ro' i nhw yn eu gwlâu. Ty'd â brandi bob un i ni efo chdi pan ddei di i fyny, ac mi gawn ni'u mwynhau nhw ar y balconi.'

'Siort orau,' cytunodd Jeff. 'Fydda i ddim yn hir.'

Eisteddodd Jeff am sbel yn gwylio gweddill cwsmeriaid y taferna yn mwynhau eu hunain, yn gyplau ifanc, teuluoedd a'u plant a rhai pensiynwyr. Deallodd fod rhai ohonynt yn dychwelyd i'r gwesty yn flynyddol, yn ystod yr un wythnos, ers blynyddoedd, ac oherwydd hynny yn adnabod ei gilydd yn dda. Tra oedd yn mân-sgwrsio â rhai ohonynt ymddangosodd y gweinydd wrth ei ochr a gosod hambwrdd ar y bwrdd o'i flaen. Arno roedd darn o bapur wedi'i blygu. Roedd Jeff ar fin dweud wrth y gweinydd ei fod wedi talu yn barod pan drodd hwnnw ei gefn a diflannu mor sydyn ag yr ymddangosodd.

Cododd Jeff y papur a'i agor. Pan ddarllenodd y geiriau oedd wedi'u hysgrifennu arno mewn priflythrennau blêr, cafodd ergyd fel petai mellten wedi ei daro.

'*Cofia nad yw dy elyn fyth ymhell. Mae o'n meddwl amdanat yn gyson, a wyddost ti ddim pa mor bell mae ei ddylanwad yn ymestyn ... cyn belled â Glan Morfa.*'

Oddi tan y geiriau roedd llun bras o ben rhywbeth yn debyg i aderyn, yn cario croes yn ei big.

Am yr ail dro'r diwrnod hwnnw lledodd ias oer drwyddo. Pwy oedd yn gyfrifol am y nodyn? Neidiodd o'i gadair a chamodd yn gyflym i gyfeiriad y gweinydd a oedd erbyn hyn yn gwasanaethu wrth fwrdd arall.

'O ble daeth hwn, Ioannis?' gofynnodd Jeff, gan chwifio'r papur o flaen trwyn y Groegwr, ei lygaid yn wyllt.

'Rhyw ddyn roddodd o i mi a gofyn i mi ei roi o i chi,' atebodd.

'Pwy? Lle mae o?'

Cododd y gweinydd ei ysgwyddau mewn arwydd o anwybodaeth.

Er mawr syndod i'r bobl a oedd yn eistedd wrth y bwrdd, gafaelodd Jeff ym mraich y gweinydd a'i arwain yn gadarn i'r naill ochr. Dychrynodd Ioannis hefyd o weld ochr wahanol iawn i'r gŵr a'r tad boneddigaidd yr oedd wedi bod yn gweini arno'n ddyddiol. Sylweddolodd Jeff fod y dyn ifanc wedi cynhyrfu, a gollyngodd ei afael arno.

'Mae'n ddrwg gen i Ioannis, ond mae hyn yn bwysig. Welsoch chi gynnwys y nodyn?' gofynnodd.

'Naddo. Rhoddodd y dyn o i mi wedi'i blygu.'

'Bygythiad ydi o, dach chi'n gweld. Pwy oedd y dyn?'

'Wn i ddim, wir rŵan, Mr Evans. Yr unig beth wnes i oedd dod â'r papur atoch chi fel y gofynnodd o. Ond mi welais i o'r pnawn 'ma ... roedd o yma'n cael paned o goffi, ac yn edrych i lawr at y traeth ... am ryw hanner awr. Mi ddiflannodd fel y daethoch chi i fyny i brynu hufen iâ.'

'Disgrifiwch o,' gorchmynnodd Jeff.

'Canol oed, cyhyrog ... gwallt cyrliog du wedi'i dorri'n gwta. Doedd o ddim wedi eillio ers dyddiau 'swn i'n deud. Dyn reit galed yr olwg. Roedd o'n gwisgo siwt ysgafn, olau heno, yn reit smart – ond pâr o siorts a chrys T oedd amdano fo yn gynharach. Fedra i ddeud dim mwy wrthach chi, Mr Evans – wir i chi.'

Roedd Jeff yn ei gredu. Safodd yn ôl oddi wrth y gweinydd ac ymddiheuro, gan wthio papur hanner can Ewro i'w law. 'Cofiwch adael i mi wybod os welwch chi'r dyn yma o gwmpas eto,' meddai.

Cytunodd Ioannis, gyda golwg o ryddhad yn lledu ar draws ei wyneb.

Aeth Jeff yn ôl at y bwrdd lle'r oedd y gweinydd yn gwasanaethu cyn iddo'i dynnu oddi yno, ac ymddiheurodd i'r teulu hwnnw hefyd.

Roedd ei feddwl ar garlam wrth geisio gwneud rhyw fath o synnwyr o ddigwyddiadau'r munudau blaenorol. Roedd arno angen amser i ystyried popeth, ond mynd i fyny i'w ystafell oedd ei reddf gyntaf, gan daro golwg sydyn o'i gwmpas ar y ffordd yno. Agorodd y drws, a daeth wyneb yn wyneb â Meira a edrychai fel petai mewn panig.

'Be sy?' gofynnodd Jeff, yn dychmygu'r gwaethaf.

'Ti 'di gweld fy ffôn i, Jeff? Fedra i mo'i ffendio fo yn unman.'

'Naddo, wir. Pryd welaist ti o ddwytha?' Diolchodd mai dyna'r cyfan oedd yn ei phoeni.

'I lawr ar y traeth pnawn 'ma, am wn i. O, Jeff, ma' bob dim arno fo! Be wna i? Mynd i decstio Dad o'n i ar ôl i'r plant fynd i gysgu, a doedd o ddim yn fy mag i. Dwi'n mynd i lawr y grisiau i chwilio amdano fo.'

'Na ... disgwyl tan y bore, Meira,' mynnodd Jeff.

'No wê, Jeff, neu chysga i ddim winc. A lle mae'r brandi 'na wnes i ofyn amdano?' gofynnodd gyda gwên.

Gwyddai Jeff nad oedd diben ceisio newid ei meddwl os oedd Meira wedi rhoi ei bryd ar wneud rhywbeth. Roedd hi'n ddynes gall ac yn blismones brofiadol a dreuliodd flynyddoedd yn gweithio ar strydoedd Lerpwl cyn iddynt gyfarfod.

'Gwranda,' meddai, wrth iddi ei basio i fynd drwy'r drws, 'mae 'na foi amheus o gwmpas, a 'swn i'n lecio i ti edrych allan amdano fo. Os weli di o o gwmpas, cadwa'n glir a ty'd yn dy ôl yma ar dy union. Dallt?' Rhoddodd ei ddisgrifiad iddi.

Edrychodd Meira'n chwilfrydig ar ei gŵr.

'Mi ddeuda i'r holl hanes wrthat ti pan ddoi di'n ôl.'

Pennod 3

Tarodd Jeff olwg dros y plant, y ddau ohonynt yn cysgu'n braf, a bachodd ei gyfle. Tynnodd ei ffôn symudol o'i boced a ffoniodd ei gyfaill a'i gyd-weithiwr Rob Taylor, oedd, fel ei wraig, wedi'i synnu o glywed llais Jeff ac yntau i fod ar ei wyliau.

'Gwranda, Rob,' torrodd Jeff ar ei draws. 'Does gen i ddim llawer o amser, ac mi esbonia i bopeth yn iawn i ti ryw dro eto. Mi welais i erthygl bapur newydd heddiw yn cyfeirio at ddamwain car yng Nglan Morfa 'cw chydig ddyddiau'n ôl – a sôn am broblem gyffuriau ddrwg. Be ddiawl sy'n mynd ymlaen?'

'Ma' hi'n flêr ofnadwy yma, Jeff. Choeli di byth, ond mae'n edrych yn debyg bod 'na lwyth o gocên wedi hitio strydoedd y dre, a hwnnw'n cynnwys rwbath drwg. Dydi canlyniadau profion gwaed yr hogia oedd yn y ddamwain ddim yn ôl o'r labordy eto, ond yr amheuaeth ydi bod 'na un ai strycnin neu arsenig ynddo fo. Dim ond un sydd wedi'i ladd hyd yn hyn ond mae 'na nifer yn bur wael.'

'Un o'r hogia oedd yn y ddamwain car laddwyd, ia? Pwy oedd o?'

'Wil Morgan, y pêl-droediwr.'

Ochneidiodd Jeff yn araf ac yn uchel. Roedd yn adnabod teulu'r llanc ac wedi bod yn dilyn ei yrfa gynnar ar y maes chwarae yng Nglan Morfa ac wedyn gydag academi un o dimau mawr Manceinion. 'Be goblyn oedd bachgen efo'r holl fyd wrth ei draed yn ei wneud yn defnyddio'r fath beth, dŵad? Pwy oedd y lleill yn y car?'

'Brian Owen oedd un. Pêl-droediwr arall ... ar fin cael ei dderbyn gan Everton, meddan nhw, a bachgen chydig fengach. Mae'n ddrwg gen i ddeud wrthat ti mai hogyn Elen Thomas ydi hwnnw.'

'Geraint? O damia, Rob. Sut mae'r ddau?'

'Tydi Geraint ddim wedi cael llawer o niwed, a doedd 'na ddim arwydd o'r cyffur yn ei waed o chwaith, ond yn anffodus mae Brian yn bur wael yn yr ysbyty, a'r peryg ydi na wneith o byth chwarae pêl-droed yn broffesiynol.'

'Pam y cysylltiad efo pêl-droed, Rob? Ydi hyn yn rwbath i'w wneud â chlwb Glan Morfa?'

'Wn i ddim, wir. Y sôn ydi mai rhywun sy'n gysylltiedig â gwaith adeiladu'r pwerdy sy'n gyfrifol am ddod â'r cyffur yma, ac efallai bod rhywun lleol yn ei ddosbarthu. Ac fel ro'n i'n deud, mae 'na beth uffern o bobl, yn lleol ac ar seit y pwerdy, yn diodda ar ôl ei gymryd.'

'Pwy sy'n edrych ar ôl yr ymchwiliad?'

'Dim llawer o neb – fedri di goelio'r fath beth? Mae'r Adran Gyffuriau o'r pencadlys wedi bod i lawr 'ma am dridiau, ond chawson nhw ddim gwybodaeth o bwys. Yr unig beth wnaethon nhw oedd rhybuddio pawb i fod yn wyliadwrus a pheidio â defnyddio'r cyffuriau, ond mi wyddost ti cystal â fi pa mor debygol ydi adicts o wrando ar gyngor felly. Hyd y gwn i, mae 'na fwy o bobl yn mynd yn wael bob dydd. Mae'r Adran Gyffuriau'n mynnu 'u bod nhw'n gwneud ymholiadau pellach draw yn Lloegr i geisio olrhain y stwff, ond Duw a ŵyr be ddaw o hynny.'

Trodd Jeff ei ben pan glywodd ddrws yr ystafell yn agor.

Cerddodd Meira drwyddo, yn cario dau wydryn mawr, digon tebyg i bowlenni pysgod aur, a'r rheiny'n cynnwys mesur sylweddol o frandi. Gobeithiai Jeff mai brandi Metaxa saith seren oedd o.

'Gawn ni drafod hyn eto,' meddai Jeff yn frysiog wrth Rob, a rhoi ei ffôn yn ôl yn ei boced.

'Efo pwy oeddat ti'n siarad?' gofynnodd Meira.

'Rob Taylor,' cyfaddefodd Jeff.

'Y munud dwi'n troi fy nghefn, ar f'enaid i, Jeff Evans,' atebodd ei wraig yn siomedig.

'Mae'n ddrwg gen i, 'ngghariad i. Ond gwranda, mae 'na reswm. Ty'd â'r gwydrau 'na allan ar y balconi, ac mi esbonia i bob dim i ti. Gest ti hyd i dy ffôn, gyda llaw?'

'Do, o'r diwedd, ar ôl chwilio ym mhob man. Erbyn gweld, mi oedd rhywun wedi dod o hyd iddo fo a'i adael yn y dderbynfa, chwarae teg iddyn nhw. Rŵan 'ta, be sy gen ti i'w ddweud – ac mae'n well iddi fod yn stori dda i gyfiawnhau ffonio gorsaf heddlu Glan Morfa, a ninnau ar ein gwyliau.'

Eisteddodd y ddau yn y cadeiriau plastig ar y balconi yn edrych ar y sêr uwchben y traeth gwag, ac adlewyrchiad y lleuad ar y tonnau ysgafn. Tynnodd Jeff y nodyn a roddwyd iddo gan y gweinydd allan o'i boced a'i ddangos iddi.

'Be yn y byd ydi hwn? Lle gest ti o?'

Dywedodd yr hanes wrthi. 'Bygythiad ydi hwn, does dim dwywaith. Ti'n sylweddoli hynny, dwi'n siŵr.'

Nodiodd Meira ei phen heb godi ei llygaid oddi ar y papur, y braw yn dechrau cydio ynddi. 'Meddwl am y goblygiadau ydw i,' meddai ymhen tipyn.

'Wel, dwi 'di bod yn gwneud hynny hefyd,' meddai Jeff.

'Jyst meddylia am funud. I mi yn bersonol mae'r nodyn wedi'i gyfeirio, er nad ydi f'enw i arno fo. Ac mae o wedi dod gan rywun sy'n fy ngalw fi yn elyn ... neu dyna mae o'n ei feddwl, beth bynnag. Rhywun sy'n gwybod fy mod i – ein bod ni – yma ar ein gwyliau, ac sydd wedi dod yr holl ffordd i Fae Troulos er mwyn ei roi o i mi.'

'Ac mae'r ymdrech, heb sôn am y gost, o wneud y fath beth yn dangos fod pwy bynnag sy tu ôl i'r peth o ddifri,' ychwanegodd Meira.

'Siŵr iawn.' Cymerodd Jeff sip o'i frandi a'i deimlo'n cynhesu ei wddf wrth iddo'i lyncu. Ond pam? Pam mynd i'r fath drafferth er mwyn fy nychryn i? A dwn i ddim be ydi arwyddocâd y sgetsh 'na o ben deryn – mae o'n edrych fel tasa fo wedi cael ei wneud gan blentyn.'

'Gad i mi fynd â'r cwestiwn chydig ymhellach,' ymresymodd Meira. Mae o'n deud na tydi dy elyn di fyth ymhell. Wel, mae o wedi profi hynny drwy adael y nodyn i ti mor bell oddi cartref. "Mae o'n meddwl amdanat yn gyson." Mae hynna'n gwneud i mi feddwl nad y gelyn ei hun anfonodd y nodyn, ond rhywun arall ar ei ran o.' Parhaodd Meira i astudio'r geiriau o'i blaen yn fanwl. 'A "Wyddost ti ddim pa mor bell mae ei ddylanwad yn ymestyn ... cyn belled â Glan Morfa." Be all hynny ei olygu? Ydi o'n awgrymu nad ydi'r gelyn ei hun yng Nglan Morfa? Duw a ŵyr.'

'Mae gen i syniad, ac os ydw i'n gywir – a dwi'n gobeithio nad ydw i – mae'r peth yn ddychrynllyd, Meira bach. Yn uffernol.'

'Be ti'n feddwl?' Nid oedd Meira erioed wedi gweld ei gŵr yn edrych mor anesmwyth â hyn o'r blaen.

'Yr erthygl yn y papur newydd 'na am y cyffuriau yng

Nglan Morfa. Dwi'n dechrau amau ei fod o wedi cael ei adael ar y gwely haul yn bwrpasol er mwyn i mi ei weld o. Dyna pam roedd yn rhaid i mi ffonio Rob, yli.'

Cymerodd ychydig funudau i Jeff roi braslun iddi o'i sgwrs â Rob Taylor. 'Ai dyma sut mae o am fy mrifo i – drwy niweidio trigolion y dref a'r ardal, ein cartref ni? Ond fedra i ddim dallt pam bod yn rhaid rhoi gwybod i mi yma yng Ngroeg.'

'O, tyrd o'na, Jeff,' ebychodd Meira. 'Mae'n swnio i mi fel tasat ti'n cysylltu'r ddau beth heb reswm.'

'Ddim o anghenraid, Meira. Mi ddeudodd Ioannis fod y boi a roddodd y nodyn iddo fo i'w roi i mi, yn eistedd yn y taferna yn ystod y pnawn, chydig cyn i mi fynd i nôl hufen ia, ac yn edrych i gyfeiriad y traeth lle roeddan ni'n pedwar yn eistedd. Welaist ti rywun yn defnyddio'r gwely haul 'na lle gadawyd y papur newydd?'

'Naddo,' atebodd Meira. 'Ond mi oedd 'na ryw ddyn canol oed efo gwallt cyrliog ryw ddau neu dri gwely i ffwrdd. Ar ei ben ei hun oedd o, ac wrth edrych yn ôl mi oedd hynny'n ymddangos yn rhyfedd, ond fedra i ddim rhoi mwy o ddisgrifiad na hynny i ti. Wedi deud hynny, Jeff, dwi ddim yn cofio'i weld o ymysg gwestion y gwesty 'ma cyn hynny nac wedyn.'

Roedd digwyddiadau'r diwrnod wedi newid awyrgylch hamddenol y gwyliau, a throdd meddwl Jeff at ei blant. Os oedd o'n cael ei fygwth, rhaid oedd cymryd bod bygythiad i'w deulu hefyd. Ni allai feddwl am aros ym Mae Troulos am ddeuddydd arall, yn gorfod esgus i Twm a Mairwen fod popeth yn iawn, felly ceisiodd drefnu ehediad cynt yn ôl i Fanceinion. Dim lwc. Roedd pob awyren yn llawn, felly byddai'n rhaid i'r teulu bach aros lle roedden nhw, a bod yn wyliadwrus.

Dechreuodd Jeff boeni sut y gallai sicrhau diogelwch ei deulu wedi cyrraedd adref. Wedi'r cwbl, er ei fod o a Meira yn heddweision profiadol, roedd o'n delio â rhywun oedd wedi mynd i'r drafferth o deithio cannoedd, os nad miloedd, o filltiroedd i'w fygwth – a rhywun oedd yn ddigon hyderus i herio ditectif profiadol. Penderfynodd y byddai'n rhaid iddo warchod Meira a'r plant nes y byddai'r mater wedi'i ddatrys. Ni fyddai'n saff i'r teulu ddychwelyd i Glan Morfa, am y tro. Yn y cyfamser, er gwaethaf ei ofnau a'i bryderon, roedd Ditectif Sarjant Jeff Evans ar binnau eisiau dychwelyd i Gymru er mwyn cael mynd i'r afael â phwy bynnag oedd y tu ôl i'r cyfan.

Pennod 4

Nid i gyfeiriad Glan Morfa y gyrrodd Jeff y Volkswagen Touareg o faes awyr Manceinion, ond i gyfeiriad Ffestiniog, cartref rhieni Meira. Roedd Meira wedi ffonio'i mam y diwrnod cynt i ofyn a gâi hi a'r plant aros yno am ychydig ddyddiau.

Ni chymerodd Jeff y risg o yrru'n syth yno. Wedi'r cyfan, os oedd rhywun wedi mynd i drafferth i'w dilyn i Fae Troulos ar ynys Skiathos, mater bach fyddai eu dilyn adref o Fanceinion i Gymru hefyd. Gwell chwarae'n saff, meddyliodd. Cadwodd Meira ac yntau lygad barcud am rywun a allai fod yn eu gwylio yn y maes awyr, yn y tacsi i'r maes parcio ac yna ar y drafford i gyfeiriad Caer a gogledd Cymru. Sawl gwaith, gyrrodd Jeff oddi ar yr M56 ac o gwmpas sawl cylchfan fwy nag unwaith er mwyn sicrhau nad oedd car arall yn eu dilyn, ac edrychai Jeff yn gyson ar ddrych ôl y car. Gwnaeth yr un peth wrth yrru ar hyd yr A55, ac erbyn cyrraedd Glan Conwy roedd yn eitha sicr nad oedd ganddynt gynffon.

Wedi cyrraedd Ffestiniog teimlai Jeff yr angen i egluro'n fras i Twm a Mair Price pam eu bod wedi ymweld â nhw mor annisgwyl, ond dewisodd fod yn gynnil efo'r wybodaeth. Eglurodd fod rhywun wedi'i fygwth, ac y byddai'n dawelach ei feddwl petai Meira a'r ddau fach yn ddigon pell o Lan Morfa tan y byddai'r cyfan drosodd. Pwysleisiodd nad oedd gan ei rieni yng nghyfraith reswm i boeni, er ei fod yn gwybod nad oedd hynny'n wir.

Teimlad anghyfforddus oedd gadael y plant, er bod y ddau fel ei gilydd wrth eu boddau yn cael estyniad annisgwyl i'w gwyliau efo Nain a Taid. Er gwaethaf protestiadau Jeff, mynnodd Meira deithio ymlaen efo fo i Lan Morfa er mwyn nôl ei char ei hun. Byddai angen y Passat arni yn Ffestiniog yn lle'i bod yn gorfod dibynnu ar fenthyg car ei thad, eglurodd, a gallai Jeff weld ei phwynt.

Cyrhaeddodd y ddau eu cartref yn fuan gyda'r nos, a dychwelodd Meira ar ei hunion i Ffestiniog.

'Gwna'n siŵr nad oes neb yn dy ddilyn di,' pwysodd Jeff arni.

'Wrth gwrs,' atebodd, 'a bydda ditha'n ofalus hefyd.'

Gafaelodd y ddau yn ei gilydd ond doedd y ffarwelio ddim yn hawdd.

Wedi i Meira fynd, gyrrodd Jeff drwy ganol y dref. Roedd arno angen gweld beth yn union oedd yn mynd ymlaen – ond digon distaw oedd hi, fel yr oedd hi'n arfer bod yng nghanol yr wythnos. Stori wahanol oedd hi ar y penwythnosau, pan fyddai'r gweithwyr a oedd yn adeiladu'r pwerdy newydd yn hitio'r tai tafarnau. Cofiai fel roedd yr ardal cyn iddyn nhw gyrraedd: y dref a'r traeth yn ddigon tawel ar hyd misoedd y gaeaf ac yn prysuro yn yr haf pan ddeuai'r ymwelwyr yn eu lluoedd. Byddai, mi fyddai tipyn o firi pob rŵan ac yn y man, fel pob tref arall, ond allai neb fod wedi rhag-weld y trawsnewidiad a ddigwyddodd yn syth wedi i'r gweithwyr gyrraedd o bob rhan o'r wlad ac o gyfandir Ewrop. Bellach, roedd llanast, meddwi a chwffio, heb sôn am y dwyn, y cyffuriau a hyd yn oed puteinio agored ar y strydoedd. Mudodd llu o ferched i'r ardal i ganlyn y dynion sengl ac i ddiwallu eu hysfa rywiol ... nid nad oedd rhai dynion lleol, yn sengl a phriod, yn cymryd mantais o'u gwasanaethau hefyd. Roedd nifer o dai bwyta newydd wedi agor i fanteisio ar gwsmeriaeth y gweithwyr, ac roedd Jeff yn amheus a oedd gan bob unigolyn a gyflogid ynddynt yr hawl i weithio ym Mhrydain. Yn ôl pob golwg roedd y gweinyddion yn mynd a dod yn gyson – er mwyn osgoi'r awdurdodau, mae'n debyg – er bod yr wynebau yn y gegin yn fwy sefydlog.

Edrychai'n debyg nad oedd cynilo'u cyflogau swmpus yn flaenoriaeth i'r rhan fwyaf o'r gweithwyr adeiladu. Cwrw, merched a gamblo oedd eu diddordebau mwyaf ... heb sôn am y cyffuriau, wrth gwrs. Roedd y broblem honno wedi cynyddu yn fwy na dim yn ystod y ddwy flynedd ddiwethaf, a bu'n anodd iawn ei phlismona. Dychmygai Jeff fod y sefyllfa yn ymdebygu i'r un yn Klondike yn niwedd y bedwaredd ganrif ar bymtheg – chwant am gyfoeth â neb yn hidio taten am fawr ddim arall. Nid oedd y nifer o blismyn yn y dref wedi cynyddu o gwbl, ac er bod cymorth i'w gael o rannau eraill o ogledd Cymru drwy oriau'r nos ar benwythnosau, roedd y llu lleol o dan bwysau aruthrol. A phwy oedd yn dioddef? Trigolion yr ardal – nid yn unig y rhai hynny oedd yn colli eu heiddo i ddwylo lladron, y rhai a gawsai eu hanafu a'r rhai a ddisgynnai dan ddylanwad y cyffuriau, ond yr holl gymuned.

Erbyn hyn, yn ôl pob golwg, roedd rhywbeth anarferol o gas a chreulon ar droed ar ffurf y cyffuriau budr. Pwy aflwydd fyddai'n dod â'r ffasiwn beth i'r ardal yn fwriadol?

Gyrrodd Jeff yn ôl adref, er mwyn pori'r we am wybodaeth ynglŷn â digwyddiadau yn yr ardal yn ystod ei absenoldeb. Gwelodd fod cyfarfod yn cael ei gynnal yn neuadd y dref y noson honno er mwyn i'r gymuned gael cyflwyno unrhyw sylwadau a chwynion gerbron yr heddlu. Dewisodd beidio â mynd yno yn rhinwedd ei swydd; roedd yn well ganddo, am y tro, arsylwi ar y cyfan o gefn y neuadd.

Roedd y cyfarfod wedi dechrau cyn iddo gyrraedd ac amcangyfrifodd fod ymhell dros gant o bobl yno. Sleifiodd yn ddistaw i sedd wag wrth y drws, allan o olwg y mwyafrif, a thynnodd ei goler i fyny at ei glustiau. Roedd hynny, a'r cap pig a wisgai, yn sicrhau fod y rhan fwyaf o'i wyneb o'r golwg. Gwyrodd ei ben, plethodd ei freichiau a dechrau gwrando.

Yr Uwch-arolygydd Irfon Jones oedd yn cynrychioli'r heddlu, a maer y dref oedd yn cadeirio. Er mai dim ond newydd ddechrau oedd y cyfarfod, roedd yn ddigon hawdd synhwyro fod yr awyrgylch yn dynn, gyda nifer helaeth o'r gynulleidfa yn fwy na pharod i godi llais – ar draws ei gilydd gan amlaf. Gwyddai Jeff o brofiad fod Irfon Jones yn fwy nag abl i lywio'r sefyllfa, ond doedd y cyfarfod hwn ddim am fod yn un hawdd iddo. Cwyn y mwyafrif oedd na thalwyd digon o sylw i leisiau'r rhai a fu'n gwrthwynebu adeiladu'r pwerdy yn ystod blynyddoedd yr ymgynghoriad cyhoeddus. Atebwyd y sylw hwnnw gyda'r datganiad bod angen edrych i'r dyfodol bellach.

Cododd gŵr o'r enw Marc Mathias ar ei draed.

'A be mae'r heddlu'n ei wneud?' dechreuodd, gan godi ei lais i gael sylw. Pwyntiodd ei fys yn fygythiol amharchus i gyfeiriad Irfon Jones. 'Be dach chi'n wneud i ddiogelu'r dref? Dim, yn ôl pob golwg! Ma' hi fatha'r gorllewin gwyllt yma. 'Drychwch ar y difrod sy'n cael ei wneud i eiddo pobl yng nghanol y dref yn ystod y penwythnosau. 'Drychwch ar y merched sy'n gwerthu'u hunain, a'r cyffuriau sy ar gael ar gongl pob stryd, bron iawn – a rŵan mae 'na rwbath yn y cyffuriau sy'n lladd ein pobol ifanc ni. Tydi hi ddim yn saff i fagu plant yma erbyn hyn, a be mae'r heddlu'n 'i wneud? Dim. Dyna i chi'r ateb. Dim!' Eisteddodd i lawr i sŵn cymeradwyaeth mwyafrif y gynulleidfa.

Un da oedd hwn i siarad, meddyliodd Jeff. Ychydig flynyddoedd ynghynt roedd yn rhedeg caffi bach yn y dref, ond roedd wedi gwneud yn dda iawn yn dilyn y penderfyniad i adeiladu'r pwerdy. Erbyn hyn roedd ganddo fusnes arlwyo llewyrchus ar safle'r gwaith adeiladu ei hun ac yn y gwersyll lle'r oedd y rhan fwyaf o'r adeiladwyr yn byw tra oeddynt yn gweithio yn yr ardal. Roedd Marc Mathias bellach yn ddyn llwyddiannus a chyfoethog, diolch i'r gwaith adeiladu.

'Dwi'n deall eich pryder,' atebodd Irfon Jones 'ac mi alla' i'ch sicrhau chi fod yr heddlu yn gwneud popeth o fewn ein gallu o dan yr amgylchiadau. Mae 'na oddeutu deng mil o bobl o'r tu allan wedi dod i weithio yng Nglan Morfa erbyn hyn, a wyddon ni ddim pwy sydd yn eu plith. Yn anffodus, mae sefyllfa fel hon yn dod â'i thrafferthion. Mi welwch fod nifer o blismyn ar y strydoedd ar adegau prysur – nosweithiau Gwener a Sadwrn, er enghraifft – er mwyn ceisio arbed difrod i eiddo'r trigolion a niwed corfforol. Dydi puteinio ei hun ddim yn drosedd, ond mi ydan ni'n gwneud ein gorau i sicrhau nad ydi'r merched yn loetran ar y strydoedd. Does ganddon ni ddim hawl i'w hatal nhw rhag defnyddio papurau newydd lleol i hysbysebu eu gwasanaeth, a chyn belled â'u bod yn cynnal eu busnes o olwg y cyhoedd, a ddim yn defnyddio puteindai, allwn ni ddim gwneud dim i'w hatal.'

‘Wel, be am y cyffuriau ’ta?’ cododd Mathias ei lais eto. ‘Sut mae ’na gymaint ohonyn nhw’n cael cyrraedd dwylo plant a phobl ifanc, a nhw’tha mor beryg rŵan?’

‘Mae’n wir,’ atebodd yr Uwch-arolygydd, ‘bod hwn yn fater difrifol iawn, ond mae’n rhaid i chi gofio mai dim ond un o’r miloedd o bobl ddieithr sydd yn yr ardal sydd ei angen i ddod â chyflenwad o gyffur drwg i’r ardal. Mae dod o hyd i’r sawl sy’n gyfrifol yn gyfystyr â chwilio am nodwydd mewn tas wair. Gadewch i mi’ch sicrhau chi fod ein harbenigwyr ni’n ymdrechu i olrhain y ffynhonnell – nid yn unig yn lleol ond ar draws Prydain. Alla i ddim pwysleisio pa mor beryglus ydi’r cyffur diweddaraf ’ma sydd wedi dod i’r ardal – fel y gwyddoch chi o adroddiadau’r wasg, mae rhyw sylwedd niweidiol iawn wedi’i gymysgu â’r cocên hwn. Mae gan bawb yng Nglan Morfa gyfrifoldeb i waredu’r ardal ohono, trwy basio’r neges ymlaen i’ch plant, eich wyrion a’ch cyfeillion, er mwyn sicrhau nad oes neb yn ei ddefnyddio o hyn allan.’

‘Oes ’na ffordd arall y medrwn ni, y cyhoedd, helpu?’ gofynnodd y maer.

Cwestiwn call o’r diwedd, meddyliodd Jeff yng nghefn yr ystafell.

‘Allwn ni, yr heddlu, ddim gweithredu’n llwyddiannus ar ein pennau’n hunain,’ cyfaddefodd Irfon Jones. ‘Dim ond gyda chydweithrediad, law yn llaw efo’r gymuned, y mae datrys problemau fel hyn. Byddwch yn llygaid a chlustiau ychwanegol i ni allan ar y strydoedd, a pheidiwch â bod ofn dod ag unrhyw wybodaeth i ni. Cewch wneud hynny’n ddienw os mynnwch chi.’

‘Rargian, mae hwn yn disgwyl i ni i gyd fod yn ysbïwyr

iddo fo rŵan,' protestiodd Marc Mathias, gan chwerthin yn hyf. Clywodd Jeff dipyn o chwerthin ymysg gweddill y gynulleidfa hefyd.

Cododd Jeff Evans o'i gadair mor ddisylw ag y cyrhaeddodd, ac aeth allan i eistedd yn y Touareg, a oedd wedi'i barcio nid nepell o ddrws ffrynt y neuadd. Ymhen dim, gwelodd y gynulleidfa yn dechrau gadael, yn cynnwys Marc Mathias a oedd wedi'i amgylchu gan nifer o bobl oedd yn amlwg yn ei gefnogi. Dechreuodd Jeff ystyried gelyniaeth amlwg y dyn tuag at yr heddlu. Pam roedd o mor ymosodol ei natur, tybed? Doedd Jeff ddim yn adnabod Mathias – doedd y ddau erioed wedi cyfarfod, hyd yn oed, ac ni allai gofio unrhyw achos swyddogol na digwyddiad a fyddai wedi peri i Mathias ymddwyn mor elyniaethus. Ta waeth, meddyliodd. Rhyngddo fo a'i bethau.

Cyn hir daeth yr Uwch-arolygydd Irfon Jones allan yng nghwmni'r maer. Edrychodd Jeff arnynt yn ysgwyd llaw a ffarwelio, a thaniodd yr injan er mwyn dilyn yr Uwch-arolygydd at ei gar. Agorodd y ffenestr.

'Mi wnaethoch chi job reit ddel yn y cyfarfod 'na,' meddai, gyda gwên lydan ar ei wyneb.

Roedd y ddau yn adnabod ei gilydd yn dda, yn broffesiynol ac yn gymdeithasol, ac yn parchu barn y naill a'r llall.

'Jeff! Welais i mohonat ti'n fanna ... ro'n i'n meddwl dy fod ti ar dy wyliau.'

'Mi o'n i, ac ar fy ngwyliau ydw i o hyd, i fod. Mi ddois i adra heddiw. Oes ganddoch chi amser i drafod mater bach sy'n fy mhoeni fi?'

Eisteddodd Irfon Jones yn sedd flaen y Touareg. 'Pwy oedd hwnna yn ceisio bod yn glyfar, dŵad?' gofynnodd.

Eglurodd Jeff pwy oedd Mathias, a rhannu'r hyn roedd o'n ei wybod amdano.

'Dipyn o goc oen, yn ôl pob golwg. Ond gwrandwch, isio gwybod ydw i oes rhywfaint mwy o wybodaeth ynglŷn â'r cyffur 'ma sy'n gwneud cymaint o ddamej,' meddai Jeff. 'Ydach chi rywfaint callach be sy ynddo fo sy'n gallu lladd?'

'Pam fod gen ti gymaint o ddiddordeb? Ro'n i'n meddwl bod gen ti wythnos arall o wyliau cyn dod yn ôl i dy waith.'

'Mae hynny'n wir, ond dwi'n nabod rhai o'r bobl sydd wedi'u heffeithio ganddo – y ddau fachgen oedd yn y ddamwain, Wil Morgan a Brian Owen.' Oedodd Jeff am eiliad cyn edrych i lygaid ei bennaeth a pharhau. 'Ond mae 'na fwy iddi na hynny.' Eisteddodd Jeff yn ôl yn ei sedd, yn edrych trwy'r ffenestr flaen wrth esbonio'r cyfan a ddigwyddodd ym Mae Troulos, a'r goblygiadau fel yr oedd o'n eu gweld nhw.

'A ti'n meddwl bod hyn i gyd yn gysylltiedig?' meddai Irfon Jones.

'Rhaid ei fod o. Mi oedd y nodyn ges i yn y fan honno yn sôn am ddylanwad y gelyn 'ma, pwy bynnag ydi o, hyd yn oed yng Nglan Morfa. A dyna pam dwi wedi sicrhau bod Meira a'r plant yn ddigon pell i ffwrdd am y tro. Ata' i roedd o'n cyfeirio, ac yn ôl pob golwg, at y cyffuriau drwg 'ma hefyd.'

'Dwi'n gweld dy bwynt di, Jeff – ac anaml iawn mae'r trwyn 'na sgin ti yn anghywir. Reit, y cocên 'ma ti'n holi amdano. Mi wyddost ti sut maen nhw'n torri a rhannu'r powdwr a rhoi dipyn mwy o hyn a'r llall ynddo fo i wneud iddo fynd yn bellach?'

'Gwn – rwbath fel talc neu flawd fel arfer, mae'n debyg.'

'Ia. Maen nhw'n deud nad oes mwy na phedwar deg y

cant o'r cyffur ei hun yn y cocên sydd i'w gael ar y strydoedd fel arfer – ond nid talc na blawd sydd wedi cael ei ddefnyddio y tro hwn i'w gymysgu, ond strycnin.'

'Rargian Dafydd, nid gwenwyn i ladd llygod mawr 'di hwnnw?'

'Ia, a nifer o betha eraill hefyd,' cadarnhaodd Irfon Jones. 'Flynyddoedd lawer yn ôl, roedd o'n cael ei ddefnyddio'n feddygol, mewn dos isel, yn stimulant, ond mae hynny wedi stopio ers blynyddoedd – mae o rhy beryg o lawer. Wedi deud hynny, hyd yn oed mewn dos bychan, beth bynnag ydi dos bychan, mae o'n achosi i rywun fynd yn orfywiog a chael ffitiau a chramp, hyd yn oed o fewn ychydig funudau ar ôl ei gymryd. Mae dos mwy yn debygol o achosi marwolaeth trwy gonfylsiwn a myctod yn reit sydyn. Yn rhyfeddol, mae 'na arferiad diweddar o roi mymryn mewn cocên er mwyn chwyddo effaith y cyffur gwreiddiol, ond llawer llai na'r dos sy'n cael ei roi yn y cyffur sydd ar y strydoedd 'ma ar hyn o bryd.'

'Faint o ddos gafodd Wil Morgan druan?'

'Mwy na digon,' atebodd Irfon Jones. 'Mae'n debygol nad yr anafiadau a ddioddefodd yn y ddamwain a'i lladdodd o – roedd digon o strycnin yn ei waed o, damwain neu beidio, i wneud hynny. Ond wrth gwrs, effaith y gwenwyn ar ei gorff oedd achos y ddamwain, does dim amheuaeth am hynny.'

'Oes 'na ryw wybodaeth bellach ynglŷn â sut y daeth y stwff i'r dre? Be mae'r hogia o'r pencadlys wedi'i ddarganfod?'

'Dim llawer. Maen nhw wedi bod yn canolbwyntio ar bobl y gwaith, wrth gwrs, ond lle aflwydd wyt ti'n dechrau yn y fan honno? Y ddamcaniaeth ydi bod 'na well siawns o symud ymlaen drwy gymharu'r cocên hefo stwff tebyg mewn rhannau arall o Brydain, er mwyn ceisio olrhain y tarddiad. Hyd yn hyn, does 'na ddim datblygiad ar yr ochr honno chwaith.'

'Wel, be fyswn i'n licio'i wneud,' meddai Jeff, 'ydi gwneud mwy o ymholiadau o gwmpas y dref, yn fy ffordd fy hun. Dwi'n nabod fy mhobol ac maen nhw'n fy nabod i. Ella ca' i well hwyl na bois y pencadlys.'

Gwenodd yr Uwch-arolygydd. Gwyddai nad oedd ffordd Jeff Evans o blismona bob amser yn dderbyniol yn llygaid y rhai uwch ei ben.

'Ty'd ata i os fedra i wneud rwbath i dy helpu di, Jeff ... a bydda'n ofalus. Gyda llaw,' ychwanegodd fel yr oedd o'n camu allan o'r car, 'be ti'n wneud o'r darlun oedd ar y nodyn gefaist ti? Y pen deryn yn cario croes yn ei big?'

'Dim syniad,' atebodd Jeff. 'Does gen i ddim clem o gwbl. Ond mae'n debyg bod rhywun yn trio gyrru rhyw neges i mi.'

Pennod 5

Cododd Jeff yn gynnar y bore canlynol heb fod wedi cael llawer o gwsg. Doedd cynllunio a rhag-weld digwyddiadau'r diwrnod o'i flaen yn dod â dim pleser iddo o gwbl. Ond sut arall allai o ddechrau ymholiad fel hwn heblaw trwy gysylltu â rhieni'r tri bachgen oedd yn y car pan ddigwyddodd y ddamwain? Penderfynodd ddechrau efo Mr a Mrs Morgan – yr ymweliad anoddaf yn gyntaf. Mynd ar draws eu galar a gofyn cwestiynau annifyr iddynt oedd y peth olaf roedd o eisiau'i wneud, ond yn anffodus doedd dim dewis. Chafodd Jeff ddim llawer o gwsg y noson cynt gan fod Wil Morgan druan ar ei feddwl – bu'n troi a throsi yn y gwely mawr gwag, ei gorff yn chwysu yn y gwres trymaidd gan fethu'n glir â chael wyneb y bachgen o'i feddwl.

Roedd Wil wedi profi ei hun yn bêl-droediwr campus cyn cyrraedd ei arddegau ac wedi denu sylw un o sgowtiaid Manchester United wrth chwarae i dîm yr ysgol wyth mlynedd ynghynt. Meithrinwyd ei sgiliau dan lygad barcud hyfforddwyr ieuenctid y clwb enwog hwnnw yn ystod y penwythnosau ac yn ystod gwyliau'r ysgol, a gwelwyd ei botensial yn syth. Dilynai'r papurau newydd lleol ei ddatblygiad ar y cae, a chyn hir roedd yr holl ardal yn ymfalchïo ynddo a'i lwyddiant. Ychydig mwy na dwy flynedd ynghynt, fis ar ôl ei ben blwydd yn un ar bymtheg, cynigiwyd cytundeb llawn amser iddo, a symudodd i fyw i

Fanceinion dan ofal yr academi i ddilyn ei addysg yn y fan honno yn ogystal â datblygu ei sgiliau ar y cae dan adain eu harbenigwyr. Eisoes roedd wedi ennill nifer o wobrau fel rhan o dimau ieuenctid y clwb a thîm dan bymtheg a than ddeunaw Cymru, a gobaith pawb erbyn hyn oedd bod y gŵr ifanc ar fin curo ar ddrws tîm cyntaf Manchester United. Roedd cefnogwyr pêl-droed Glan Morfa yn ysu i drefnu bysys o'r ardal i Fanceinion er mwyn ei gefnogi yn bersonol.

Ar y ffordd i weld Mr a Mrs Morgan, galwodd Jeff yng ngorsaf yr heddlu. Doedd ganddo ddim bwriad o fynd i'w swyddfa'i hun nac yn agos i swyddfa gweddill y ditectifs – doedd ganddo ddim bwriad o gael ei dynnu i mewn i achosion nad oedd ganddo ddiddordeb ynddynt heddiw. Gwelodd Sarjant Rob Taylor, oedd â'i ben mewn pentwr o waith papur.

'Duwcs, ti yma heddiw, Rob – wedi gorffen chwarae efo gynnau?'

Cododd Rob ddau fys cellweirus i'w gyfeiriad. Gwenodd Jeff – gwyddai yn iawn pa mor bwysig oedd yr hyfforddiant cyson ac angenrheidiol a gawsai ei gyfaill fel aelod o adran arfog yr heddlu. Eisteddodd Jeff wrth ei ochr er mwyn rhannu popeth a ddigwyddodd yng ngwlad Groeg, a dywedodd wrth Rob am ei fwriad i ymchwilio i'r materion yn ymwneud â'r cyffuriau llygredig yn ystod gweddill ei wyliau am mai dyna'r unig ffordd y byddai'n cael yr amser a'r llonydd yr oedd o ei angen i wneud hynny.

'Llonydd o ddiawl! Dwyt ti 'rioed wedi bod yn un am gydweithio, naddo?' Tro Rob oedd hi i dynnu coes Jeff, er bod rhywfaint o wirionedd yn ei honiad.

Winciodd Jeff ar ei gyfaill. 'Rŵan ta,' meddai, 'be fedri

di ddeud wrtha i am y ddamwain a laddodd Wil?'

'Un car yn unig oedd yn y ddamwain: Toyota GT86 coch oedd yn perthyn i Wil. Roedd o'n mynd fel y diawl ar hyd y ffordd osgoi, gan ei cholli hi'n lân ar lôn syth a llydan, heb reswm amlwg. Mae ffeil yr ymchwiliad i'r ddamwain yn fan hyn. Dos trwyddi hi os lici di.'

A dyna'n union a wnaeth Jeff. Car tri mis oed Wil Morgan oedd y Toyota. Roedd hyd yn oed pêl-droedwyr ifanc yn ennill arian da, yn ôl pob golwg, meddyliodd. Synnodd ei fod wedi llwyddo i gael yswiriant ar y fath gar ac yntau ddim ond yn ddeunaw oed. Doedd achos y ddamwain ddim wedi'i nodi yn y ffeil, ond daeth hynny'n amlwg wrth iddo ddechrau darllen ffeil ychwanegol a baratowyd ar gyfer y crwner. Doedd Jeff ddim yn ddigon o arbenigwr i ddeall goblygiadau'r ffigyrau a ddynodai'r lefel o gocên a strycnin yn ei waed, ond dan yr amgylchiadau, doedd dim rhaid iddo.

'Reit,' meddai Jeff wrth baratoi i adael. 'Sut mae'r gymuned wedi ymateb i'r ddamwain?'

'Pawb yn cydymdeimlo efo teulu Wil – yn enwedig teulu Brian Owen, wrth gwrs. Ond mae rhai yn gweld bai arnon ni am fod cymaint o gyffuriau o gwmpas y lle 'ma. Mae rhieni Brian o'r farn honno ... a weli di ddim bai arnyn nhw,' atebodd Rob. 'Mae'r bachgen yn bur wael, meddan nhw, ac mae 'na sawl un arall yn y dref, ac ymysg staff y gwaith adeiladu hefyd, sy'n dioddef o effeithiau strycnin yn eu gwaed. Rhai yn symol iawn ac eraill yn dioddef llai. Dipyn go lew ohonyn nhw wedi cael triniaeth gan feddygon teulu neu yn yr ysbyty – does ddim posib i ni ddweud faint yn union. Tydi pobl sy'n cymryd cocên ddim yn tueddu i ddod i gwyno at yr heddlu, a does gan feddygon ddim hawl i gysylltu â ni chwaith, fel y gwyddost ti; dim heb ganiatâd.'

'Oedd olion o gocên neu strycnin yng ngwaed Brian?' gofynnodd Jeff.

'Dim hyd y gwn i, ond mater i'r meddygon yn yr ysbyty ydi hynny, fel o'n i'n deud.'

Ganol y bore, canodd Jeff gloch drws ffrynt tŷ rhieni Wil; tŷ cyfforddus mewn rhan braf o'r dref, ac aelwyd hapus a chwalwyd yn ulw yn ystod y pythefnos blaenorol. Agorwyd y drws.

'Simon, mae'n wir ddrwg gen i,' meddai Jeff wrth y dyn a safai yn llonydd o'i flaen. Ysgydwodd Jeff ei law, a rhoi llaw gysurlon ar ei fraich. 'Mae'n wir ddrwg gen i nad o'n i a Meira yng nghynhebrwng Wil echdoe. Roeddan ni dramor ...'

'Ty'd i mewn, Jeff,' meddai Simon, a'i wahodd i'r tŷ. 'Ann, Ditectif Sarjant Jeff Evans sy 'ma,' galwodd.

'O, na, dim mwy o blismyn.' Cerddodd Ann Morgan tuag atynt a gallai Jeff weld yn syth fod ei llygaid yn goch a'i gwedd yn llwyd yr olwg.

'Yma fel cyfaill ydw i heddiw, Ann, nid fel plisman,' meddai Jeff. Roedd peth gwirionedd yn hynny.

'Wyddon ni ddim be i'w wneud,' meddai Ann yn anobeithiol.

Wrth i Jeff gerdded trwodd i'r lolfa, daeth wyneb yn wyneb â dyn a oedd yn amlwg ar ei ffordd allan – dyn tal, canol oed mewn dillad hamdden drud, a edrychai'n hynod o ffit.

'Jeff, dyma Dave Ashton o Fanceinion,' esboniodd Simon Morgan. 'Ditectif Sarjant Evans,' meddai, wrth droi at Ashton.

Cododd Jeff ei fraich i gynnig ei law i'r Sais, ond chymerodd Ashton ddim sylw ohoni. Tarodd olwg sydyn ond pendant i lygaid Jeff cyn troi ei ben ymaith.

'Ar y ffordd allan o'n i,' meddai, a brasgamodd am y drws ffrynt o flaen Simon Morgan. Cafodd y ddau sgwrs frysiog y tu allan i'r drws, ond chlywodd Jeff 'run gair ohoni.

'Un o hyfforddwyr academi Man U oedd hwnna,' esboniodd Simon pan ddychwelodd. 'Wedi dod yr holl ffordd yma i gydymdeimlo.'

Doedd ei agwedd o ddim yn gydymdeimladol iawn, meddyliodd Jeff, wrth eistedd ar y soffa ar wahoddiad Simon. Edrychodd o'i gwmpas. Roedd y waliau yn llawn lluniau o Wil: rhai ohonyn nhw yn ei ddangos ar y cae ac eraill yn bortreadau ohono yn dal tlysau amrywiol a enillodd yn ystod ei yrfa fer. Roedd y tlysau eu hunain, a sawl cwpan, yn sgleinio mewn cwpwrdd yng nghongl yr ystafell.

'Roedd petha'n mynd mor dda iddo fo, a ninna mor falch drosto fo,' meddai Ann Morgan wrth eistedd ar gadair gyferbyn â Jeff. 'Wrth gwrs, mi oeddan ni'n hiraethu amdano fo ar ôl iddo symud i fyw i Fanceinion, ond roedd o'n ffonio bob dydd ac yn dod adra pan fedrai o. Mi fydden ni'n mynd i fyny i'w weld o'n rheolaidd hefyd – yn enwedig os oedd o'n chwarae mewn gêm arbennig.'

'Ond y busnes cocên 'ma 'dan ni ddim yn 'i ddallt, Jeff,' meddai Simon. 'Cyn belled ag y gwyddon ni, ddaru Wil erioed gyffwrdd yn y fath beth. Fel y medri di ddychmygu, ffitrwydd oedd 'i betha fo. Doedd o ddim yn cyffwrdd alcohol nac yn smocio, a byth yn bwyta nac yfed dim byd oedd yn cynnwys siwgr. Roedd o'n hyfforddi i fod yn athletwr proffesiynol, er mwyn gallu chwarae'r gêm i'r safon uchaf. Dyna oeddan nhw'n 'i ddisgwyl gan bawb yn yr academi, ac roedd o'n cymryd hynny o ddifrif. Dyna pam nad ydi 'run ohonan ni'n dau yn coelio'i fod o wedi cymryd y sothach 'na gawson nhw yn ei waed o.'

'Maddeuwch i mi am ofyn,' meddai Jeff yn betrus, 'ond welsoch chi unrhyw newid yn ei agwedd yn ddiweddar?'

Edrychodd y ddau ar ei gilydd heb ateb am sawl eiliad. Arhosodd Jeff yn fud hefyd nes i Simon Morgan ochneidio'n uchel gan edrych ar ei wraig. 'Wel ... do, i raddau. Mi oeddan ni wedi sylwi ers rhai misoedd 'i fod o wedi newid.'

Arhosodd Jeff iddo ymhelaethu.

'Welson ni ddim byd fasa'n awgrymu ei fod o'n cymryd cyffuriau, ond oedd, mi oedd ein hogyn bach ni wedi newid gryn dipyn. Roedd o'n llawer mwy powld i gychwyn, yn barod i herio'i fam a finna bob gafael. Tasan ni'n deud du, 'sa fo'n deud gwyn, jest er mwyn tynnu'n groes. Doedd o ddim yn gas, ond nid hogyn fel'na oedd o ers talwm pan oedd o'n byw adra.'

'Holi ynglŷn ag agwedd fysa'n awgrymu ei fod o'n cymryd cyffuriau o'n i, i fod yn berffaith onest,' eglurodd Jeff, 'a dwi'n meddwl eich bod chi wedi ateb y cwestiwn hwnnw'n barod. Dwi'n siŵr mai dylanwad y pêl-droedwyr ifanc eraill yn y tîm oedd yn gyfrifol am y newid ynddo fo – mae pob un o'r rheiny'n herio ac yn sgwario ar y cae, yn tydyn – neu felly mae'n ymddangos ar y teledu, beth bynnag. Ond roedd Wil wedi bod yn byw mewn byd gwahanol iawn i ni yn ystod y flwyddyn neu ddwy ddiwethaf, yn doedd? Ddaru o sôn erioed iddo ddod ar draws pobl yn rhannu cyffuriau draw ym Manceinion? Neu fod rhai o'r hogia eraill yn arbrofi efo nhw?' Ceisiodd gyflwyno'r awgrym mor dyner â phosib.

'Naddo. Erioed.' Ann atebodd y tro hwn. 'Ddaru o erioed sôn am y fath beth, a 'dan ni'n dau yn fwy na bodlon ei fod o wedi cael gofal heb ei ail gan staff yr academi ym Manceinion.'

'Os oes gen ti rywfaint o amheuaeth ei fod o wedi bod yn gysylltiedig â byd cyffuriau, Jeff, mae croeso i ti fynd i fyny'r grisiau i gael golwg yn ei stafell,' cynigodd Simon. 'Mi fydd yn amlwg i ti sut fachgen oedd o pan weli di ei lofft o.'

'Oes 'na rywun o'r heddlu wedi bod yno'n barod?' gofynnodd Jeff.

'Nag oes,' atebodd Simon. 'Wneith Ann fan hyn ddim hyd yn oed agor y drws.

Bachodd Jeff ar y cyfle. 'Wel, mi ga' i olwg arni, os ca' i, wedyn mi fedrwch chi fod yn siŵr bod yr heddlu wedi ymchwilio'n drwyadl. Iawn?' Ni allai ddirnad pam nad oedd neb o'r heddlu wedi bod yno'n barod.

Cymerodd Jeff yn agos i dri chwarter awr i chwilio drwy'r ystafell yn drwyadl, a hynny yng nghwmni Simon Morgan. Erbyn iddo orffen roedd yn berffaith fodlon nad oedd unrhyw gyffur yn agos i'r lle, ac yn ogystal, roedd wedi dysgu mwy nag yr oedd o wedi'i ddisgwyl am natur a chymeriad Wil. Roedd yn fachgen eithriadol o dwt, a'r unig lyfrau a welodd oedd llyfrau am bêl-droedwyr, ffitrwydd ac am fwyta'n briodol ar gyfer perfformiad athletaidd. Gadawodd yr ystafell, yn sicr nad oedd gan Wil Morgan y diddordeb lleiaf mewn cymryd cyffuriau.

'Lle ddeudodd o oedd o'n mynd y noson honno?' gofynnodd Jeff ar y ffordd allan.

'Allan i weld un neu ddau o'i ffrindia, hyd y gwyddon ni,' atebodd Simon. 'Doedd o ddim adra'n aml, felly mi fydda fo'n manteisio ar bob cyfle.'

'Lle fysa fo'n eu cyfarfod nhw?'

'Y clwb pêl-droed, am wn i. Yn enwedig os oedd 'na sesiwn hyfforddi neu ymarfer yno. Dyna oedd ei betha fo ... pêl-droed a fawr ddim arall.'

Pennod 6

Wrth gerdded yn ôl at ei gar, gwelodd Jeff Mercedes Sport coch wedi'i barcio'r ochr arall i'r ffordd. Agorwyd drws y gyrrwr a chamodd Dave Ashton ohono cyn cerdded ar draws y lôn tuag ato. Roedd o wedi bod yn disgwyl yno am yn agos i awr, rhyfeddodd Jeff. Yn dilyn ei agwedd drahaus yn y tŷ, nid oedd Jeff wedi cymryd ato.

'Mae'n hwylus eich bod chi wedi aros,' meddai, cyn i'r dyn gael cyfle i agor ei geg. 'Safio trip i mi i Fanceinion i'ch gweld chi.'

'A pham y bysach chi angen gwneud hynny?' gofynnodd Ashton yn hyderus.

'Er mwyn darganfod unrhyw gysylltiad â'r cyffuriau roedd Wil wedi'u cymryd,' atebodd Jeff yn ddiflewyn-ar-dafod. 'Mae'n siŵr eich bod chi'n ymwybodol mai cyffur amhur yng ngwaed Wil oedd achos y ddamwain.'

'Peidiwch chi â meiddio awgrymu fod hynny'n ddim byd i'w wneud â chlwb Manchester United,' poerodd yn danllyd. Gwthiodd ei wyneb yn nes at un Jeff. 'Dwi'n gwybod yn iawn sut dach chi'r heddlu'n meddwl a gweithio, a'r peth dwytha dwi isio ydi i chi ddechrau holi chwaraewyr ifanc yr academi heb fath o reswm. Does 'na ddim cyffuriau acw –dach chi'n deall? Dim ar gyfyl y lle.'

'Wel, mi fydd yn rhaid i mi sicrhau peth felly drosta i fy hun – fedra i ddim cymryd eich gair chi.'

'Wel mi sicrha' innau un peth i chi rŵan yn y fan hon –

Ditectif Sarjant neu beidio. Os ddowch chi i ddangos eich trwyn yn agos i'r academi 'cw fyddwch chi ddim yr un dyn yn gadael. Mi fu Wil Morgan yn ein gofal ni am flynyddoedd ... yn fy ngofal i yn bersonol. Mi oeddan ni'n wyliadwrus iawn ohono fo yn ystod y cyfnod hwnnw – roedd o'n un o'r bechgyn gorau welais i yn dod trwy'r academi ers blynyddoedd. A be sy'n digwydd? Mae'r hogyn yn dod adra i ryw dwll tin o dref fel hon ym mhen draw'r byd, lle mae cyffuriau, yn ôl pob golwg, yn rhemp, a does 'na'm arwydd bod yr heddlu'n codi bys i ddelio efo'r peth. Felly cadwch yn glir o Fanceinion, fel dwi'n deud wrthach chi.'

Wedi gorffen cael dweud ei ddweud, trodd Ashton ar ei sawdl a cherdded yn hamddenol hyderus at ei gar. Refiodd yr injan wrth yrru i ffwrdd.

Synnwyd Jeff gan natur elyniaethus Ashton, a hynny o flaen cartref Mr a Mrs Morgan ar amser mor sensitif. Pan welodd nad oedd yr hyfforddwr pêl-droed yn gyrru allan o'r dref, penderfynodd ei ddilyn, a chyn bo hir trodd y Mercedes i mewn i giatiau clwb pêl-droed Glan Morfa. Gyrrodd Jeff ar ei ôl, ond cadwodd yn ddigon pell – doedd dim diben dadlau â'r dyn eto. Gwyliodd o'r lôn wrth i Ashton barcio tu allan i'r adeilad, dod allan o'i gar ac oedi i edrych ar Audi Quattro gwyn a oedd wedi'i barcio nesaf ato, cyn cerdded at yr adeilad.

Ymddangosodd dyn arall yn y drws wrth iddo gyrraedd, a dechreuodd y ddau sgwrsio, yn amlwg yn adnabod ei gilydd. Gŵr ifanc oedd y llall, yn gwisgo cap pêl-fas yn isel dros ei dalcen a siaced las ysgafn, ond roedd Jeff yn rhy bell i weld pwy oedd o. Wedi iddynt sgwrsio yno am funud yn unig, cerddodd Ashton i mewn i'r adeilad a cherddodd y llall at yr Audi a gyrru oddi yno. Gwnaeth Jeff nodyn o rif yr Audi: MT63 SMR, fel yr oedd y car yn gwibio heibio. Gwyddai mai rhif wedi'i gofrestru ym Manceinion oedd hwnnw.

Eisteddodd Jeff yn ei gar am rai munudau yn ystyried y sefyllfa. Beth oedd ar feddwl Dave Ashton i wneud iddo ddisgwyl amdano y tu allan i dŷ Ann a Simon Morgan? Pam herio cymaint arno yn y stryd? A beth oedd o'n ei wybod am y ffordd yr oedd yr heddlu'n gweithio'n lleol – oedd ganddo brofiad personol, tybed? Oedd rhywbeth i'w guddio yn yr academi? A phwy oedd y bachgen yn yr Audi gwyn ... car drud a phwerus i lanc ifanc. Byddai'n rhaid cadw'r cyfan yng nghefn ei feddwl, roedd hynny'n sicr.

Nid oedd Jeff yn disgwyl croeso cynnes yng nghartref Brian Owen yn dilyn yr hyn a ddywedodd Rob Taylor wrtho'n gynharach.

'Ditectif Sarjant Evans,' meddai, gan ddangos ei gerdyn swyddogol pan agorwyd y drws iddo.

'Be dach chi isio?' cyfarthodd y gŵr o'i flaen yn ddiemosiwn.

'Sgwrs am y digwyddiadau a arweiniodd at ddamwain Brian.'

'Wel, sgwrsiwch 'ta.' Dyn yn ei bedwardegau cynnar oedd Dennis Owen; dyn tal, smart a fu'n filwr cyn mynd i weithio i gwmni olew yn y Dwyrain Canol. Cymerodd y cyfle i ddod yn ôl i gynefin ei wraig pan gynigiwyd gwaith addas iddo yn safle adeiladu'r pwerdy flwyddyn ynghynt.

'Ylwch,' meddai Jeff, gan geisio cadw'i lais yn dyner. 'Dwi'n sylweddoli'r boen mae hyn i gyd wedi'i achosi i chi a Mrs Owen, a Brian yn enwedig. Dwi isio i chi ddallt nad ydi'r ffordd mae Glan Morfa wedi dirywio yn ystod y ddwy flynedd ddiwethaf yn fy mhlesio fi, ddim mwy nag ydi o'n plesio unrhyw un o drigolion Glan Morfa. Dwi yma am fy mod i'n pryderu am y sefyllfa fy hun, Mr Owen, yn ogystal â fel plisman. Mae gen innau blant sy'n tyfu i fyny yn y dre 'ma, a 'mlaenoriaeth i ydi glanhau'r strydoedd 'ma cyn i betha fynd o ddrwg i waeth. Mi wn i na tydach chi ddim yn fy nabod i, Mr Owen, ac nad oes ganddoch chi reswm i roi eich ffydd yn yr heddlu ar hyn o bryd, ond mi hoffwn gael eich cymorth chi. Os na allwn ni ddibynnu ar drigolion yr ardal i'n helpu ni, waeth i ni gnocio'n pennau yn erbyn y wal ddim.'

Ochneidiodd Dennis Owen. 'Well i chi ddod i mewn felly – a diolchwch nad ydi fy ngwraig adra, neu llond ceg fysach chi, ac unrhyw blisman arall, yn 'i gael ganddi. Yn yr ysbyty mae hi, efo Brian.'

'Sut mae o erbyn hyn?'

'Wedi sefydlogi rhywfaint, ond tydi o ddim mewn cyflwr i weld neb eto, dim ond teulu agos ... ac mae gen i ofn fod ei freuddwyd i chwarae i Everton, neu unrhyw dîm arall, wedi'i chwalu'n rhacs.'

'Everton?'

'Ia. Ar ôl dod yma i fyw mi aeth o am dreial i glwb Glan Morfa. Dechreuodd ymarfer yno ac o fewn ychydig, er mai dim ond dwy ar bymtheg oedd o, cafodd gyfle i chwarae i'r tîm cyntaf. Sgoriodd dair gôl yn ei gêm gynta, a dim ond gwella wnaeth o ar ôl hynny, er na wnaeth y tîm ei hun mor dda â hynny yn yr adran y flwyddyn honno. Mi ddaeth adra un diwrnod yn rêl boi, gan ddweud ei fod wedi clywed bod Everton ar ei ôl o – mi gafodd dreial iddyn nhw fis yn ôl ac mae o wedi bod i fyny yno ddwywaith ers hynny. Disgwyl clywed canlyniad hynny oeddan ni pan ddigwyddodd y ddamwain. Mi oedd o'n edrych ymlaen gymaint – a rŵan sbiwch arno fo. Mi fydd o'n lwcus os gwneith o gerdded yn iawn eto. I gyd o achos y cyffuriau yn y dre 'ma. Welwch chi fai arnon ni, Sarjant Evans, yn pwyntio bys at yr heddlu?'

'Na welaf, Mr Owen, ond 'swn i'n lecio tasach chi'n ystyried gwaith mor anodd ydi atal problem fel hon pan mae 'na gymaint o weithwyr o'r tu allan i'r ardal yma. Ac nid cyffuriau ydi'r unig broblem, fel y gwyddoch chi, ma' siŵr.' Dewisodd ofyn y cwestiwn nesaf yn blwmp ac yn blaen. ''Dach chi'n ddyn sy wedi gweld llawer iawn ar eich teithiau tramor, ma' siŵr gen i, Mr Owen. Welsoch chi ryw awgrym fod Brian, ryw dro ers i chi ddod yma i fyw, yn cyboli efo cyffuriau?'

Gwelodd Jeff lygaid Dennis Owen yn culhau. Ni wyddai ai gwrthwynebiad ynteu ansicrwydd oedd yn gyfrifol am hynny.

'Ylwch, Mr Owen,' parhaodd Jeff, 'mae'n rhaid i mi ofyn y cwestiwn i chi. Rhaid i mi gael darlun clir yn fy mhen, beth bynnag ydi'r ateb. Nid trio rhoi bai ar Brian am unrhyw beth ydw i, coeliwch chi fi.'

Atebodd Dennis Owen ar ôl ychydig eiliadau.

'Dyma'r gwir i chi, Sarjant Evans. Welais i erioed arwydd fod Brian dan ddylanwad cyffuriau. Erioed. Bod yn bêl-droediwr oedd yr unig beth ar ei feddwl o, yr un peth â Wil Morgan. Dach chi'n gweld,' parhaodd ar ôl ennyd o oedi, a synnodd Jeff weld awgrym o ddagrau yn ei lygaid, 'mi feddyliodd y wraig a finna i ddechrau mai gyrru'n wirion oedd achos y ddamwain. Yna daeth yr hanes bod cyffuriau'n rhan o'r peth. Roedd yn rhaid i ni gael gwybod, felly mi aethon ni'n syth at y meddyg sy'n edrych ar ei ôl o yn yr ysbyty a gofyn oedd Brian wedi bod yn defnyddio cyffuriau. Roeddan ni wedi'n synnu pan ddywedodd hwnnw ei fod o – bod olion o gocên yn ei waed o. Nid cocên yn unig, ond rwbath arall hefyd ... strycnin. Mi ddaru hynny'n llorio ni. Strycnin o bob dim? Wnaethon ni erioed ddychmygu y bysa Brian yn defnyddio'r fath beth, na chymysgu efo hogia sy'n ei ddefnyddio fo chwaith. Diolch i'r nefoedd na dim ond mymryn oedd yn ei gorff, dyna'r cwbwl ddeuda i. Fysa mwy wedi'i ladd o.'

'Dwi'n cydymdeimlo efo chi. Mae peth fel'na'n anodd iawn i'w gredu.' Oedodd Jeff am eiliad cyn gofyn ei gwestiwn nesaf. 'Yn safle adeiladu'r pwerdy, ym mha adran dach chi'n gweithio?'

'Mesur a gwneud profion ar y tir ar gyfer gosod y peipiau fydd yn cario'r dŵr i oeri'r tyrbinau.'

'Ac mae 'na bob math o bobl yn gweithio yn y fan honno, siŵr gen i?'

'Bob math. Hogia caled sy'n gweithio'n galed heb fath o gyfrifoldebau, y rhan fwyaf ohonyn nhw.'

'Oes 'na sôn am gyffuriau ymysg y gweithwyr rheiny, Mr Owen?'

'Siawns gen i fod nifer yn eu cymryd nhw ... ond mae 'na sawl un wedi bod yn wael yn ystod y mis diwetha. Bob un efo'r un gŵyn: eu cyhyrau'n dynn ac yn crampio, fel dwi'n dallt. Dynion mawr cryf i gyd, sy'n gwneud gwaith corfforol yn ddyddiol. Mae'n hawdd gweld fod rwbath o'i le ar hynny.'

'Dwi'n meddwl eich bod chi wedi ateb fy nghwestiwn i, Mr Owen. Mae'n debyg gen i fod y cyffuriau 'ma'n cael eu rhannu drwy'r ardal i gyd, nid yn unig ymysg criw'r clwb pêl-droed. Wedi deud hynny, y pêl-droed yn sicr ydi'r cysylltiad rhwng Brian a Wil. Yn ôl pob golwg, beth bynnag.'

'Cyn belled ag y gwn i, Sarjant, welodd Brian ddim byd amheus yn y fan honno – yr unig beth mae o wedi'i grybwyll ydi bod 'na ryw dwrw yn y cinio diwedd tymor.'

'O?'

'Mi ddaeth Brian adra efo llygad ddu. Roedd 'na dipyn o gwffio dros rwbath neu'i gilydd ac mi aeth Brian, medda fo, i drio stopio'r miri. Roedd o'n cau deud dim byd arall, a chau gadael i'w fam riportio'r mater i'r heddlu. Isio anghofio am y peth oedd Brian, a gan na chafodd o fawr o niwed, wel, dyna fo.'

Bachgen arall na fuasai neb yn disgwyl iddo gymryd cyffuriau, ystyriodd Jeff ar ei ffordd adref. Ond eto, roedd olion cocên yn ei waed. Oedd cysylltiad rhwng y cyffuriau a'r clwb pêl-droed, tybed? Dyn dŵad o'r enw Sydney Higgs oedd yn ariannu'r clwb ers rhai blynyddoedd bellach – dyn a gyrhaeddodd yr ardal ar ôl ennill swm sylweddol ar y loteri, yn ôl y sôn. Cofiodd Jeff fod ei ferch yn defnyddio cyffuriau caled ers blynyddoedd. Byddai'n rhaid iddo dyrchu ymhellach yn fanno cyn bo hir.

Pennod 7

Roedd Elen Thomas yn byw yn gyfforddus mewn tŷ moethus ar gyrion y dref, tŷ oedd yn edrych i lawr dros harbwr Glan Morfa. Gwraig weddw yn tynnu at ei chanol oed oedd hi – collodd ei gŵr dros ddeng mlynedd ynghynt mewn amgylchiadau erchyll. Hi a'i chwaer oedd perchnogion fferm helaeth Hendre Fawr, cyn iddynt ei gwerthu i ddatblygwyr er mwyn adeiladu'r pwerdy. Dechreuodd ganlyn yn dilyn llofruddiaeth ei gŵr ond ni ddatblygodd y berthynas honno, ac er bod sawl un wedi ceisio ei denu ar ôl hynny, roedd yr amheuaeth fod eu hatyniad tuag ati yn fwy i'w wneud â'i chyfoeth na'i phersonoliaeth yn ddigon o reswm iddi eu gwrthod. Er hynny, roedd Elen yn ddynes gymharol hapus ac yn gwneud gwaith ardderchog o fagu ei mab ar ei phen ei hun. Roedd Jeff yn ei hadnabod yn dda, felly rhoddodd ganiad iddi er mwyn trefnu i gael sgwrs â hi a Geraint. Doedd Jeff ddim yn hoff o ddefnyddio'r gair 'cyfweliad' dan amgylchiadau fel hyn, er mai dyna oedd o yn y bôn, ond gwyddai fod Elen yn ddigon call i sylweddoli beth oedd yn mynd ymlaen.

'Ty'd i mewn, Jeff,' cyfarchodd Elen ef, gan roi cusan ysgafn ar ei foch. Gwnaeth yntau'r un peth. 'Mae Geraint yn disgwyl amdanat ti.'

'Sut mae o?' gofynnodd y ditectif.

'Mae ei gorff o'n gwella'n iawn, y briwiau'n dechrau

mendio, ond mi gymerith amser iddo ddod ato'i hun ar ôl profiad mor ofnadwy. Mi fydd y briwiau meddyliol yn debygol o aros efo fo am sbel go lew. O, Jeff, dwi fel tôn gron yn ei rybuddio fo i fod yn ofalus pan fydd o'n mynd allan gyda'r nos, ond fedra i wneud dim mwy. Roedd Wil a Brian yn arwyr iddo fo, un yn chwarae i Manchester United a'r llall ar ei ffordd i Everton, a Geraint wrth ei fodd yn cymdeithasu efo nhw yn y clwb. Roedd o wedi gwirioni pan gafodd o gynnig lifft adra ganddyn nhw. Paid â bod yn galed efo fo, plis, Jeff. Dydi o ddim yn edrych ymlaen at ail-fyw'r holl beth eto.'

'Siŵr iawn.' Gwenodd Jeff yn dyner arni, yn gwybod bod y gallu ganddo i gyfweld tystion heb iddyn nhw hyd yn oed sylwi eu bod yn cael eu holi.

Eisteddai Geraint ar soffa gyfforddus yn y lolfa, yn edrych draw dros y môr, ond cododd ar ei draed pan gerddodd ei fam a Jeff i'r ystafell. 'Pnawn da, Ditectif Sarjant Evans,' meddai, gan estyn ei law tuag at Jeff yn gwrtais.

Cymerodd Jeff ei law. 'Gwranda, 'ngwas i, dwi'n gwerthfawrogi dy foneddigeiddrwydd di, ond does dim angen i ti fod mor ffurfiol. Yncl Jeff o'n i i ti pan oeddat ti'n hogyn bach, ond mi wneith Jeff y tro yn iawn erbyn hyn, a chditha bron yn ddyn. Iawn?'

Trwy gil ei lygad, gwelodd Jeff fod Elen yn gwenu.

'Iawn ... Jeff,' meddai'r bachgen, ychydig yn anghyfforddus.

Eisteddodd y tri i lawr, Elen wrth ochr ei mab ar y soffa a Jeff yn eu hwynebu mewn cadair freichiau foethus.

'Ti'n gwybod pam dwi yma, yn dwyt.' Nid cwestiwn oedd o.

'Ydw, Sarj... sori. Jeff,' meddai. 'Ynglŷn â'r ddamwain.'

'Dyna chdi,' atebodd Jeff. 'A dwi isio i ti gofio un peth pwysig cyn i ni ddechrau. Tydw i ddim yma i roi'r bai ar neb – dim ar Wil Morgan druan, dim ar Brian, na chditha. Ti'n dallt?'

Nodiodd Geraint ei ben ac edrych yn sydyn i gyfeiriad ei fam.

'Hefyd,' parhaodd Jeff, 'dwi'n sylweddoli dy fod ti wedi cael dipyn o sgeg, felly cymra dy amser.'

Nodiodd y llanc ei ben eto.

'Ga' i ofyn i ti gynta be wyt ti wedi'i glywed am y ddamwain ers iddi ddigwydd? Am yr achos, dwi'n feddwl.'

'Bod Wil wedi cymryd cyffuriau cyn y ddamwain. Ond fysa fo byth yn gwneud, dwi'n gwybod hynny.'

'Rhaid i mi ofyn hyn i ti, Geraint. Wyt ti'n cofio be ddigwyddodd y gyda'r nos honno, cyn i'r ddamwain ddigwydd, a sut digwyddodd hi?'

Anadlodd y bachgen yn drwm. 'Ro'n i wedi bod yn ymarfer ar y cae efo hogia eraill y tîm dan ddeunaw, ac mi es i am ddrinc i'r clwb wedyn. Dim ond lemonêd, wir, Mam,' meddai, gan edrych ar Elen. 'Mi oeddan ni i gyd wrth ein boddau o weld bod Wil yno. Dim yn aml mae o adra y dyddia yma. Mi ddeudis i bod raid i mi fynd – 'mod i wedi gaddo bod adra erbyn naw – ac mi gynigodd Wil bàs i mi. Wnes i ddim ystyried gwrthod lifft adra yng nghar newydd sbon Wil Morgan!'

'Pwy arall oedd yn y clwb?' gofynnodd Jeff.

'Dim ond yr hogia arferol fydd yn cael diod ar ôl pob ymarfer. Er bod y tymor wedi gorffen ers wythnosau, mae pob un ohonon ni'n awyddus i gael lle ar y tîm tymor nesa, ac mae hwnnw'n dechra'r wsnos nesa.'

'Oedd 'na gyffuriau yn newid dwylo yno'r noson honno, Geraint?' gofynnodd.

'Dim i mi fod yn gwbod,' atebodd y bachgen heb oedi.

'Ydyn nhw'n cael eu defnyddio yn y clwb o gwbl?'

'Mae 'na sôn, ond wn i ddim mwy na hynny. Welais i 'rioed neb yn eu cymryd nhw.'

'Ti'n siŵr rŵan?' gofynnodd Elen.

'Ydw, wir i chi, Mam,' atebodd, ei lais hyd yn oed yn fwy pendant erbyn hyn.

Nid oedd Jeff wedi'i ddarbwyllo yn llwyr, ond penderfynodd beidio â dilyn y trywydd hwnnw am y tro.

'Welaist ti unrhyw arwydd fod Wil neu Brian dan ddylanwad cyffuriau y noson honno, Geraint?' Edrychodd Jeff yn ddifrifol i lygaid y bachgen.

'Fedra i ddim bod yn sicr,' atebodd, ac adlewyrchwyd yr amheuaeth yn ei lygaid. 'Dwi ddim yn gwybod sut effaith mae cymryd cyffuriau yn ei gael ar rywun, na be i chwilio amdano, ond mi ddigwyddodd rwbath i'r ddau ohonyn nhw, mae hynny'n bendant.'

'Sut felly?'

'Roedd y ddau yn iawn yn y clwb, ond ar ôl mynd i'r car, mi ddaru eu hagwedd nhw newid, ac yn sydyn iawn hefyd. Yn y cefn o'n i, yn gwrando arnyn nhw'n siarad. Gofynnodd Wil o'n i isio mynd am sbin fach ar y ffordd adra, a dyma fi'n deud y byswn i. Dim ond chwarter i naw oedd hi. Mewn chydig funudau roedd y ddau yn siarad lol, ac roedd Wil, yn enwedig, yn orsensitif rywsut. Mae'n anodd disgrifio'r peth, ond mi ddaru ei agwedd o, ei natur o, newid mewn munudau. Roedd o'n gweld bai ar bob car arall ar y ffordd, ac roedd fel petai o wedi cynhyrfu'n lân. Welais i 'rioed Wil fel yna o'r blaen. Un reit bwyllog ydi o fel arfer. Dechreuodd yrru'n gyflymach, a gweiddi bod rhywun ar ein holau ni. Edrychais rownd i sbio drwy'r ffenest ôl, ond doedd neb ar ein cyfyl ni. Erbyn hynny ro'n i ofn trwy 'nhin. Sori Mam,' ychwanegodd. 'Mi oedd o'n mynd lot rhy gyflym, ac yn sydyn, mi aeth ei gorff o'n stiff i gyd, ac mi sgrechiodd yn uchel. Y peth nesa dwi'n 'i gofio ydi deffro, a'r car ar ei do. Diolch byth 'mod i'n gwisgo'r belt diogelwch.'

'Be am Brian – sut oedd o'n ymddwyn?' gofynnodd Jeff.

'Fedra i ddim cofio. Ar Wil ro'n i'n canolbwyntio. Welais i 'rioed neb yn newid fel'na yn fy nydd o'r blaen. Mi oedd o'n hogyn mor gall a gofalus fel rheol, a dim byd yn ei boeni o. Ac felly oedd o'r noson honno, tan chydig funudau cyn y ddamwain.'

'Oedd y ddau yn ymddangos yn iawn yn y clwb, Geraint?'

'Oeddan, tad – perffaith normal.'

'Tria gofio yn union be ddigwyddodd rhwng hynny a'r newid 'ma yn agwedd Wil. Fuon nhw allan o dy olwg di yn y cyfamser, am ddigon o amser i gymryd rhyw gyffur?'

Meddyliodd Geraint am sawl eiliad. 'Naddo. Ro'n i efo nhw drwy'r amser, a fedra i ddim cofio dim byd anghyffredin. Mi dynnais lun ohonyn nhw wrth i ni fynd allan am y car, dwi'n cofio hynny'n iawn.'

'Llun?'

'Ia, ar fy mobeil. Llun y ddau ohonyn nhw: Wil a Brian, fy ffrindiau i a fyddai'n chwarae pêl-droed yn uwch-adran Lloegr cyn bo hir.'

'Ga' i weld y llun?'

Tynnodd Geraint ei ffôn symudol o'i boced a dechreuodd symud ei fys ar hyd y sgrin gyfarwydd cyn ei roi i Jeff. Gwelodd Jeff lun o'r ddau fachgen, eu breichiau o amgylch ei gilydd, yn llawn hwyl. Wil oedd ar y llaw dde, ag un fraich o amgylch ysgwydd Brian a'i law arall yn dal potel o Diet Coke.

'Be 'di hanes y botel 'na?' gofynnodd Jeff.

Rhoddodd Geraint wên fach cyn ysgwyd ei ben yn drist. 'Doeddan nhw ddim yn cyffwrdd alcohol o gwbl. Mi fyddai un neu ddau o'r hogia yn y clwb yn cymryd y mic ohonyn nhw am eu bod nhw'n tî-total, ac mi fyddai'r ddau yn ymateb drwy wneud sioe fawr o yfed Diet Coke.'

'O ble daeth y botel?' gofynnodd Jeff yn eiddgar.

'Wn i ddim,' atebodd. 'Brian ddaeth allan o'r clwb efo hi yn ei law, a dim ond llymaid gafodd o cyn i Wil gipio'r botel o'i law a llowcio'r rhan fwya o'r ddiod ei hun mewn un swig.'

Roedd Jeff yn gwrando'n fwy astud nag erioed.

'Be ddigwyddodd i'r botel?' gofynnodd.

'Dim syniad,' atebodd Geraint. 'Roedd hi ganddyn nhw yn y car, dwi'n meddwl.'

'Fedri di e-bostio'r llun 'na i mi?' gofynnodd Jeff.

'Siŵr iawn.' Dechreuodd Geraint ffidlan efo'i ffôn a gofyn am gyfeiriad e-bost Jeff. Ymhen llai na munud, bipiodd ffôn Jeff yn ei boced i ddatgan fod y llun wedi cyrraedd.

'Cyn i ti fynd, Jeff,' gofynnodd Elen pan gododd Jeff ar ei draed, 'ga' i ofyn cwestiwn i ti ynglŷn â rwbath arall sy'n fy mhoeni fi?'

'Wrth gwrs.'

'Ti'n cofio'r ceudyllau mawr 'na sydd o dan dir Hendre Fawr? Y rhai oedd yn cael eu defnyddio i angori llongau tanfor yn ystod y rhyfel?'

'Cofio nhw? Sut fedra i eu hanghofio nhw?' Roedd Jeff wedi bod yn gyfrifol am achub bywyd Geraint pan herwgipiwyd y bachgen a'i garcharu yn y ceudyllau rai blynyddoedd ynghynt.

'Wel, pan oeddan nhw'n clirio'r ceudyllau, mi gawson nhw hyd i ddeuddeg ces o win Ffrengig oedd wedi'i gynhyrchu yn ystod y rhyfel. Yn ôl y cytundeb pan werthon ni'r lle, fy chwaer a finna oedd pia fo, ac mi werthais i'r gwin. Mi oedd o'n win arbennig iawn, ac mi ges i hanner miliwn o bunnau amdano.'

'Rargian.'

'Ia, dyna wnes i feddwl hefyd. Mae'n cael ei werthu am bron i saith mil o bunnau'r botel heddiw. Deuddeg ces, cant pedwar deg pedwar o boteli – mae hynny bron ddwywaith y pris ges i amdano. Nid 'mod i'n cwyno am hynny – mae gan bawb hawl i wneud elw. Y peth ydi, dwi wedi clywed bod 'na lot mwy o boteli wedi dod ar y farchnad na'r nifer a ganfuwyd. Mae 'na rywbeth od yn mynd ymlaen.'

'Swnio felly. Pwy brynodd nhw?' gofynnodd.

'Cwmni tramor, dyna'r cwbwl wn i, a nhw sy'n ei werthu fo rŵan hefyd, fel dwi'n dallt.'

Meddyliodd Jeff am ennyd.

'Wel, Elen,' meddai, 'Os ydi o'n gwmni tramor, problem i awdurdodau'r wlad honno ydi hi. Cyn belled ag y gwela i, wnest ti ddim byd o'i le. Mae'n ddrwg gen i, ond fedra i ddim gweld sut y medra i wneud dim ynghylch y peth.'

Y gwir oedd nad oedd gan Jeff amynedd i ddechrau ymchwilio i dwyll o'r math hwnnw, yn enwedig a chanddo gymaint ar ei blât. Darganfod ffynhonnell y cyffur drwg oedd yn llenwi ei fryd – hynny a'r bygythiad yn ei erbyn a oedd, yn ôl pob golwg, yn gysylltiedig â hynny.

Ugain munud yn ddiweddarach, roedd Jeff yn eistedd o flaen ei gyfrifiadur yn ei gartref, Rhandir Newydd, yn syllu ar y llun o'r ddau fachgen llawen nad oedd ganddynt syniad beth oedd o'u blaenau. Ai hwn oedd y cliw cyntaf, meddyliodd? Ai yn y botel ddiod, y Diet Coke, roedd y cyffur? Ond yn bwysicach ar hyn o bryd, ble oedd y botel wag erbyn hyn?

Dwy alwad ffôn oedd eu hangen er mwyn i Jeff dderbyn cadarnhad bod car Wil Morgan wedi'i symud i garej Griff ar gyrion y dref yn dilyn y ddamwain, a'i fod yn dal yno. Ymhen chwarter awr roedd Jeff yno hefyd.

'Be ga' i wneud i ti, Jeff?' gofynnodd y mecanic a pherchennog y busnes, yn wên o glust i glust. Roedd Griff yn sefyll o'i flaen yn ei oferôls budr arferol, ei ddwylo'n olew drostynt.

'Isio golwg ar gar Wil Morgan ydw i,' esboniodd.

'Busnes ofnadwy.' Diflannodd y wên oddi ar wyneb Griff. 'Mae'ch hogia chi wedi'i chwilio fo'n barod, ond mae croeso i titha wneud yr un peth.'

'Dwi'n chwilio am rwbath penodol,' esboniodd Jeff wrth ddilyn Griff rownd y gornel lle gwelodd weddillion y Toyota yn un llanast mewn cornel. Rhyfeddodd Jeff fod Geraint Thomas wedi dod allan o'r car gyda chyn lleied o niwed corfforol. Doedd hi ddim yn hawdd mynd i mewn i'r car, hyd yn oed, ond ychydig funudau'n ddiweddarach, yn ofalus, tynnodd Jeff botel blastig wag allan o dan sedd y gyrrwr. Roedd label Diet Coke arni.

Pennod 8

Ystyriodd Jeff yr wybodaeth yr oedd wedi'i chasglu hyd yn hyn – nid bod llawer ohono. Roedd prinder y dystiolaeth yn ei boeni. Gwyddai fod yn rhaid iddo waredu'r ardal o'r cyffur llygredig cyn i neb arall gael ei niweidio, ac roedd amser yn brin. Yr unig beth a wyddai i sicrwydd oedd bod y cocên wedi'i gymysgu â strycnin, a'i bod yn hawdd cael gafael arno yn ardal Glan Morfa. Doedd o ddim llawer callach pwy oedd yn gyfrifol am ei gyflenwi i'r gweithwyr ar safle'r pwerdy ac i bobl yr ardal.

Trodd ei feddwl unwaith yn rhagor at y digwyddiadau ym Mae Troulos. Pwy oedd 'y gelyn' y soniwyd amdano yn y nodyn, a beth yn union oedd 'ei ddylanwad'? Ai'r gelyn hwn oedd yn gyfrifol am rannu'r cyffuriau? Ceisiodd feddwl pwy roedd o wedi'i gythruddo – roedd yn rhestr hir, o ystyried ei swydd, ac yn llawn pobl na ddymunai ddod ar eu traws eto. Ond pam rhoi'r nodyn iddo yng ngwlad Groeg? Bygythiad ydoedd, yn sicr, ond pam teithio mor bell? Doedd dim byd yn gwneud synnwyr.

Yn hwyr y prynhawn hwnnw, treuliodd dipyn o amser yn pori ar y we i geisio darganfod beth yn union oedd canlyniad cymryd cocên a strycnin hefo'i gilydd ar gorff person ifanc iach. Cafodd ateb; ar y sgrin o'i flaen roedd rhestr o symptomau: cynnwrf, bod yn orfywiog, crampio a sbasmau cyhyrol, trawiadau tebyg i ffit, ac ymddwyn yn oramddiffynnol. Dyma'n union sut y disgrifiodd Geraint

Thomas ymddygiad Wil Morgan cyn ei farwolaeth. Darganfu damaid arall o wybodaeth ddiddorol – roedd y sgileffeithiau hyn yn dod i'r amlwg o fewn cyn lleied â phum munud ar ôl cymryd y cyffur, a byddai dos helaeth yn gallu achosi marwolaeth o fewn cyn lleied â chwarter awr ar ôl ei gymryd. Cadarnhaodd hyn i gyd ei amheuaeth fod y cyffur yn y botel Diet Coke – yn ôl Geraint, roedd Wil wedi yfed llawer iawn mwy nag a wnaeth Brian. Gobeithiodd Jeff fod olion y cyffur yn dal i fod yn y botel a ddarganfu'n gynharach yng nghar Wil. Byddai hynny'n cadarnhau ei amheuon, ond roedd dyddiau lawer hyd nes y câi ganlyniad y profion hynny o'r labordy.

Yr unig le y gallai ei gysylltu â'r achos hyd yma oedd cwb pêl-droed Glan Morfa. Yno yr oedd y tri bachgen oedd yn y car wedi cyfarfod. Oedd, roedd y cyffur yn dew drwy'r ardal, ond tybed ai'r clwb oedd y tarddiad?

Ni fu Jeff yn dilyn tîm pêl-droed Glan Morfa yn gyson ar hyd y blynyddoedd, ond gwyddai'n iawn, fel pob un arall o drigolion y dref, fod y tîm wedi bod yn gwneud yn eitha da yn ddiweddar, gan ennill nifer o gwpanau a gorffen pob tymor yn agos i dop yr adran. Yr unig eithriad oedd y tymor diwethaf, pan fu bron iddyn nhw gael eu hanfon i lawr i gynghrair is. Roedd hynny, a'r gwahaniaeth yn eu safon o chwarae, yn dipyn o sioc – nid yn unig i'r cefnogwyr ffyddlon ond i'r holl gymuned. Roedd rhai yn mynnu mai ymddangosiad Brian Owen yn y tîm cyntaf, ychydig ar ôl iddo symud i fyw i'r ardal, oedd yn gyfrifol am eu goroesiad. Tybed oedd rheswm arall?

Fel yn achos nifer o dimau gogledd Cymru, dynion ifanc o ardaloedd eraill oedd y rhan fwyaf o chwaraewyr y tîm erbyn hyn. Dau neu dri o fechgyn lleol yn unig oedd wedi cyrraedd y tîm cyntaf – er bod rhai o fechgyn ifanc yr ardal, fel Geraint Thomas, yn hawlio sylw ymysg yr ieuenctid yn ddiweddar. Synnodd Jeff pan ddysgodd faint o'r tîm cyntaf oedd yn dod o Lannau Merswy a swydd Caer, gan deithio i Lan Morfa ddwy neu dair gwaith yr wythnos er mwyn ymarfer a chwarae gemau cystadleuol. Tybed oedd y dynion hyn yn dod â chyffuriau hefo nhw o ochrau Lerpwl, ac mai dyna oedd yn gyfrifol am berfformiad gwael y tîm y tymor cynt? Gwyddai fod damcaniaeth yn wahanol iawn i dystiolaeth.

Doedd gan Jeff ddim llawer o feddwl o berchennog y clwb, Sydney Higgs. Daeth ar ei draws am y tro cyntaf rai blynyddoedd ynghynt wrth ymchwilio i achos arall, a synnai ei fod yn dal yn gysylltiedig â'r clwb, ac wedi aros yn yr ardal cyhyd. Doedd dim llawer o natur dyn busnes i'w weld o'i gwmpas, er ei fod yn hapus i daflu ei enillion Loteri o gwmpas er mwyn mynnu dylanwad. Higgs a'i gyfoeth, yn ôl pob golwg, fu'n gyfrifol am ddenu nifer o'r chwaraewyr newydd i'r clwb, ond pwy oedden nhw a beth oedd eu hanes, tybed? A sut oedd Higgs yn dal i allu ariannu'r clwb hyd heddiw?

Gwyddai Jeff hefyd fod merch Higgs, Rachel, wedi bod yn defnyddio cyffuriau caled ers blynyddoedd. Roedd ei hiechyd wedi dirywio o ganlyniad i hynny, a chlywodd Jeff ei bod yn bur wael erbyn hyn. Gan ei fod o wedi cael gwared â'r deliwr oedd yn gwerthu'r stwff iddi beth amser ynghynt, roedd yn amlwg i Jeff fod rhywun arall yn ei chyflenwi bellach. Y mwya'n y byd yr oedd o'n ystyried y posibiliadau, y mwya'n y byd yr oedd o'n sicr bod yn rhaid ymchwilio ymhellach i glwb pêl-droed Glan Morfa.

Adnabyddodd Sydney Higgs Ditectif Sarjant Jeff Evans yn syth pan agorodd y drws yn gynnar y noson honno. Tarodd arogl cryf alcohol ffroenau Jeff yn syth.

Dyn bach crwn oedd Higgs y tro diwethaf iddynt gyfarfod a doedd dim wedi newid. Roedd o yn yr un cyflwr hanner meddw bryd hynny hefyd, cofiodd Jeff. Gwisgai dracwisg lliw aur oedd â streipen ddu i lawr y llewys a'r coesau, ond doedd dim awgrym ei fod yn defnyddio'r dillad i gadw'n heini. Roedd gemwaith aur trwm o amgylch ei wddf a'i arddyrnau, yn atgoffa Jeff o gymeriad Del Boy ar y teledu ers talwm, ond y peth mwyaf hynod amdano, ym marn Jeff, oedd y wig ddu a wisgai ar ei ben, a honno damed yn rhy fawr iddo. Gallai Jeff ddychmygu fod pawb yn ystafell bwyllgor y clwb pêl-droed yn gwrando arno oherwydd maint ei waled, ond doedd ganddo fo ddim bwriad o wneud yr un fath.

'Reit, Sydney. Fel hyn ma' hi,' datganodd, gan gerdded heibio'r dyn i'r tŷ heb wahoddiad ac anwybyddu'r syndod ar ei wyneb. 'Mae ganddon ni broblem yn y dre 'ma, ac mae gen i syniad y gallwch chi fy helpu i ddatrys un neu ddau o betha ... a dwi'n siŵr y gwnewch chi roi pob cymorth i mi.'

'Arhoswch am funud. Chewch chi ddim ...' dechreuodd Higgs, ond roedd hi'n rhy hwyr.

'Cyffuriau. Ia, cyffuriau ydi'r broblem, Sydney. Welais i 'rioed y fath broblem, y fath lanast yn y dre 'ma. Dydi hi ddim yn broblem newydd, wrth gwrs, fel y gwyddoch chi'n iawn. O, gyda llaw, sut mae'ch merch – Rachel yntê? – erbyn hyn?'

Yn ei syndod, ni wyddai Higgs sut i ymateb i'r cwestiwn nag ymarweddiad yr ymwelydd annisgwyl.

'Rachel? Wel, ia ... Rachel,' ailadroddodd ei henw.

'Lle awn ni i drafod?' gofynnodd Jeff yn eithriadol o fawreddog a hyderus.

'Dydi hi ddim yn gyfleus ar hyn o ...'

'Dydi hi ddim yn gyfleus bod cymaint o bobl ifanc y dre 'ma'n dioddef o achos cyffuriau chwaith, Sydney. A does 'na ddim gwell amser na'r presennol i ddechrau atal y broblem, nagoes? Cytuno? Da iawn.' Gwelodd Jeff yr olwynion bach yn troi wrth i Higgs geisio penderfynu beth i'w wneud am y gorau.

'Dewch trwodd i'r lolfa,' meddai o'r diwedd, gan nad oedd ganddo lawer iawn o ddewis, a dilynodd Jeff y dyn bach i un o'r ystafelloedd moethus lle gwelodd ferch eithaf tlws yn ei dauddegau, yn gwisgo'r nesaf peth i ddim, yn eistedd ar soffa yn trin ei hewinedd. Roedd potel o Champagne ar agor ar fwrdd gerllaw iddi, a dau wydryn hanner llawn. Nag oedd, doedd hwn yn sicr ddim yn amser cyfleus iddo alw!

Amneidiodd Higgs iddi adael yr ystafell, a chododd yr eneth ar ei thraed yn syth, gan afael mewn gŵn sidan a'i thaflu dros ei hysgwydd noeth ag un llaw a gafael yn y botel a'i gwydr yn y llaw arall. Ar ôl cyrraedd drws yr ystafell, trodd yr eneth ei phen i gyfeiriad y ddau.

'Paid â bod yn hir, Syd, cariad,' meddai mewn acen dramor na allai Jeff roi ei fys arni. Chwythodd gusan i gyfeiriad Higgs gyda gwên awgrymog.

'Y wraig?' gofynnodd Jeff, er nad oedd o'n credu hynny am eiliad.

'Ffrind,' atebodd Higgs mewn ffordd a awgrymai ei fod yn falch o gael brolio.

Dewisodd Jeff eistedd ar y soffa yn yr union fan cynnes lle bu'r ferch eiliadau ynghynt, ac edrychodd o'i amgylch.

Roedd rhywun wedi gwario arian sylweddol i addurno a dodrefnu'r ystafell flynyddoedd ynghynt, ond doedd fawr ddim wedi'i wneud yno yn y cyfamser – dim hyd yn oed twtio na glanhau.

'Sgotsh?' gofynnodd Higgs.

Meddyliodd Jeff am ennyd cyn ateb. Os oedd o am gael y gorau allan o'r cyfarfod hwn, byddai'n rhaid iddo roi ei agwedd elyniaethus i'r naill ochr er mwyn closio at Higgs.

'Diolch, Sydney. Un bach gan 'mod i'n gyrru, a mymryn o ddŵr ar ei ben o, os gweli di'n dda. A dwi'n addo peidio â chymryd gormod o dy amser di,' ychwanegodd yn gyfeillgar, gan wenu a nodio'n awgrymog tuag at y drws y diflannodd y ferch trwyddo.

Aeth Higgs i gwpwrdd ym mhen draw'r ystafell a thywalltodd fesur o wisgi i mewn i ddau wydr mawr. Tynnodd botel o ddŵr o oergell fach yng ngwaelod y cwpwrdd, a thywallt ohoni i un o'r gwydrau. 'Iechyd da,' meddai, gan roi wisgi Jeff iddo.

'Ia wir,' atebodd Jeff. 'Sut mae Rachel y dyddiau yma?' Er ei agwedd feddalach, doedd o ddim am roi cyfle i Higgs anghofio pam yr oedd yno.

'Fedra i wneud dim efo hi, mae gen i ofn, Jeff.' Mentrodd Higgs ddefnyddio ei enw cyntaf. 'Dwi wedi trio gwneud bob dim fedra i fel tad – ei gyrru i glinig preifat ac ati, ond ma' hi'n dod allan ac yn mynd yn syth yn ôl i ddefnyddio'r diawl stwff 'na.'

'Dwi'n cofio dy fod ti'n gwybod lle roedd hi'n prynu'r stwff ers talwm, Syd.' Dewisodd Jeff fod yr un mor gyfeillgar. 'Ond o ystyried bod y diawl MacLean 'na allan o'r ffordd rŵan, oes gen ti syniad pwy sy'n ei chyflenwi hi heddiw?' Cafodd Dafi MacLean, cyflenwr ei ferch, ei saethu'n farw flynyddoedd ynghynt.

'Nag oes wir, Jeff,' atebodd, gan ddechrau ymlacio yng nghwmni'r ditectif. Eisteddodd yn ôl yn hamddenol yn ei gadair a chymryd llwnc mawr o'r hylif aur. 'Dim ond talu am y stwff ydw i, mae gen i ofn.'

'Talu amdano fo?'

'Ia ... be arall fedra i wneud, Jeff? Ma' hi'n cael lwfans gan y wlad bob wythnos ac maen nhw'n talu rhent y fflat iddi hefyd – ond mae hi angen lot mwy na hynny i dalu am yr holl gyffuriau mae hi'n eu defnyddio bob dydd. A be ma' hi'n wneud? Dod at ei thad, wrth gwrs. Taswn i'n gwrthod ei helpu hi, mi fysa hi'n mynd yn syth i ddwyn neu hwrio i gael yr arian mae hi ei angen.'

'Ond be tasa hi'n prynu'r cocên drwg 'ma sy o gwmpas y dre? Ti wedi clywed am hwnnw, siŵr gen i?' O'r diwedd roedd Jeff wedi medru troi'r sgwrs i'r cyfeiriad iawn.

'Fedra i wneud dim ynghylch hynny. Rhyngthi hi a'i phetha.'

'Oes 'na rywun yn gwerthu fyny yn y clwb pêl-droed, Syd?' Sylwodd Jeff fod y cwestiwn wedi ei daro'n annisgwyl.

Tagodd Higgs ar yr wisgi yn ei geg. 'Ella ... ella ddim,' atebodd ar ôl dod ato'i hun. 'Ond welais i erioed mohono fo'n newid dwylo.'

Penderfynodd Jeff ei bod hi'n amser bod yn llac efo'r gwir.

'Mae 'na dipyn o'r chwaraewyr yn mynd a dod i Lannau Merswy yn rheolaidd, dwi'n dallt. Ffordd iawn i ddod â chyffuriau i'r ardal, Syd. Ac mae rhai yn deud mai dyna'r rheswm bod y tîm wedi gwneud mor wael y tymor dwytha. Bod hyd yn oed y chwaraewyr yn defnyddio'r stwff.'

'Dim blydi peryg,' atebodd Higgs, gan godi ei lais. 'Mae pob un sy'n chwarae i'r tîm 'na wedi cael ei ddewis gen i yn bersonol, ac mi wnes i ymchwilio i gefndir bob un wan jac ohonyn nhw fy hun. Does 'na ddim ond un rheswm am iddyn nhw chwarae mor wael y tymor dwytha, a'r rheswm hwnnw ydi bod y chwaraewyr wedi colli hyder yn Norman Jones, hyfforddwr a rheolwr y tîm.'

'Sut felly?'

'Wel tydi hynny ddim i mi i'w ddeud, nac'di.'

Cododd Jeff ei aeliau i ofyn y cwestiwn eto, a chymerodd Higgs yr abwyd.

'Mae 'na sôn ei fod o'n rhy agos at rai o'r hogia ifanc. Dyn sengl ydi o, ac roedd 'na dipyn o fân-siarad ... dyna pam rois i'r sac iddo fo.'

'Oes 'na dystiolaeth o gamymddwyn, neu gwynion?'

'Nagoes, ond mi ges i wared ohono fo cyn i betha fynd o ddrwg i waeth.'

Penderfynodd Jeff beidio â dilyn y pwnc hwnnw, er y byddai'n saff o ddychwelyd ato. 'I fynd yn ôl at fusnes y cyffuriau 'ma, Syd. Oeddat ti yn y clwb ar noson damwain Wil Morgan?'

Nac oeddwn wir, Jeff. Busnes ofnadwy oedd hynny, 'de? Ond mi glywais i mai yn y clwb oeddan nhw y noson honno, cyn i'r ddamwain ddigwydd. Oes 'na gysylltiad?'

'Wel, oes,' atebodd Jeff. 'Mae effaith y math o gyffur oedd yng ngwaed y ddau yn dod i'r amlwg chydig funudau ar ôl ei gymryd o. Felly ma' hi'n sefyll i reswm mai yn y clwb gawson nhw fo.'

'Ond tydi hynny ddim yn golygu ei fod o'n gysylltiedig â'r clwb, nac'di,' mynnodd Higgs. Yn amlwg, roedd yn awyddus i amddiffyn ei fuddsoddiad.

'Oes 'na Diet Coke ar werth ym mar y clwb, Syd?'

'Oes, siŵr iawn.'

'Sut mae o'n cael ei werthu?'

'Ar dap ac mewn poteli, ond nid mewn caniau. Pam?'

'Am ei bod hi'n bosib fod y cyffur a laddodd Wil Morgan wedi cael ei roi iddo mewn potel Diet Coke.' Disgrifiodd Jeff y botel y daeth o hyd iddi yn y car yn gynharach.

'Wel, ia ... dyna'r math o boteli sydd acw, mae hynny'n wir – yr un fath â channoedd o lefydd eraill.'

'Un peth arall,' meddai Jeff. 'Tydw i ddim isio dy gadw di oddi wrth dy ffrind yn rhy hir. Oeddat ti yn y cinio i ddathlu diwedd y tymor dwytha?'

'Oeddwn.' Ceisiodd Higgs ragweld beth oedd pwrpas y cwestiwn.

'Dwi'n dallt y bu dipyn o helynt yno – mi gafodd Brian Owen lygad ddu. Be oedd y tu ôl i hynny?'

'O, dim llawer. Un neu ddau o'r hogia'n ymateb i rwbath roedd un o staff y cwmni arlwyo wedi'i ddeud, dwi'n meddwl. Dyna oedd y sôn, beth bynnag. Roedd y cwbwl drosodd cyn i fawr o neb sylwi.'

'Be gafodd ei ddeud, felly?'

'Dim syniad.'

'Pwy oedd yn arlwyo'r noson honno?'

'Blas Bendigedig Cyf. Nhw fydda i'n eu defnyddio bob tro.'

'Cwmni Marc Mathias ydi hwnnw, yntê? Oedd o'i hun yno?'

'Na. Mae ganddo fo nifer fawr o bobol yn gweithio iddo fo'r dyddiau yma, ers i'w fusnes o ehangu cymaint. Rheoli petha o'r swyddfa mae o erbyn hyn.'

'Pa un o'i weithwyr o oedd yn codi twrw 'ta?'

'Wn i ddim pwy gododd y twrw, na phwy oedd yn rhan ohono, a deud y gwir. Fel o'n i'n deud, roedd pob dim drosodd cyn i neb droi rownd.'

Cododd Jeff i fynd, ond roedd yn rhaid iddo adael i Sydney Higgs wybod pwy oedd y bòs. Doedd Jeff yn licio dim mwy ar Higgs na phan gerddodd i mewn, ond gwyddai nad oedd o am gael mwy o wybodaeth ganddo heno.

'Wel,' dechreuodd, 'Yn ôl be wyt ti wedi'i ddeud wrtha i, does gen ti ddim gwybodaeth o gwbl bod unrhyw fath o gyffur yn cael ei ddefnyddio yn agos i glwb pêl-droed y dre 'ma.'

'Cywir, Jeff.'

'Wel, dyna ti wedi cael dy gyfle rŵan, Higgs. Duw â dy helpo di os ffeindia i nad ydi hynny'n wir.'

Heb air arall, cododd Jeff a cherdded at y drws ffrynt, gan adael Higgs yn gegrwth yn ei lolfa. Gwenodd, gan obeithio nad fyddai eu cyfarfod yn amharu'n ormodol ar allu rhywiol ei ffrind newydd heno. Pwy oedd hi, tybed? Neb o'r dref, cyn belled ag y gwyddai.

Ystyriodd Jeff beth roedd o wedi'i ddysgu. Dim llawer. Roedd Sydney Higgs yn gwadu bod cyffuriau yn agos i'r clwb pêl-droed, ond fyddai Jeff ddim wedi disgwyl iddo ddweud yn wahanol. Chafodd o ddim gwybod ychwaith pwy oedd yn cyflenwi cyffuriau i'w ferch. Doedd dim diben iddo holi Rachel ei hun – gwyddai o brofiad na fyddai honno'n agor ei cheg. Tybed a fyddai'r hen Nansi'r Nos o ryw gymorth iddo? Efallai wir, ond nid heno, penderfynodd.

Pennod 9

Roedd y diwrnod llawn cyntaf a dreuliodd Jeff Evans yn ymchwilio i achos y cyffuriau llygredig wedi bod yn un hir. Bu iddo golli noson o gwsg wrth deithio adref o wlad Groeg a bu wrthi'n ddyfal ers gadael ei deulu yn Ffestiniog y diwrnod cynt. Ar ôl noson aflonydd roedd deuddeg awr arall wedi mynd heibio bellach, a'r blinder yn dechrau achosi i'w lygaid losgi. Ond beth oedd hynny, meddyliodd, o'i gymharu â sut roedd rhieni Wil a Brian yn teimlo?

Roedd hi'n tynnu at naw o'r gloch a doedd ganddo fawr o awydd coginio, felly ffoniodd am bryd parod o un o dai bwyta Indiaidd y dref, gan ofyn iddyn nhw ddanfon y bwyd i'r tŷ. Agorodd botel o win coch iddo'i hun a'i gadael i dwymo ac anadlu rhywfaint tra oedd o'n disgwyl. Yna chwiliodd am ei ffôn symudol yn ei boced a phwysodd y mannau cyfarwydd ar y sgrin.

'Helo ngghariad i ... sut wyt ti?' meddai pan atebwyd yr alwad.

'Rargian, ti'n hwyr iawn, Jeff. Mae'r plant wedi bod yn disgwyl i ti ffonio ers meitin. Lle ti 'di bod?'

'Ddrwg gen i, Meira. Ti'n gwybod fel ma' hi. Un peth yn arwain at y llall, a chyn i mi sylweddoli ... wel, dyna hi.'

'Un felly fuest ti erioed, Jeff Evans, ond 'swn i byth yn dy newid di ... wel, dwn i ddim – tasa rhyw hync yn troi fyny 'ma ac yn cynnig y byd i mi ...'

'Mi fysa'n well iddo fo watsiad ei hun, dyna'r oll ddeuda

i.' Chwarddodd y ddau. 'Sut mae pawb erbyn hyn, beth bynnag?'

'Iawn am wn i, ond mi ydw i a'r plant hiraeth amdanat ti'n barod, yn enwedig Twm bach.' Twm Bach fyddai Meira'n galw eu mab tra bydden nhw dan yr un to a'i thad, Twm Price – neu Twm Taid fel y byddai Jeff yn ei alw. 'Mae Mam a Dad yn dda iawn efo ni, fel maen nhw bob amser, ac yn llawn syniadau am bethau i'w gwneud efo'r plant yn ystod y dyddiau nesa 'ma ... yn dibynnu ar dy gynlluniau di, wrth gwrs.'

'Dwi'n dal i fod wrthi yn fama, a fama fydda i am sbel, 'nghariad i. Does 'na ddim byd amlwg wedi dod i'r fei hyd yma, dim ond posibiliadau – a nifer fawr ohonyn nhw. Anodd gwybod lle i droi nesa, a deud y gwir. Ond mae un peth yn sicr, Meira, mae'r dre 'ma'n newid o flaen ein trwynau ni, ac nid am y gorau chwaith. Tydi rhywun ddim yn sylwi cymaint tra mae o yma, ond ar ôl i mi fod i ffwrdd am bythefnos, mae'r dirywiad yn amlwg. Pobol ddiarth ym mhob man – ac nid y dynion sy'n adeiladu'r pwerdy dwi'n feddwl. Maen nhw'n loetran rownd canol y dre, a phobman arall hefyd, i gyd isio'u siâr o'r geiniog.'

'Paid â phoeni, Jeff. Mi ddaw popeth i ryw fath o drefn ar ôl i'r gwaith o adeiladu'r pwerdy ddod i ben ... pryd bynnag fydd hynny.'

'Cynta'n y byd gorau'n y byd ddeuda i, ond tydi hynny'n ddim cysur. Rŵan mae'r llanast yn cael ei wneud.'

'O! Mae 'na rywun bach yn fama wedi codi o'i wely ac isio siarad efo'i dad.' Roedd tôn llais Meira wedi ysgafnu a llonni wrth i'w mab agosáu.

'Haia Dad.'

'Sut wyt ti, 'ngwas i?'

'Iawn, diolch – dwi wedi bod yn chwarae pêl-droed a rygbi efo Taid drwy'r pnawn ac mae o'n cysgu yn ei gadair ers meitin.' Parhaodd Twm i ddweud hanes y diwrnod wrth ei dad cyn rhoi'r ffôn yn ôl i Meira a rhedeg yn fodlon i fyny'r grisiau.

'Gwranda, Meira,' meddai Jeff, ei lais yn difrifoli. 'Paid ag anghofio pam rwyt ti a'r plant yn fan'na. Mae 'na rywun wedi 'mygwth i ... neu ni. Wyddon ni ddim be sy wrth wraidd y peth eto, ac ella na ddaw dim ohono fo, ond dwi isio i ti fod yn hynod o wyliadwrus, wyt ti'n dallt?'

'Ydw, wrth gwrs 'mod i – ond does dim rhaid i ti boeni, Jeff. Pwy sy'n mynd i ddod o hyd i ni yn Ffestiniog o bob man?'

'Gwranda, rhaid i mi fynd,' meddai Jeff yn sydyn. 'Mae cloch y drws yn canu.'

'Be? Yr adeg yma o'r nos?'

'Têcawê o Morfa Tandoori,' esboniodd Jeff.

'Watshia di dy golestrol ... caru chdi.'

Agorodd Jeff y drws a gwelodd ddyn gweddol ifanc yno yn dal bag papur brown yn llawn bwyd. Doedd o ddim yn un o staff rheolaidd y bwyty, nac o dras Indiaidd.

'Diolch,' meddai Jeff gan gymryd y bag o'i law. 'Faint sy arna' i?'

Heb ddweud gair, rhoddodd y gŵr y bil yn ei law. Dangosai fod arno rai ceiniogau o dan bymtheg punt am y bwyd, felly rhoddodd Jeff bapur ugain yn ei law gan ddweud wrtho am gadw'r newid. Diolchodd y gŵr mewn acen Ewropeaidd a gofynnodd Jeff iddo o ble'r oedd o'n dod, ond roedd yn amlwg nad oedd y gŵr yn deall y cwestiwn. Rhoddodd wên ddi-fflach i Jeff cyn troi at ei gar.

Dyn dŵad arall nad oedd ganddo gysylltiad â'r gwaith

adeiladu, meddyliodd Jeff ar ei ffordd i'r gegin. Oedd ganddo'r hawl i weithio, ac i yrru car petai'n dod i hynny, ym Mhrydain, tybed? Ar y naill law, ni welai fai ar bobl o wledydd canol a dwyrain Ewrop oedd yn dewis dod yma i geisio bywyd gwell, ond ar y llaw arall, sut oedd posib i'r awdurdodau gadw cofnod o bwy oedd pwy yn yr ardal, a phawb â rhwydd hynt i deithio lle mynnent? Dim ond un ymysg cannoedd oedd ei angen i achosi'r math o lanast yr oedd y cyffuriau wedi'u creu yng Nglan Morfa.

Rhoddodd Jeff y bwyd ar blât cynnes a'i gario ar hambwrdd trwodd i'r lolfa – rhywbeth na fyddai'n meiddio'i wneud pan fyddai Meira gartref. Tywalltodd wydryn mawr o win iddo'i hun a rhoddodd y teledu ymlaen i wylio newyddion y dydd ar S4C. Yr un hen straeon: gwleidyddion yn dadlau ar Trydar, bygythiadau milwrol yn y Dwyrain Pell, yr economi yn tyfu mewn rhai rhannau o'r byd a phobl yn llwgu mewn gwledydd eraill. Doedd o ddim wedi disgwyl yr adroddiad ar gwest a agorwyd i farwolaeth William Morgan o Lan Morfa, a rhoddodd ei fforc i lawr i wylio'r Uwch-arolygydd Irfon Jones yn cael ei holi gan ohebydd ynglŷn â phroblem cyffuriau'r dref. Aeth yr uwch-swyddog drwy'r drefn arferol o ddweud bod yr heddlu'n brysur yn gwneud y cyfan o fewn eu gallu i atal y broblem, pwysleisio pa mor beryglus oedd y cyffuriau diweddaraf i gyrraedd yr ardal, a gofyn am gymorth y cyhoedd i ddod â'r helynt i ben. Ond ar ddiwedd y cyfweliad daeth cwestiwn dirybudd gan y newyddiadurwr. Cwestiwn nad oedd yr Uwch-arolygydd yn ei ddisgwyl.

'Ydi hi'n wir bod un o'ch plismyn chi yng Nglan Morfa wedi derbyn rhybudd bod cyffuriau yn cynnwys gwenwyn am gael eu dosbarthu yn yr ardal?'

'Dim hyd y gwn i,' atebodd Irfon Jones.

'Ac yn fwy na hynny, mai gelyn personol iddo sy'n gyfrifol am ddosbarthu'r cyffur ... a bod y ditectif dan sylw yn ymwybodol o hynny?'

'Rwy'n sicr nad oedd neb yn yr heddlu yn gwybod am y fath beth o flaen llaw, os mai dyna ydach chi'n ei awgrymu,' mynnodd yr Uwch-arolygydd.

Daeth y cyfweliad i ben heb unrhyw sylw pellach, ond roedd y pwynt wedi'i wneud, a'i ddarlledu trwy Gymru gyfan.

Chymerodd Jeff ddim sylw o'r bwletin tywydd a ddilynodd y newyddion. Eisteddodd yn ôl yn ei gadair i feddwl. Roedd yn amlwg fod y BBC wedi cael gwybod gan rywun am y nodyn a dderbyniodd pan oedd o ar ei wyliau, a'i gynnwys. Dim ond tri pherson arall a wyddai am ei fodolaeth: Meira, Irfon Jones a Rob Taylor. Roedd yn amlwg o adwaith Irfon Jones nad fo oedd yn gyfrifol am ddatguddio'r wybodaeth, ac roedd Jeff yn sicr na fyddai Rob wedi gwneud y fath beth chwaith. Roedd yn rhaid felly mai awdur y nodyn oedd yn gyfrifol.

Cododd Jeff ffôn y tŷ a deialodd rif cartref Irfon Jones.

'A, chdi sy 'na Jeff. Ro'n i am dy ffonio di rŵan. Dwi newydd orffen siarad efo'r Dirprwy Brif Gwnstabl ... mi welodd o'r newyddion ac mae o isio atebion, ar frys. Dwi wedi esbonio'r sefyllfa iddo fo – y cwbl – ac wedi addo y gwnawn ni roi gwybod iddo am bob digwyddiad o hyn ymlaen. Hynny ydi, cyn i'r BBC gael gafael ar yr wybodaeth.'

'Ond pwy ddiawl ddeudodd wrthyn nhw am y nodyn?'

'Wn i ddim, a doedd y newyddiadurwr a'm holodd i ddim yn gwybod chwaith, medda fo. Un o'u hymchwilwyr nhw, neu ryw riportar ar waelod yr ysgol, gafodd yr wybodaeth, ond mae'n ddrwg gen i ddeud wrthat ti, Jeff, eu bod nhw'n gwybod mwy hefyd.'

'Mwy?' gofynnodd Jeff, er nad oedd o'n sicr a oedd eisiau clywed yr ateb.

'Mae pwy bynnag a dderbyniodd y neges yn y BBC yn cysylltu'r peth â llun o ben aderyn yn cario croes yn ei big.'

'Rargian! Sut yn y byd ...? Ydyn nhw wedi cael copi o'r nodyn, tybed?'

'Wn i ddim, a doedd y newyddiadurwr ddim yn gwybod chwaith. Mae'n amlwg bod y riportars ifanc 'ma'n gyndyn o rannu manylion ... isio gwneud enw iddo fo'i hun, 'ma siŵr.'

'Pwy ydi o? Rhaid i mi fynd i'w weld o.'

'Chawn ni ddim gwybod. Mi wyddost ti sut mae pobl y wasg yn gweithredu. Sut aeth dy ymholiad di heddiw, gyda llaw?'

Dywedodd Jeff yr hanes wrtho, gan sôn am y botel Diet Coke a'i amheuon ynglŷn â'r clwb pêl-droed.

'Cofia adael i mi wybod sut mae petha'n datblygu, rŵan bod y Dirprwy Brif Gwnstabl â'i big i mewn ... yn ddyddiol os oes rhaid.'

'Cyn belled â bod pig hwnnw ddim yn cario croes hefyd,' chwarddodd Jeff.

Ond doedd y peth ddim yn fater i chwerthin yn ei gylch, meddyliodd Jeff wrth iddo eistedd yn ôl yn ei gadair efo gwydryn arall o win yn ei law, na'i gymryd yn ysgafn. Yn anuniongyrchol, gwyddai mai bygythiad arall oedd hwn. Roedd pwy bynnag oedd yn ceisio'i frawychu, erbyn hyn, wedi dewis defnyddio'r wasg i'w helpu. Wedi dewis? Na, roedd yn benderfyniad bwriadol, ac wedi'i drefnu o'r dechrau, meddyliodd Jeff, gan bwy bynnag oedd yn cynllwynio yn ei erbyn. Ceisiodd Jeff ddychmygu beth arall a allai fod yn rhan o'r un cynllwyn ... a phwy oedd y cynllwynwr. Yn sicr, edrychai'n debyg fod y cyfan wedi'i baratoi'n drwyadl – o wlad Groeg i swyddfeydd y BBC ac yn sicr i Lan Morfa. Ond beth oedd y cysylltiad lleol, a pham ei ddewis o?

Pennod 10

'Gen ti uffar o wynab i ddod yn agos at y tŷ yma, Jeff Evans!' Roedd tân yn llygaid Nansi pan agorodd ddrws ei thŷ iddo ganol y bore trannoeth.

'Be s'an ti, ddynes? Pwy sy 'di ysgwyd dy gaets di bore 'ma?' Nid dyma'r croeso a fyddai'n arfer ei gael ganddi.

Ystyriodd efallai y byddai'n well iddo fod wedi galw yn hwyrach yn y dydd, pan fyddai hi ar ei gorau. Petai Nansi dan ddylanwad y ddiod gadarn byddai'n meddwl mwy am gynnig ei chorff iddo nag am ei lambastio ar stepen y drws. Un arw oedd Nansi, neu Dilys Hughes, i'w galw hi yn ôl ei henw cywir. Nansi'r Nos oedd yr enw a roddodd Jeff iddi flynyddoedd maith ynghynt pan ddechreuodd ei defnyddio'n hysbysydd, a bu'r trefniant hwnnw yn un hynod llwyddiannus i'r ddau ohonynt. O ganlyniad i'w cydweithio, ac yn dilyn gwybodaeth ganddi, roedd Jeff wedi cloi nifer o droseddwyr mwyaf yr ardal i fyny, er ei fod yn anwybyddu'r ffaith fod Nansi ei hun yn gwerthu rhyw chydig o ganabis.

Doedd amser ddim wedi bod yn garedig wrthi. Ugain mlynedd ynghynt roedd Nansi'n ddynes atyniadol, yn ei ffordd ei hun, ond roedd blynyddoedd o ddiota a defnyddio cyffuriau meddal wedi gadael eu hôl. Ceisiai ei gorau i wneud iddi ei hun edrych yn iau gyda cholur eithafol a dillad ffasiynol, ond gan fod y dillad hynny'n rhy dynn i'w chorff canol oed a'r gwyn yn tyfu trwy ddu potel ei gwallt, doedd hi ddim yn llwyddo. Ond er gwaetha'i hymddangosiad, bu i Miss Nos, fel y byddai Meira'n ei galw pan fyddai'n ffonio cartref Jeff o dro i dro, chwarae rhan werthfawr iawn yn llwyddiant y Ditectif Sarjant, ac roedd hi'n dal i wneud hynny hyd heddiw. Y gwir oedd bod y ddau, yn raddol dros bymtheng mlynedd, wedi dod yn ffond iawn o'i gilydd – sefyllfa ryfedd eithriadol i gymeriad lliwgar fel Dilys a ditectif fel Jeff Evans – ac erbyn hyn, roedd y ddau yn deall ei gilydd yn bur dda. Diolchodd Jeff i'r nefoedd fod Meira'n deall y sefyllfa.

'Paid â thynnu'n groes, Nansi bach,' meddai Jeff yn gellweirus. 'Dwi dan bwysau diawledig y dyddiau yma, a chdi 'di'r unig un fedar fy helpu fi. Gwna baned i dy hen fêt, wnei di?' Gwyddai Jeff o brofiad y byddai hynny'n newid ei hagwedd a doedd o ddim yn bell o'i le.

'Tyrd yma, i mi gael gafael yn iawn ynddat ti, y pishyn i ti. Mi fysat ti'n cael mwy na phaned gen i unrhyw bryd, ti'n gwbod yn iawn ... ond paid â dod a 'run plisman arall ar gyfyl y lle 'ma, y diawlad digywilydd iddyn nhw.' Roedd Nansi wedi bod yn cellwair ynglŷn â chael rhyw efo fo ers blynyddoedd, er ei bod wedi derbyn ers tro na fyddai hynny'n digwydd, ond heddiw, fodd bynnag, doedd hi ddim mor chwareus ag arfer. Roedd rhywbeth yn ei phoeni, sylweddolodd Jeff. Cerddodd ar ei hôl i'r gegin fechan ac eistedd ar gadair wrth y bwrdd bwyd i'w gwylio'n rhoi'r tegell i ferwi.

'Be mae 'nghyd-weithwyr i wedi bod yn ei wneud i dy ypsetio di tra o'n i ar fy ngwyliau felly?' gofynnodd.

'Y diawlad 'na o'r pencadlys eto, y bastads iddyn nhw. Dod yma ben bora i chwilio am y cocên doji 'ma sy rownd dre. Fi, o bawb, Jeff? Mi wyddost ti na dwi 'rioed wedi twtshad yn y stwff caled, na'i hwrjo fo i neb arall chwaith. Ti'n dyst i hynny, ar f'enaid i, yn dwyt?'

'Biti nad o'n i yma i'w stopio nhw,' meddai, gan wybod na fyddai hynny wedi bod yn bosib dan yr amgylchiadau. Roedd Jeff mor sicr ag y gallai fod bod Nansi'n dweud y gwir am y cyffuriau caled, ond ar y llaw arall, roedd hi'n troi mewn cylchoedd hynod amheus. Yn amlwg, roedd ei gyd-weithwyr o adran gyffuriau'r pencadlys wedi targedu pawb oedd â chysylltiad ag unrhyw fath o gyffuriau yn yr ardal, a Nansi'n un ohonyn nhw. Anodd oedd gweld bai ar eu dull o weithredu, roedd yn rhaid iddo gyfaddef. 'Ddaethon nhw ar draws rwbath oedd o ddiddordeb iddyn nhw yma?' gofynnodd iddi.

'Dipyn o ganabis ... at ddefnydd personol ... a dyna'r cwbwl. Ges i rybudd gan un ohonyn nhw, ond dim mwy na hynny, diolch i'r nefoedd. Tydw i ddim wedi gwerthu canabis, hyd yn oed, i uffar o neb ar ôl yr ypset 'na ges i ... ti'n cofio, Jeff? Rhyw ddwy flynedd yn ôl, pan ddaru rhywun blantio uffar o lwmpyn mawr ohono fo yma. Ac mae hynna'n efengyl i ti. Ma' gin i ormod o feddwl o fy rhyddid.'

Rhoddodd Nansi gwpaned o goffi o'i flaen.

'Paid â bod rhy galed arnyn nhw, Nansi bach,' meddai Jeff, yn cymryd sip ysgafn o'r coffi berwedig.

'Rhy galed, o ddiawl! Be ma' pobol yn mynd i feddwl pan mae gin i lond tŷ o blydi copars yma yn chwilio am gocên?'

'Wel, mi wyddost ti'r niwed mae o wedi'i wneud i Wil Morgan a Brian Owen.'

'Digon gwir, Jeff.' Eisteddodd Nansi i lawr wrth ei ochr. 'A dim nhw ydi'r unig rai chwaith, 'sti. Fel dwi'n 'i dallt hi, mae 'na beth uffar o bobol yn dre 'ma wedi diodda o achos rhyw wenwyn maen nhw'n deud sydd ynddo fo. Shane, hogyn fy chwaer, yn un ohonyn nhw. Rwbath yn rong ar 'i fysyls o, ac yn honco bost – meddwl bod rhywun ar ei ôl o bob gafael. Welis i 'rioed y fath beth. Ma'r blydi dre 'ma'n llawn ohono fo, a dim dyna'r unig beth sy'n achosi salwch yma chwaith.'

'Be, oes 'na gyffur arall ar y strydoedd na tydan ni ddim yn gwybod amdano fo?'

'Na, na, dim cyffur, Jeff. Secs.'

'Secs?'

'Wel ia, blydi secs, Jeff. Rhyw. Rympi-pympi. Bang-bang,' meddai, gan wneud symudiadau doniol i geisio dynwared y weithred. 'Ti'n gwybod be 'di hwnnw, siawns gin i? Mi wn i am un neu ddau sy wedi dal rwbath annymunol ofnadwy, ac un hyd yn oed wedi ei roi o i'w wraig, yn ddiweddar rŵan. Uffar o le, fel medri di ddychmygu.'

'Clefyd rhywiol ti'n feddwl?'

'Ia, ia dyna chdi. Gonorea neu siff ydi'r sôn, ac mae 'na si bod rhai wedi gorfod cael profion HIV hefyd. Mae gwragedd yn gwrthod cysgu efo'u gwŷr os ydi'r rheiny wedi bod owt on ddy town – fedra i enwi mwy nag un i ti. Ar yr hwrod 'ma mae'r bai sti, dim dowt. Y petha 'na sy wedi dod i'r dre i ganlyn gweithwrs y blydi pwerdy gwirion 'na. Hwnna 'di'r bai am y cwbwl, saff i ti, Jeff.'

'Lle mae'r puteiniaid 'ma wrthi, Nansi, a phwy ydyn nhw?'

'Rhyw betha o ffwrdd, meddan nhw, o dramor. 'Sa neb yn gwbod lle ma' nhw'n aros, ond ma' nhw'n troi i fyny bob nos mewn gwahanol lefydd, a diflannu wedyn. Petha reit ddel, cofia di – ifanc a smart iawn, a bob dim yn y lle iawn gynnyn nhw, dim fel fi – ond 'u bod nhw'n cario rwbath anghynnes ofnadwy yn eu nicyrs, ma' raid gin i. Dos i'r clwb yn y camp lle mae'r gweithiwrs yn aros ac mi weli di nhw'n cyrraedd fan honno fin nos. Mi eith un ohonyn nhw allan efo un boi, ac mi fydd hi'n ôl mewn hanner awr i chwilio am un arall. Synnwn i ddim fod pob un ohonyn nhw'n ffwcio hanner dwsin a mwy yr un bob nos. Dwi wedi'u gweld nhw fy hun sawl gwaith, Jeff. Wir, rŵan.'

'Fan honno ydi'r unig le maen nhw'n hel dynion?'

'Naci, tad. Mi weli di nhw o gwmpas y dre bob hyn a hyn, ac ma'u rhifau ffôn nhw ar waliau'r toilets dynion yn amball un o'r pybs. Ond be sy'n ciwt yn fy marn i ydi 'u bod nhw'n defnyddio campyr-fan fawr i wneud eu busnes. Un reit foethus fel dwi'n dallt, achos welis i 'rioed mohoni fy hun. Ma' hi'n cael ei defnyddio i bigo'r dynion i fyny, mynd i rwla i wneud y busnes ac wedyn eu gollwng nhw i lawr yn lle bynnag. "Y drol ddyrnu" maen nhw'n 'i galw hi o gwmpas y lle 'ma. Dyna enw da, 'de? Trol ddyrnu!'

Chwarddodd Jeff. 'Enw addas iawn. Swnio'n fusnes llwyddiannus i mi,' meddai, 'ond mae mater y cyffuriau, y cocên a'r gwenwyn sydd ynddo fo, yn fy mhoeni i fwy na'r antics rhywiol ar hyn o bryd, Nansi, a 'swn i'n licio i ti wneud cymwynas â mi.'

'Be sgin ti mewn golwg? Ma' gas gen i weld y damej mae o'n 'i wneud yn y dre 'ma ar hyn o bryd. Os fedra i helpu, mi wna i.'

'Wyt ti'n nabod hogan o'r enw Rachel, Rachel Higgs?'

'Ydw, gwaetha'r modd. Merch y milionêr bach tew 'na sy'n rhedeg y clwb pêl-droed ti'n feddwl? Be amdani hi?'

'Mi wn i ei bod hi'n defnyddio cyffuriau caled ers blynyddoedd.'

‘Syndod i mi ’i bod hi’n dal ar dir y byw,’ meddai Nansi.

‘Dwi angen cael gwybod o ble mae hi’n cael ei chyffuriau,’ meddai Jeff, gan godi ei aeliau’n awgrymog i gyfeiriad Nansi.

‘O, dwi’n gweld,’ atebodd hithau, yn nodio’i phen. ‘A ti isio i mi ffeindio allan i ti.’ Meddyliodd Nansi am nifer o eiliadau cyn parhau. ‘Iawn. Ocê ’ta. Mi wna i. Tydw i ddim yn licio’r syniad yn fawr iawn, rhaid i mi ddeud, ond er mwyn Wil Morgan a’i fêt ... a Shane, a ’dwn i ddim faint o rai eraill o gwmpas y lle ’ma, mi wna i. Be ti isio i mi wneud?’

‘Closio ati, a deud dy fod ti wir angen cocên i rywun arall ... a gweld lle bydd hynny’n ein harwain ni.’

‘Mi fydda i angen arian i wneud peth felly, yn byddaf?’

Rhoddodd Jeff hanner canpunt yn ei llaw. ‘Ydi hynna’n ddigon?’

‘Siawns gen i y bydd o.’

‘Dim ar ôl Rachel ydan ni, cofia Nansi, ond pwy bynnag sy’n gyfrifol am y cyflenwi yn y dre ’ma. Bydda di’n ofalus.’

Nid oedd Jeff yn gwbl hapus gyda’r syniad o yrru Nansi’r Nos ar orchwyl o’r fath, ond allai o ddim meddwl am unrhyw un gwell i wneud y gwaith. Wedi’r cyfan, cawsai ei magu yng nghysgodion yr ardal, ymysg troseddwyr a’r rhai oedd yn osgoi sylw’r awdurdodau. Hogan gwerth chweil oedd Nansi, beth bynnag ei phechodau, a gwyddai Jeff yn iawn nad oedd ganddo’r gobaith lleiaf o gael yr wybodaeth angenrheidiol gan Rachel Higgs hebddi.

Pennod 11

Gan nad oedd ganddo unrhyw drywydd arall i'w ddilyn, trodd Jeff ei sylw at y clwb pêl-droed a'r unigolion oedd yn gysylltiedig â'r lle. Doedd o ddim wedi derbyn yr un bygythiad arall, a doedd y sawl a'i bygythiodd ddim wedi gwneud unrhyw ymdrech bellach i gysylltu ag ef na'i deulu – na'r wasg, hyd y gwyddai – felly penderfynodd ddilyn ei drwyn i gyfeiriad y pêl-droedwyr, yr hyfforddwyr a'r perchennog. Anaml y byddai'r hen deimlad cyfarwydd hwnnw yng ngwaelod ei stumog yn ei adael i lawr – y reddf a enillodd iddo ei lysenw ymysg ei gyd-weithwyr: Yr Afanc. Roedd Jeff yn ddigon parod i adael i'w gyd-weithwyr yn y pencadlys chwilio am ffynhonnell y powdwr gwyn peryglus, boed ym Mhrydain neu dramor, ond fo oedd yn gyfrifol am ddiogelwch trigolion Glan Morfa, a'i ddyletswydd o oedd darganfod pwy oedd yn ei werthu'n lleol.

Wrth feddwl am y clwb pêl-droed, atgoffwyd Jeff am ddigwyddiadau'r diwrnod cynt. Ymbalfalodd ym mhoced drws ei gar am y darn papur y bu iddo nodi rhif cofrestru'r Audi gwyn arno. Wedi dod o hyd iddo, gyrrodd i orsaf heddlu Glan Morfa i geisio darganfod pwy oedd perchennog y cerbyd.

Gŵr o'r enw Albert Challenor oedd ceidwad y car, ac roedd wedi'i gofrestru i gyfeiriad ym Manceinion. Yn fwy na hynny, darganfu fod yr Audi, a Challenor, o ddiddordeb i'r heddlu yn y ddinas honno. Yn chwilfrydig, ffoniodd Jeff yr adran gudd-wybodaeth yn y pencadlys. Deallodd fod Albert Challenor wedi dod i sylw Uned Troseddau Difrifol Heddlu Manceinion, a bod amheuaeth ei fod yn gysylltiedig ag unigolion oedd ynghlwm â chyffuriau, lladrata arfog a rheoli puteinio. Gwenodd Jeff iddo'i hun a phenderfynodd ffonio'r adran honno er mwyn dysgu mwy.

Ditectif Cwnstabl Sandra Mulholland ddychwelodd ei alwad, ac eglurodd Jeff y sefyllfa yng Nglan Morfa iddi, gan ofalu peidio â datgelu gormod.

'Roedd yr Audi yn y dref 'ma ddoe mewn amgylchiadau amheus.'

'Pa fath o amgylchiadau?' gofynnodd Mulholland.

'Mae problem cyffuriau yn y dref 'ma sydd wedi chwyddo'n enfawr yn ystod yr wythnosau diwethaf, a dwi'n dallt bod Challenor yn cael ei amau o ddelio.'

'Mae pobl yn delio yn y fan hon ddydd a nos, a dydi mater bach o ddelio ar y strydoedd ddim yn ein cyffroi ni yn yr adran hon yn ormodol. Ar dop y pyramid troseddol 'dan ni'n canolbwyntio – mewnforio llwythi mawr o gyffuriau i'r wlad ... arfau hefyd; lladrata arfog, puteinio a'r llofruddiaethau sy'n gysylltiedig â rheoli'r math yna o ymgyrchoedd. Mynd ar ôl yr haen uchaf ydan ni.'

'Mi fedra i ddeall hynny,' atebodd Jeff. 'Ond mae'r cyffur sy'n cael ei werthu yma ar hyn o bryd yn cynnwys strycnin, sy'n creu niwed ofnadwy i bwy bynnag sy'n ei ddefnyddio. Mae 'na un bachgen ifanc hollol ddiniwed wedi'i ladd yn barod. Fel mae'n digwydd, un o chwaraewyr pêl-droed academi Manchester United ydi o ... mi welwch y cysylltiad, felly. Rhaid i mi gael gwybod ydi Challenor ynghlwm â'r math yma o beth.'

'Dwi'n gweld,' atebodd Mulholland. 'Fedra i ddim

dweud llawer oherwydd sensitifrwydd ein hymholiadau ni, ond darn bach iawn o'r jigsô ydi Albert Challenor – mae ganddon ni reswm i gredu ei fod o'n cael ei ddefnyddio i redeg negesau i'r prif reolwyr, a dyna'r cwbwl alla i ei ddeud wrthach chi, mae gen i ofn.'

'Digon teg. Dwi'n dallt,' atebodd Jeff, cyn diolch iddi a rhoi'r ffôn i lawr.

A dweud y gwir, doedd Jeff ddim yn ddiolchgar o gwbl am gyn lleied. Chafodd o fawr ddim gwybodaeth – ond wedi dweud hynny, roedd pethau'n dechrau disgyn i'w lle o'r diwedd. Doedd dim digon o dystiolaeth, tybiodd, i arestio Challenor, neu mi fuasai'r heddlu ym Manceinion wedi gwneud hynny eisoes. Gwyddai'n iawn pa mor gymhleth oedd ymholiadau o'r math hwn ... efallai fod nifer o resymau dilys iawn pam fod yn well gan Heddlu Manceinion gael Challenor allan ar y strydoedd yn hytrach na mewn cell.

Ffoniodd Adran Cudd-wybodaeth Pencadlys Heddlu Manceinion am yr eilwaith, gan ofyn a oedd ganddynt ffeil ar David Ashton. Doedd dim. Eisteddodd Jeff yn ôl yn ei gadair i ystyried ei gam nesaf. Galw yng nghartref Challenor ym Manceinion yn gynnar un bore gyda gwarant yn ei law, efallai? Efallai ddim. Beth fyddai pwynt gwneud y fath ymdrech a darganfod dim byd yno, neu ddifetha ymdrechion heddlu Manceinion ar stepen eu drws eu hunain? Yn ogystal, byddai cyrch o'r fath yn siŵr o dynnu sylw at ddiddordeb heddlu Glan Morfa ynddo, a gadael y gath allan o'r cwd heb fod angen.

Beth oedd Challenor yn ei wneud yng nghwmni Dave Ashton yng Nglan Morfa, tybed? Oedd Ashton ynghlwm â throseddau difrifol Manceinion hefyd? Os mai dod â chyffuriau i'r ardal oedd Challenor, y cynllun gorau fyddai ceisio ei stopio y tro nesaf yr oedd o'n teithio yno o Fanceinion, gan obeithio y byddai ganddo gocên yn ei feddiant ar y pryd. Roedd yn sefyll i reswm y byddai'n gorfod gwneud tripiau mynych i lawr yr A55 os oedd o'n cyflenwi cyffuriau i drigolion y dref, a'r llu gweithwyr adeiladu yn ogystal.

Rhoddodd gyfarwyddiadau i blismyn ar draws Heddlu Gogledd Cymru gadw golwg am yr Audi, ond dim ond petai'n gyrru i gyfeiriad Glan Morfa y dylid ei stopio. Fel arall, roedd cofnodi'r digwyddiad yn fanwl yn ddigon, gan gynnwys nodi faint o deithwyr fyddai yn y car a disgrifiadau ohonynt os yn bosib. Mater o ddisgwyl yn amyneddgar fyddai hi rŵan.

Pennod 12

Gŵr sengl yn ei bedwardegau hwyr oedd Norman Jones, cyn-hyfforddwr a chyn-reolwr tîm pêl-droed Glan Morfa. Ugain mlynedd a mwy ynghynt roedd ganddo enw da yn chwarae'r gêm i dimau fel Newcastle United a Bolton Wanderers cyn gorffen ei yrfa yn chwarae i Gaer ac yna Wrecsam. Symudodd i'r ardal saith mlynedd ynghynt pan gynigiwyd gwaith rhan amser iddo yn edrych ar ôl y tîm lleol. Roedd ei ddylanwad yn amlwg ar unwaith, a dringodd y tîm i hanner uchaf yr adran yn ystod ei dymor cyntaf yno. Parhaodd y llwyddiant hwnnw hyd at y tymor diwethaf ond un.

Doedd Jeff ddim wedi'i gyfarfod o'r blaen, felly cyflwynodd ei hun iddo cyn cael ei wahodd i'r tŷ. Edrychai Norman Jones yn ddyn ffit iawn o'i oed: ei wallt yn gwta, ei wyneb yn fain a'i gyhyrau caled i'w gweld drwy'r crys T a wisgai gyda phâr o jîns glas golau. Aeth y ddau trwodd i'r ystafell fyw ac eisteddodd y ddau i lawr.

Edrychodd Jeff o'i gwmpas. Roedd lluniau a throffiau lu ar y waliau, yn debyg iawn i'r rhai a welodd y diwrnod cynt yng nghartrefi Wil Morgan a Brian Owen. Yr unig wahaniaeth oedd bod perchennog y rhain wedi cael y cyfle i orffen ei yrfa. Roedd gan Jeff frith gof iddo gynrychioli ei wlad ryw hanner dwsin o weithiau yn ogystal â gwneud ei farc yn y cynghreiriau.

'Be fedra i wneud i chi, Sarjant?' Edrychai'r cyn bêl-droediwr braidd yn ansicr – fel y bysa unrhyw un o gael ymweliad annisgwyl gan dditectif sarjant, ystyriodd Jeff – ond yng nghefn ei feddwl roedd honiad Higgs ynglŷn â pherthynas Jones â rhai o'r bechgyn yn nhîm yr ieuenctid. Dewisodd Jeff gadw meddwl agored ynglŷn â hynny yn hytrach na chymryd gair Higgs, ond cofiodd hefyd am y penawdau newyddion diweddar ynglŷn â cham-drin rhywiol mewn clybiau pêl-droed trwy'r wlad. Gallai straeon felly ddylanwadu'n gryf ar bobl, yn annheg weithiau ... hyd yn oed ar blismyn.

'Gwneud ymholiadau ydw i ynglŷn â'r cyffuriau sy'n gwneud cymaint o niwed yn y dref ar hyn o bryd.' Gwyliodd Jeff y dyn o'i flaen yn ofalus wrth ddweud wrtho am amgylchiadau'r ddamwain a chysylltiad y botel Diet Coke â'r cyfan. Aeth yn ei flaen i egluro ei fod angen ymchwilio i'r posibilrwydd fod cyffuriau'n cael eu defnyddio'n agored yno.

Ystyriodd Norman Jones yr wybodaeth yn dawel gan rwbio'i ên, yn amlwg yn ceisio penderfynu yn union sut i ateb. Pan nad atebodd, penderfynodd Jeff ofyn cwestiwn llawer mwy uniongyrchol a phersonol.

'Gadewch i mi ofyn fel hyn 'ta: ai'ch bai chi oedd o, fel hyfforddwr a rheolwr y tîm yn ystod y tymor dwytha 'ma, eu bod nhw wedi chwarae mor wael, ynteu ydi hi'n bosib bod hanner y chwaraewyr yn methu taro deuddeg am eu bod nhw'n defnyddio cyffuriau? Mae Sydney Higgs yn awgrymu mai'r rheswm cyntaf ydi'r un mwyaf tebygol.'

'Higgs? Y bastad iddo fo. Mi fysa Higgs yn siŵr o ddeud hynny, yn bysa?'

Gwelodd Jeff fod ei gwestiwn wedi cael yr effaith cywir. 'Dwi'n cymryd eich bod chi'n anghytuno,' meddai.

'Anghytuno? Siŵr iawn 'mod i'n anghytuno. A pheidiwch â gwrando ar ddim byd sy gan y diawl celwyddog hwnnw i'w ddeud. Mae 'na dipyn go lew y medra i ddeud wrthach chi amdano fo hefyd, cofiwch.'

Dyma'r union sefyllfa yr oedd Jeff wedi gobeithio amdani. Higgs ar y naill ochr a Jones ar y llall, ac un yn gwneud ei orau i faeddu'r llall.

'O ble daeth yr arian yma mae o mor barod i'w daflu o gwmpas?' parhaodd y gŵr o'i flaen. 'Ennill y Loteri, medda rhai, ond does 'na ddim llawer o bobol ffor' hyn yn gwybod bod ganddo fo gysylltiadau efo pobol doji iawn yn ochrau Manceinion. Synnwn i ddim mai arian budur iawn sy tu ôl i'w gyfoeth o.'

'Ydi o, neu rywun sy'n gysylltiedig â fo, yn gyfrifol am ddod ag unrhyw gyffuriau i'r ardal hon?' gofynnodd Jeff yn blwmp ac yn blaen. Y tro hwn, doedd dim rhaid iddo ddisgwyl yn hir am yr ateb.

Edrychodd Norman Jones yn syth i lygaid Jeff.

'Mi faswn i wrth fy modd yn deud ei fod o, ond does gen i ddim tystiolaeth i gefnogi hynny – neu fi fysa'r cynta i agor fy ngheg, coeliwch fi. Ond i ateb eich cwestiwn chi, Sarjant, oes, mae gen i amheuon bod rhai o'r chwaraewyr wedi bod yn cymryd cyffuriau yn ystod y flwyddyn ddwytha 'ma. Ond sut fath o gyffuriau, fedra i ddim deud wrthach chi.'

'Pam yr amheuon?'

'Newidiadau yn agwedd un neu ddau, llai o frwdfrydedd yn gyffredinol, mewn gemau ac yn y sesiynau ymarfer. Yn y bar ar ôl training, mae golwg ddryslyd, 'sach chi'n medru deud, yn llygaid un neu ddau. Fedrwch chi ddim cymysgu'r ddau beth – cyffuriau a'r gêm. Dwi wedi gweld yr un peth dro ar ôl tro dros y blynyddoedd, pan o'n i'n byw yn ninasoedd mawr Lloegr. Mae'n beth trist gweld bechgyn ifanc yn cael eu dinistrio o flaen eich trwyn chi, a chitha'n methu gwneud dim ynghylch y peth. Wedi deud hynny, does gen i ddim tystiolaeth gadarn yn yr achos yma. Welais i neb yn defnyddio 'run sylwedd efo fy llygaid fy hun, ond mi oedd fy amheuon yn ddigon cryf i mi gyhuddo dau neu dri o chwaraewyr y tîm cyntaf un noson, ond gwadu ddaru nhw, wrth gwrs.'

'Pryd oedd hynny?' gofynnodd Jeff.

'Yn agos i ddiwedd y tymor, ac mi oedd y cwestiwn yn dal i 'mhoeni fi pan ofynnodd Higgs i mi ychydig ddyddiau wedyn be oedd wedi mynd o'i le, a pham roedd y tîm mor aflwyddiannus. Dyna pryd aeth petha'n flêr rhyngddan ni.'

'Sut felly?'

'Fo oedd yn cau gwrando. Deud 'mod i yn hollol rong, lol botas oedd y cwbwl, medda fo, a dyna pryd wnes i'r camgymeriad. Pan ddeudodd o fod 'na ddim cyffuriau yn agos i'r lle, dim yn agos i'r chwaraewyr nac unman arall yn agos i'r clwb, awgrymais iddo agor ei lygaid, ac nad oedd yn rhaid iddo fo edrych llawer pellach na'i ferch ei hun. Wel, dyna oedd ei diwedd hi, a'r diwrnod wedyn ro'n i allan o waith. Mi alwodd o fi i'w swyddfa, a dyna lle roedd o'n eistedd ar ei ddesg fel rhyw lyffant bach mewn tracsiwt werdd, yn trio deud hyn a'r llall wrtha i am sut i chwarae pêl-droed a sut i reoli tîm.'

'Pa reswm ddefnyddiodd Higgs i gael gwared â chi?'

'Dim ond perfformiad y tîm ar y cae. Wrth gwrs, mi oedd ganddo fo ddigon o hawl i wneud hynny. Fel y gwyddoch chi, mae rheolwyr yn cael y bŵt bron yn wythnosol y dyddiau yma, a hynny drwy bob adran pêl-droed yn y wlad ... a tydi clwb Glan Morfa ddim yn eithriad.' Gwenodd.

Meddyliodd Jeff gryn dipyn cyn gofyn y cwestiwn nesaf ac roedd yn hynod ofalus sut y'i gofynnodd. 'Oedd 'na unrhyw reswm arall pam roddwyd y sac i chi? Ddeudodd Higgs rwbath arall, neu awgrymu ei fod wedi clywed rhyw stori?'

'Be dach chi 'di glywed?' Caledodd wyneb a llais Norman Jones, ac edrychodd ar Jeff yn heriol. 'Dwi'n gwybod bod rhywun wedi bod yn lledaenu straeon amdana i – a tydi be sy'n cael ei ddeud, y cyhuddiadau, ddim yn neis o gwbl. Does gen neb ddigon o asgwrn cefn i ailadrodd y fath bethau yn fy ngwyneb i. Celwydd noeth ydi'r cwbl. Gofynnwch i unrhyw un o chwaraewyr y clwb, ifanc neu beidio, wnes i erioed ddim byd o'i le. Wn i ddim pwy ddechreuodd y ffasiwn siarad gwirion, ond mi oedd hi'n ddigon hawdd gweld bod 'na rwbath o'i le pan fyddwn i'n cerdded i mewn i'r ystafell newid neu i gael cawod. 'Swn i wrth fy modd yn cael fy machau ar bwy bynnag ddechreuodd y peth.' Crynai corff Norman Jones erbyn iddo orffen dweud ei ddweud.

'Pwy sy'n gwybod am y clebran 'ma?' gofynnodd Jeff.

'Pawb, erbyn hyn,' atebodd.

'Sut felly?'

'Am 'mod i wedi colli fy nhymer un gyda'r nos ar ôl i ni orffen ymarfer. Fi oedd y dwytha i gyrraedd yr ystafell newid a mynd am gawod, ac mi oedd 'na ryw fân chwerthin o gwmpas y lle – er bod pawb yn arfer mynd am gawodydd efo'i gilydd, fel ym mhob clwb arall. Ro'n i'n gwybod yn iawn be oedd ar feddwl pawb, ac wedi cael hen ddigon, ac mi rois i ram-dam i'r cwbl lot ohonyn nhw. Ddeudis i os byswn i'n cael gafael ar bwy bynnag oedd tu ôl i'r straeon, y byswn i'n hanner ei ladd o. Mi roddodd hynny daw ar betha am sbel, ond mi allwch fentro fod pawb yn gwybod wedyn.'

Roedd Jeff yn tueddu i gredu ei stori. Petai Norman Jones yn un am ymddwyn mewn ffordd anweddus gyda bechgyn ifanc, byddai hynny'n siŵr o fod wedi dod i'r amlwg ymhell cyn hyn –a byddai rhywun yn sicr o fod wedi sylwi ar ymddygiad o'r fath yn ystod y saith mlynedd ers iddo gyrraedd tref Glan Morfa. Newidiodd Jeff y pwnc i geisio dangos nad oedd yn ystyried y mater yn un gwerth ei drafod.

'Fedrwch chi ddeud wrtha i am y cwffio fu yn y cinio ar ddiwedd y tymor dwytha?' gofynnodd.

'Ddiwrnod neu ddau cyn i mi gael y sac oedd hynny, dwi'n cofio'n iawn. Welais i ddim sut dechreuodd y peth, ond fel dwi'n dallt, rhyw ffrwgwd rhwng Brian Owen, ein chwaraewr gorau ni, ac un o fois yr arlwywyr, Blas Bendigedig, oedd o.'

'Cwmni Mathias?'

'Ia.'

'Ac un o ddynion Mathias roddodd gweir i Brian, fel dwi'n dallt.'

'Dim llawer o gweir. Llygad ddu, dyna'r oll ... mae Brian yn foi nobl am ei oed. Es i draw i drio'u gwahanu nhw, ac roedd un o ddynion Mathias ar y llawr erbyn hynny, wedi cael uffern o glec gan Brian. A doedd hwnnw, dyn Mathias, yn licio dim ar hynny – deud y bysa fo'n cael Brian yn ôl, medda fo. Ond ta waeth am hynny, fu 'na ddim mwy o stŵr. Doedd 'na ddim llawer i'r peth, a deud y gwir.'

'A pwy oedd y boi o gwmni Mathias, hwnnw roddodd y llygad ddu i Brian?'

‘Wn i ddim be ’di ei enw fo, ond mae o’n hel ei draed o gwmpas y lle yn reit aml. Dipyn o wariar, fel dwi’n dallt.’

‘Be oedd achos y ffrwgwd, wyddoch chi?’

‘Dim syniad, ond mi wyddoch chi sut mae’r hogia ifanc ’ma weithia. Gormod o destosteron.’

‘Hogyn lleol ydi’r boi arall hefyd?’ gofynnodd Jeff.

‘Na, un o ffwrdd. Tramorwr, yn ôl ei acen.’

‘Ac mae o’n hel ei draed o gwmpas y lle, meddach chi?

‘Ydi, mae o i’w weld o gwmpas y clwb yn reit aml. Nid jyst ar yr adegau pan mae Blas Bendigedig yn arlwyo, ond yn ystod gemau, yn ystod sesiynau hyfforddi ac o gwmpas y bar wedyn. Fydd o byth yn chwarae nac yn dangos diddordeb mewn rhoi cynnig arni, a dyna be dwi’n ’i weld yn od. Dyn ifanc yn loetran o gwmpas y clwb a’r chwaraewyr, ond heb ddiddordeb go iawn yn y gêm, chwaith. Peth digon rhyfedd os ydach chi’n gofyn i mi.’

Difyr, ystyriodd Jeff. ‘Pa mor aml mae Blas Bendigedig yn cael gwaith arlwyo yn y clwb?’ gofynnodd.

‘Bob tro mae ’na ryw ddigwyddiad arbennig neu ddathliad, a bod angen bwyd,’ atebodd Jones. ‘Fydd yr un cwmni arall yn cael ei ddefnyddio.’

‘Fydd Mathias ei hun yn dod efo’i staff i’r clwb?’

‘Mi fydda fo ers talwm, ond pur anaml yn ddiweddar ... yn ystod y flwyddyn ddwytha ’ma, deudwch. Mae ganddo fo griw o hogia ifanc newydd y dyddia yma, ac maen nhw’n gwneud gwaith reit dda a deud y gwir – nid yn unig yn coginio’r bwyd a’i baratoi ond y gweini hefyd.’

‘Ac mae’n siŵr gen i mai tramorwyr ydi gweddill y criw, hefyd?’ cynigiodd Jeff. Gwên oedd yr unig ateb a gafodd. ‘Mae’n siŵr eich bod chi’n nabod Higgs yn reit dda erbyn hyn?’

'O bell, ella. Dydi o ddim yn ddyn 'swn i'n hoffi bod yn rhy agos ato.'

'Oes gan Mathias berthynas glòs efo fo, tybed?'

'Oes, siŵr iawn. Mae'r ddau yn llawiau mawr, ond prin y gwelwch chi nhw efo'i gilydd. Mae 'na sôn – ond dim ond sôn ydi hyn – bod Higgs wedi helpu Mathias i ddatblygu ei fusnes yn ystod y ddwy neu dair blynedd ddwytha. Yn ariannol, dwi'n feddwl.'

'Ers i'r gwaith adeiladu ddechrau?'

'Ia. Drychwch sut mae ei gwmni bwyd ac arlwyo fo wedi tyfu yn y cyfamser. Rhentu rhyw gaffi bach oedd o cyn hynny, os dwi'n cofio. Fedrwch chi ddim gwneud peth felly heb gymorth ariannol, a chyn belled ag y gwela i, doedd gan Mathias ddim cyfalaf i'w gynnig i unrhyw fanc ar gychwyn ei fenter.'

'Diddorol iawn.'

Fel yr oedd Jeff yn ysgwyd llaw Norman Jones yng nghyntedd y tŷ, agorodd y drws ffrynt a cherddodd dynes yn ei thridegau hwyr i mewn drwyddo. Dynes ddeniadol ofnadwy, sylwodd Jeff, wedi ei gwisgo'n eithriadol o smart a soffistigedig. Gwenodd ar Jeff a rhoi cusan hir ar wefusau Norman.

'Ti adra 'n gynnar heddiw, cariad,' meddai yntau wrthi. 'Fy nghymar,' esboniodd wrth Jeff.

'Jeff Evans ydw i,' meddai yntau. 'Yn mynd o'n i.'

Cerddodd Jeff i lawr am y ffordd fawr gan ystyried sefyllfa'r cyn-hyfforddwr. Oedd rhywun wedi ceisio pardduo'i enw da a chael gwared arno am iddo ofyn gormod o gwestiynau am berfformiad y chwaraewyr, tybed?

Pennod 13

Gŵr gweddol fychan yng nghanol ei bumdegau oedd Marc Rees Mathias; ei wallt byr, cyrliog wedi gwynnu o flaen ei amser a'r locsyn o'r un lliw wedi'i dorri a'i steilio mor gwta fel nad oedd posib ei weld yn iawn mewn golau gwan. Fe'i magwyd yn yr ardal cyn iddo symud oddi yno yn ei ugeiniau. Dychwelodd yn ddi-waith bymtheng mlynedd yn ôl, pan oedd llai o alw am weithwyr ar rigiau olew Môr y Gogledd – un o ganlyniadau'r cwymp ym mhris olew a'r cynnydd yn y farchnad egni adnewyddadwy. Edrychai ar y pryd fod ei yrfa yn coginio ymhell allan ar y moroedd ar gyfer gweithwyr amrywiol rigiau ledled y byd ar ben. Nid bod gweithio am wythnosau lawer mewn amgylchiadau mor galed, am gyfnod mor hir, wedi bod yn bleser bob amser. Ceisiai cwmnïau olew mwyaf llewyrchus y byd, hyd yn oed, fwydo'u gweithwyr ar gyn lleied o gyllid â phosib, ac roedd hi'n mynd yn fwy anodd plesio'r gweithwyr llwglyd bob dydd. Anaml y byddai cogydd yn y fath sefyllfa yn cael na gwerthfawrogiad na chanmoliaeth.

Wedi iddo ddod yn ôl i ardal Glan Morfa cafodd Mathias hi'n anodd darganfod gwaith, er nad oedd hynny'n ei atal rhag gwario hynny o arian a enillodd yn ystod y blynyddoedd cynt fel dŵr. Mynnodd yrru ceir moethus a gwisgo dillad hamdden drud gan y gwneuthurwyr amlycaf, a buan y diflannodd ei gynilion gan ei orfodi i werthu ei dŷ a symud i fflat ar rent.

Dechreuodd fusnes yn darparu brechdanau o bob math ar gyfer swyddfeydd a siopau'r ardal, ond doedd dim digon o alw am ei gynnyrch a buan y methodd y fenter. Wedi hynny, dechreuodd rentu adeilad yng nghanol y dref ac agor caffi bychan yno o'r enw Blas Bendigedig – enw digon syml a ddewiswyd i ddenu pobl trwy'r drysau. Enillai ddigon o arian i'w gynnal ei hun, ond nid i'r safon yr oedd o wedi dod i arfer â hi yn y gorffennol, ac yn sicr dim digon ar gyfer y ffordd o fyw yr hoffai ei gael. Ond pa ddewis arall oedd iddo? Coginio oedd yr unig faes yr oedd ganddo unrhyw sgiliau ynddo, a'r peth diwethaf roedd o eisiau ei wneud oedd bod yn was cyflog i rywun arall a mynd yn ôl i orfod cymryd gorchmynion. Profodd ddigon o hynny ar y rigiau.

Ni ddatblygodd busnes y caffi fel yr oedd Mathias wedi'i obeithio. Doedd trigolion gwladaidd ardal Glan Morfa, yn ei farn o, ddim yn gwerthfawrogi soffistigeiddrwydd y bwydydd rhyngwladol eu naws a gyflwynai i'w gwsmeriaid. Roedd methiant ei fusnes i ffynnu yn ei gorddi, a hoffai gyhoeddi'n gyson yn nhafarnau'r dref mai ar y werin ddiddychymyg oedd y bai am hynny, yn hytrach na'i wendidau ei hun. Yn wir, dros y blynyddoedd roedd Marc Mathias wedi colli cryn dipyn o'i gyfeillion oherwydd ei agwedd nawddoglyd.

Yna, fel manna o'r nefoedd, daeth datblygiad y pwerdy i'r ardal. Roedd gan Mathias ddigon o brofiad i allu rhagweld yr anghenion arlwyo ar gyfer y miloedd o weithwyr dros dro fyddai'n mewnfudo i'r ardal ar gyfer y gwaith adeiladu. Defnyddiodd ei brofiad ar y rigiau, a symudodd yn gyflym. O fewn wythnosau roedd wedi ennill y cytundeb i redeg cantîn yn y gwersyll lle'r oedd miloedd o'r gweithwyr yn byw dros y cyfnod adeiladu. Roedd yn rhaid darparu bwyd bob awr o bob dydd – ond roedd wedi hen arfer â hynny yn dilyn ei brofiad ar y rigiau olew. Hefyd, cafodd Blas Bendigedig Cyf. gytundeb ychwanegol i baratoi prydau mewn dau gantîn ar y safle adeiladu ei hun: un ar gyfer y labrwyr, sef bwyd gwerinol, a digon ohono, er mwyn llenwi boliau llwglyd; a'r llall yn lle mwy chwaethus ar gyfer penaethiaid y safle a hanai o amrywiol rannau o'r byd.

Roedd Marc Mathias wrth ei fodd. Gan fod nifer o'r penaethiaid hynny'n Siapaneaid, cafodd gyfle i ddefnyddio'i brofiad helaeth i greu prydau dwyreiniol soffistigedig iddynt. Dechreuodd y caffi ffynnu ar yr un pryd, a bu'n rhaid iddo gyflogi nifer helaeth o staff ychwanegol. Oedd, roedd Marc Mathias yn ddyn cymharol gyfoethog a llwyddiannus bellach, ond doedd maint ei geg o yn ddim llai ... yn y gweithle nac yn y gymuned. Parhaodd i or-ddweud ei ddweud ar bob cyfle a gâi, ac yn unrhyw gwmni – fel y clywodd Jeff Evans ef yn cwyno am ymdrechion yr heddlu o flaen yr Uwch-arolygydd Irfon Jones. Marc Mathias, o bawb, yn cwyno ynghylch pobl y gwaith, ac yntau wedi elwa mwy na neb o'r penderfyniad i ddatblygu pwerdy newydd gerllaw'r dref.

Penderfynodd Jeff beidio â ffonio ymlaen llaw i wneud apwyntiad i'w weld – doedd ganddo ddim digon o ffydd y byddai Mathias eisiau siarad ag ef. Roedd yn falch felly pan welodd Land Rover Discovery Sport newydd yn cario'r rhif cofrestredig MRM 100 y tu allan i swyddfeydd Blas Bendigedig Cyf. – roedd y dyn ei hun yn ei swyddfa.

Adeiladau *pre-fab* ar gyrion y safle adeiladu oedd y swyddfeydd, dafliad carreg oddi wrth y cantîn. Synnodd

Jeff eu bod mor fawr, cyn ystyried bod arlwyo ar gyfer deng mil o weithwyr a mwy, a chyflogi digon o bobl i fwydo cynifer, yn siŵr o fod yn waith cymhleth.

Cnociodd Jeff ar y drws a cherddodd i mewn heb ddisgwyl am ateb. Yn y swyddfa gweddol fychan roedd merch ifanc yn eistedd tu ôl i ddesg o flaen cyfrifiadur. Gwenodd y ferch arno.

'Ditectif Sarjant Evans, CID Glan Morfa,' meddai, gan ddangos ei gerdyn swyddogol. 'Ga i ychydig funudau o amser Mr Mathias, os gwelwch yn dda? Dywedwch wrtho ei fod yn fater pwysig dros ben.'

Cododd y ferch y ffôn ac ailadrodd yr union eiriau a ddefnyddiodd Jeff, chwarae teg iddi. Gwrandawodd ac yna rhoddodd y ffôn i lawr yn ei grud.

'Steddwch i ddisgwyl, os gwelwch yn dda, Sarjant,' meddai. 'Fydd o ddim yn hir.'

Ufuddhaodd Jeff. 'Mater pwysig dros ben' oedd y geiriau a ddefnyddiodd, ond mewn gwirionedd, doedd o ddim yn siŵr iawn pam yn union yr oedd o yno. Eisiau gweld, efallai, drosto'i hun. Eisiau gweld be? Wyddai o ddim, i fod yn berffaith onest, ond roedd ei drwyn wedi ei arwain yno. Y cyffuriau, y ddamwain, y botel Diet Coke, y clwb pêl-droed, Sydney Higgs, y berthynas rhwng Higgs a Mathias a'r ffrwgwd yn y clwb ar noson y cinio – a'r ffaith fod Jeff wedi cymryd yn erbyn Marc Mathias ar ôl ei glywed yn siarad yn y cyfarfod ddwy noson ynghynt. Roedd yn amser i'r ddau gyfarfod wyneb yn wyneb.

Canodd y ffôn ac atebodd y ferch cyn ei roi i lawr eto. 'Mi gewch chi fynd trwodd rŵan os liciwch chi,' meddai. 'Drwy'r drws acw i'r drws pellaf ym mhen draw'r coridor.'

Diolchodd Jeff iddi ac i ffwrdd â fo. Cerddodd ychydig lathenni a rhoddodd gnoc ar y drws a ddangosai'r enw M. R. Mathias, gyda'r bwriad o gerdded i mewn. Llanwyd y drws o'i flaen yn annisgwyl gan ddyn mawr, llawer talach na Jeff, yn ei bedwardegau, ei ben wedi'i eillio'n foel a thyfiant dyddiau ar ei fochau a'i ên. Heb ddweud gair, gwthiodd heibio i Jeff heb edrych arno, gan ei daro'n drwm ar ei ysgwydd.

Wedi i'r dyn mawr ddiflannu, camodd Jeff i mewn i'r swyddfa. Eisteddai Marc Mathias y tu ôl i ddesg ac arni gyfrifiadur a phentyrrau o bapurau di-drefn yr olwg.

'Wel, dyna anghwrtais,' oedd geiriau cyntaf Jeff.

Cododd Marc Mathias ar ei draed. 'O, peidiwch â chymryd dim sylw ohono fo. Pete, fy mhrif reolwr i, ydi o, a dwi newydd roi llond ceg iddo fo am rwbath. Mae'n ddrwg gen i.' Camodd i gyfeiriad y plismon ac estynnodd ei law dde tuag ato. 'Ditectif Sarjant Evans, dwi'n dallt. Be fedra i ei wneud i chi?'

Ysgydwodd Jeff ei law a derbyn cynnig Mathias i eistedd.

'Mi glywsoch chi am y ddamwain ffordd ddifrifol honno bythefnos yn ôl mae'n siŵr ... y ddau bêl-droediwr ifanc; un yn ddifrifol wael a'r llall yn farw?'

'Do,' meddai Mathias, gan eirio ei ateb byr yn hynod o araf, bron fel petai'n gofyn cwestiwn.

'Gwneud ymholiadau ynglŷn â'r cyffuriau ydw i. Yr amheuaeth ydi mai dyna oedd achos y ddamwain.'

'Felly dwinna'n deall hefyd,' atebodd Mathias. 'Ond fedra i ddim gweld be sy gan hynny i'w wneud â fi.'

'Dilyn y posibilrwydd o gysylltiad efo'r clwb pêl-droed ydw i, Mr Mathias.'

Cododd Mathias ei ysgwyddau mewn ffordd a ddangosai nad oedd o'n deall.

'Oes ganddoch chi gysylltiad â chlwb pêl-droed Glan Morfa?'

'Nag oes, dim.'

Doedd dim angen i Jeff wneud mwy nag edrych arno i sylweddoli fod Mathias yn dechrau teimlo'n reit anghyfforddus.

'Be am eich cysylltiad chi efo perchennog ac ariannwr y clwb, ta?'

'Os oes gan Mr Higgs a finnau berthynas broffesiynol, Sarjant Evans, fedra i ddim gweld sut mae hynny'n fusnes i chi na neb arall.'

Roedd Marc Mathias, heb yn wybod iddo, wedi cadarnhau'r hyn a ddywedodd Norman Jones wrth Jeff y noson cynt. Ond wedi dweud hynny, doedd gan Jeff ddim syniad a oedd y cysylltiad rhwng y ddau yn berthnasol i'w ymchwiliad.

'Mi wn i eich bod chi'n arlwyo yn y clwb bob hyn a hyn, Mr Mathias.

'Siŵr iawn. Dyna ydi 'ngwaith i, 'te?'

'Eich cwmni chi oedd yn arlwyo'r cinio ar ddiwedd y tymor dwytha.'

'Os dach chi'n dweud, Sarjant. Dim fi sy'n bersonol gyfrifol am bob un o ymrwymiadau'r cwmni.'

'Glywsoch chi unrhyw sibrydion fod cyffuriau'n cael eu defnyddio'n eang yn y clwb, Mr Mathias?'

'Naddo. Naddo wir. Fydda i ddim yn cymryd unrhyw sylw o fân siarad am bethau sy'n ddim o 'musnes i.'

'Be am y cwffio yno'r noson honno – noson y cinio ar ddiwedd y tymor? Un o'ch dynion chi oedd yn rhan o hynny, fel dwi'n dallt. Mi roddodd o lygad ddu i un o'r chwaraewyr ifanc.'

'Chlywais i ddim sôn, wir, a wnaethpwyd yr un gŵyn i mi yn bersonol, nac i'r cwmni hyd y gwn i. Oes rhywun wedi gwneud cwyn i chi'r heddlu?'

'Nag oes,' roedd yn rhaid i Jeff gyfaddef. 'Pwy oedd yn gweithio yno ar ran y cwmni'r noson honno?' gofynnodd, er y gwyddai ei fod yn troedio ar dir ansicr wedi iddo gyfaddef nad oedd cwyn wedi'i gwneud.

Ochneidiodd Mathias yn uchel fel petai'r sgwrs yn un hollol ddiflas, ond dechreuodd edrych ar y cyfrifiadur o'i flaen. Ar ôl dipyn o chwilio, daeth o hyd i'r ddogfen berthnasol. 'Mi oedd 'na hanner dwsin yno dan arolygaeth Gerry,' dechreuodd, ac yna oedodd wrth feddwl ymhellach. 'Ond,' parhaodd, gan edrych i lygaid y plismon o'i flaen, 'fedra i ddim gweld bod yn rhaid i mi roi'r manylion i chi heb fod cwyn wedi'i gwneud. Gadwch i mi wneud fy ymholiadau fy hun, ac os oes 'na rwbath dwi'n meddwl y bysa fo o ddiddordeb i'r heddlu, mi ddo i yn ôl atoch chi.'

Doedd Jeff ddim yn disgwyl clywed hynny.

'Sarjant Evans,' parhaodd Mathias. 'Dwi ddim yn dallt yn iawn i ble mae hyn i gyd yn ein harwain ni. Os mai chwilio am gyffuriau ydach chi, wel, dach chi wedi dod i'r lle anghywir. Allan ar y strydoedd ddylach chi fod, yn trio sortio'r llanast mae pawb yn y dref yn gorfod ei ddiodda ar hyn o bryd.'

'Sut mae'r cyffuriau yn cyrraedd y strydoedd? Dyna sy'n fy mhoeni fi, Mr Mathias. Oes ganddoch chi unrhyw syniad, neu unrhyw wybodaeth fysa'n taro rhyw oleuni ar y cwestiwn hwnnw?'

Safodd Mathias ar ei draed. 'Nag oes – ac ylwch,

Sarjant Evans, dwi'n ddyn prysur. Ro'n i'n ddigon parod i roi fy amser i chi i drafod materion o bwys, ond erbyn gweld, yr unig beth sy'n eich poeni chi ydi rhywun yn cael llygad ddu chwech wythnos a mwy yn ôl – a tydi hwnnw, pwy bynnag oedd o, ddim hyd yn oed wedi gwneud cwyn am y peth. Mater bach iawn o ystyried yr holl drafferthion sy o gwmpas y dref 'ma. Rŵan, os wnewch chi faddau i mi, mae gen i faterion llawer iawn pwysicach i ddelio efo nhw heddiw.' Cerddodd at y drws a'i agor i Jeff.

Ni ddwedwyd gair arall. Gwyddai Jeff fod ei amser yng nghwmni'r dyn hwn ar ben.

Eisteddodd Jeff yn ei gar y tu allan yn ystyried y cyfarfod. Oedd o wedi dysgu rhywbeth? Dim llawer. Roedd yn barod i gredu bod rhyw fath o berthynas rhwng Higgs a Mathias, perthynas fusnes, mwyaf tebyg. Doedd ganddo fawr o amser i'r naill ddyn na'r llall – a oedd hynny wedi dylanwadu arno, a pheri iddo'u cysylltu â'r cyffur llygredig ar strydoedd Glan Morfa, neu'r nodyn a gafodd yn y gwesty yng ngwlad Groeg? Ai gwastraff amser oedd mynd i weld Marc Mathias? Efallai, ond ar y llaw arall, anodd iawn oedd peidio cymryd sylw o'r teimlad hwnnw yng nghrombil ei stumog.

Roedd ar fin tanio injan y Touareg pan ganodd ei ffôn symudol.

'Ditectif Sarjant Evans?'

'Ia,' cadarnhaodd.

'Dr Prydderch sy 'ma. Mi hoffwn gael gair â chi. Mae 'na rywbeth diddorol iawn wedi dod trwy'r post i mi y bore 'ma.'

Roedd Jeff yn adnabod Dr Prydderch yn dda, gan ei fod

wedi gwasanaethu yn feddyg i'r heddlu ers blynyddoedd. 'O, be felly?' gofynnodd.

'Dim dros y ffôn, Sarjant Evans. Dwi newydd orffen gweld cleifion y bore ... fedrwch chi ddod draw? Ar unwaith, os medrwch chi.'

Pennod 14

Roedd Dr Prydderch bron â chyrraedd oed ymddeol, yn ddyn smart yr olwg ac yn uchel ei barch yn y gymuned. Un o'r hen frid o feddygon, gwisgai siwt dridarn o dan ei gôt wen a stethosgop rownd ei wddf – yn wahanol i'w gydweithwyr ifanc yn y feddygfa a ffafriai jîns anffurfiol, ac a gyfarchai eu cleifion wrth eu henwau bedydd. Roedd Dr Prydderch dipyn yn fwy ffurfiol na hynny, yn union fel yr oedd pan ddechreuodd yn y swydd yn ŵr ifanc.

Yn feddyg yn y dref ar hyd ei yrfa, roedd ganddo brofiad helaeth o'r ardal a'i thrigolion – cystal â Jeff Evans, er mewn maes go wahanol. Wedi dweud hynny, roedd eu llwybrau wedi croesi lawer gwaith dros y blynyddoedd.

Wrth yrru i'r feddygfa roedd Jeff yn methu'n glir â deall pam yr oedd y meddyg mor frwd i gyfarfod ar fyrder. Roedd yn dal i fod yn chwilfrydig pan eisteddodd yn ystafell ymgynghori Dr Prydderch, a synnodd weld y meddyg yn ochneidio, fel petai ddim yn sicr sut na lle i ddechrau. Doedd Jeff erioed wedi ei weld yn oedi fel hyn, a dewisodd fynd yn syth at wreiddyn y mater.

'Ddeudoch chi eich bod wedi derbyn rwbath drwy'r post y bore 'ma ....'

Heb ddweud gair, agorodd Dr Prydderch ddrôr yn ei ddesg a thynnu amlen allan ohoni. Allan o'r amlen tynnodd damaid o bapur A4 a'i osod ar y ddesg o flaen y ditectif.

Rhewodd Jeff pan welodd arno ddarlun blêr, un tebyg

o ran arddull i hwnnw oedd ar y nodyn a dderbyniodd ym Mae Troulos. Y tro hwn, troed dde aderyn ysglyfaethus a ddarluniwyd, y grafanc wedi'i lliwio'n goch a'r goes yn felyn. Yn y grafanc roedd cleddyf, yn pwyntio am i fyny. Bron na fyddai'n dadlau mai'r un llaw oedd wedi arlunio'r ddau lun – llaw heb lawer o allu artistig, yn ôl pob golwg. Dechreuodd ddarllen y neges oedd wedi'i hysgrifennu ar yr un darn papur:

Y Ditectif Jeff Evans sy'n gyfrifol am bob afiechyd difrifol sy'n taro tref Glan Morfa ar hyn o bryd, boed yn ganlyniad i ddefnyddio cyffuriau neu'n glefydau rhywiol. Fyddai dim o hyn wedi digwydd heblaw amdano fo ... ac mae llawer mwy i ddod.

Am unwaith yn ei fywyd, nid oedd gan Jeff Evans syniad sut i ymateb. Y cwbl a welai o'i flaen oedd y llun a brawddeg neu ddwy o eiriau, ond yn syth, roedd y goblygiadau yn anferth. Ceisiodd eu hystyried yn gyflym, ond doedd dim yn gwneud synnwyr. Hwn oedd yr ail fygythiad o'r un math, yn cadarnhau am y tro cyntaf y cysylltiad â'r cocên a'r strycnin, ond y tro hwn roedd afiechydon rhywiol yn cael eu cynnwys hefyd. Yn fwy na hynny, roedd pwy bynnag a oedd yn gyfrifol am y neges yn rhoi'r bai arno fo, yn bersonol.

Sylweddolodd Jeff fod Dr Prydderch wedi aros yn fud yn fwriadol, gan ei fod yn ymwybodol faint o sioc a fyddai'r honiad iddo. Gwyddai'r meddyg, wrth reswm, na allai Jeff ei hun fod yn gyfrifol am ledaenu'r fath afiechydon, ond gwyddai Jeff yntau y byddai awgrym o gysylltiad yn ddigon i'w bardduo yn bersonol ac yn broffesiynol.

Ceisiodd Jeff drin yr wybodaeth fel unrhyw damaid arall o dystiolaeth er mor anodd oedd gwneud hynny, dan yr amgylchiadau.

'Ga' i weld yr amlen?' gofynnodd.

Gwthiodd Dr Prydderch hi ar draws y ddesg tuag ato. Edrychodd Jeff arni: yr un llawysgrifen flêr ag a oedd ar y nodyn o'i flaen ... ac ar y nodyn cyntaf a gawsai yng ngwlad Groeg. Llawysgrifen fel un plentyn, neu rywun llaw dde yn defnyddio'i law chwith, meddyliodd. Gwelodd fod yr amlen wedi'i gyrru drwy'r Post Brenhinol ac wedi'i stampio yng Nghaer, nid bod hynny'n golygu dim y dyddiau hyn. Gallai fod wedi cael ei phostio rywle yng ngogledd neu ganolbarth Cymru. Gofynnodd i'r meddyg am amlen fawr arall, a rhoddodd y llythyr a'r amlen wreiddiol ynddi.

'Be ydach chi'n ei wneud ohono fo?' gofynnodd Dr Prydderch.

'Nid hwn 'di'r unig un,' cyfaddefodd Jeff, gan adrodd hanes y nodyn cyntaf. Wrth iddo gyrraedd diwedd y stori, dechreuodd ddod ato'i hun a daeth y ditectif ynddo yn ôl i'r wyneb.'Rydan ni'n gwybod bellach fod cocên a strycnin wedi eu canfod yng ngwaed Wil Morgan, y llanc a laddwyd yn y ddamwain car honno yr wythnos ddwytha. Yn ôl pob golwg, mae nifer o bobl yn wael yn yr ardal o ganlyniad i'r un peth – fel y gwyddoch chi, ma' siŵr, mae'r strycnin yn gymysg â'r cocên pan mae hwnnw'n cael ei werthu. Allwch chi ddweud wrtha i pa mor gyffredin ydi'r broblem, doctor?'

'Y cyffuriau? Ofnadwy o gyffredin yn ddiweddar, mae'n ddrwg gen i ddeud.' Eisteddodd y meddyg yn ôl yn ei gadair a rhwbio'i fwstash gwyn, taclus efo'i fys. 'Wrth gwrs, ac fel y gwyddoch chi eich hun, mae cyffuriau wedi bod yn dipyn o broblem yma ers blynyddoedd, ac mae'r stwff yn dew o gwmpas y lle 'ma ers i'r gwaith adeiladu ddechrau. Ond yr hyn sy'n fy mhoeni fi fwya ydi'r cynnydd dwi wedi'i weld ymysg y rhai sy'n dioddef o effaith strycnin yn ystod y mis neu ddau diwethaf. Mae hynny'n beth newydd.'

'Faint o gynnydd?' gofynnodd Jeff yn awyddus.

'Fedra i ddim rhoi enwau i chi wrth gwrs,' meddai, 'ac mi fyddwch yn ymwybodol nad ydi pobl sy'n defnyddio cocên – neu unrhyw gyffur arall tasa hi'n dod i hynny – yn dod yn agos ata i fel rheol. Fydda i ddim yn eu gweld nhw nes y bydd hi'n rhy hwyr, a'u hiechyd wedi ffaelu'n ddifrifol. Ond y gwenwyn 'ma, y strycnin, sydd ynddo fo, mae hwnnw'n rwbath nad ydw i wedi'i weld tan yr wythnosau diwethaf. Ffodus iawn ydi hi, coeliwch fi, mai dim ond un sydd wedi ei ladd o ganlyniad iddo fo hyd yn hyn, Sarjant. Mae 'na nifer fawr o bobl wedi bod trwy ddrysau'r feddygfa 'ma yn dioddef o'i effaith ... nifer wedi gorfod mynd i weld doctoriaid eraill y dref 'ma hefyd, a mwy wedi gorfod mynd i'r ysbyty ym Mangor. Dwi'n ymwybodol bod un ohonyn nhw'n bur wael yno, ac mi fydd yn lwcus os daw o drwyddi. Tydi'r rheiny sydd wedi'u gwenwyno gan y strycnin ddim yn dod yma nes iddyn nhw brofi'r crampiau, yr anystwythder yn eu cymalau ac ati – tydi'r symptomau hynny ddim yn rhai o sgileffeithiau arferol cocên, dach chi'n gweld. Mae eraill yn galw ambiwlans yn syth gan ei fod yn dipyn o sioc iddyn nhw. Ond mae'r symptomau'n dibynnu ar faint maen nhw wedi'i gymryd, wrth gwrs. Y mwya'n y byd y gwaetha'n y byd ... gall dos fawr ladd rhywun o fewn hanner awr. Dyna, yn anffodus, ddigwyddodd i Wil Morgan druan.' Ysgydwodd ei ben o'r naill ochr i'r llall yn araf.

'Fysa'n bosib ei guddio fo mewn diod – rwbath tebyg i Diet Coke?' gofynnodd Jeff.

'Sbeicio diod rhywun, dach chi'n feddwl? Wrth gwrs.

Mewn diod â blas cryf arno, fel Coke, fysa'r yfwr ddim yn debygol o sylwi ar ei bresenoldeb o gwbl.'

'Be am ail ran y neges, doctor – y sôn am glefydau rhywiol?' gofynnodd Jeff.

'Yn rhyfedd iawn, mae'r un peth yn wir yn y fan honno,' atebodd, gan rwbio'i fys dros ei fwstash eto wrth iddo feddwl. 'Mi ydan ni'n profi epidemig o syffilis a gonorea yn yr ardal hon ers mis neu ddau, ac mae nifer y cleifion yn cynyddu bron yn ddyddiol. Dwi erioed wedi gweld y clefyd mor gyffredin â hyn o'r blaen, na chlywed am gymaint o achosion yn yr un lle chwaith. Dim ond gwneud y diagnosis fydda i, a'u gyrru nhw i'r clinig arbenigol ... diolch i'r nefoedd.'

'Mi glywais i fod puteiniaid wedi dod i'r ardal i ganlyn gweithwyr y pwerdy, sy'n galw am y math hwnnw o wasanaeth,' meddai Jeff.

'Mi glywais inna'r un peth, ond mi ddo' i at hynny mewn munud,' esboniodd y meddyg. 'Ei weld o'n beth rhyfedd ydw i bod y cyffuriau, y cocên sy'n cynnwys strycnin, wedi cyrraedd ar yr un pryd, mwy neu lai, â'r cynnydd enfawr mewn achosion o'r clefydau rhywiol – a bod cyfeiriad at y ddau beth yn y nodyn ges i bore 'ma. Mae hynny'n awgrymu i mi fod rhywun yn rhywle yn gwneud hyn i gyd yn fwriadol.'

'Pa mor hir ar ôl y cyswllt rhywiol a chael ei heintio y bysa rhywun yn dechrau cael symptomau, ac yn dod i'ch gweld chi, Dr Prydderch?' gofynnodd Jeff.

'Cwestiwn da,' atebodd hwnnw,'ac mi wela i pam dach chi'n gofyn. Mae gonorea a syffilis yn cael ei gario trwy hylif y fagina neu hylif atgenhedlol y dyn. Gall rhywun ddal yr haint drwy gael rhyw arferol, rhyw geneuol neu drwy rannu teganau rhyw. O fewn ychydig ddyddiau i gael ei heintio, pythefnos ar y mwyaf, gall dyn brofi haint y llwybr wrinal, cosi poenus neu redlif, ymysg nifer o symptomau anghynnes eraill. O 'mhrofiad i, bydd dyn yn ddioddef o'r symptomau hyn am wythnos neu ddeng niwrnod cyn mynd i weld meddyg, ac mae hynny am fwy nag un rheswm, mae'n siŵr gen i. Y gobaith y bydd y clefyd yn diflannu ar ei ben ei hun, efallai, yr embaras neu resymau personol eraill.'

'Mae'n debyg felly nad ydi'r dynion yn dod yma am yn agos i fis ar ôl cael eu heintio.'

'Yn hollol ... ond dwi wedi gweld un neu ddwy o ferched sydd wedi'u heintio hefyd.'

'Merched?' ebychodd Jeff.

'Ia. Wedi'u heintio gan eu gwŷr, mae'n debyg.'

'O diar... anffodus.' Cofiodd be ddywedodd Nansi'r Nos wrtho, ond doedd o ddim am ddatgelu hynny i'r meddyg. 'Dwi'n cymryd felly nad dynion sengl yr ardal, rhai sydd wedi dod i weithio ar y safle adeiladu, ydi'r unig rai i gael eu heintio?'

'Gwir. Choeliwch chi ddim faint o bobol, o wahanol oedrannau– a gwahanol rannau o'r gymuned – sydd wedi'u heintio hyd yma.'

'Be ydi canlyniad cael yr haint? Ydi o'n beth difrifol yn y tymor hir?'

'Dim mor ddifrifol â hynny o'i drin yn ddigon buan, ond o'i adael heb driniaeth, gall fod yn beryglus iawn, wir. Ond be sy'n fy mhoeni i ydi bod cymaint o bobl ifanc o gwmpas y lle 'ma yn arbrofi efo'r holl gyffuriau sydd ar blât iddyn nhw, ac yn yfed yn wirion ... wn i ddim be sy o'n blaenau ni. Meddyliwch – H.I.V. fydd nesa. Efallai ei fod o yma'n barod gan fod canlyniad hwnnw yn cymryd llawer iawn hwy i ddod i'r wyneb.'

'Mi fysach chi'n meddwl y byddai dynion y dyddia yma'n ddigon call i chwarae'n saff a defnyddio condom, yn bysach?' awgrymodd Jeff.

'Dyna be oeddwn i isio'i ddweud wrthach chi rai munudau'n ôl, pan oeddan ni'n trafod y puteiniaid ... ac mae hyn yn fy mhoeni i fwy na dim byd, rhaid i mi ddweud, Sarjant. Mi ofynnais i'r union gwestiwn hwnnw i un o'r dynion a ddaeth yma ar ôl cael ei heintio. Fedra i ddim – a wna i ddim – ei enwi, wrth gwrs, ond mi ffoniais i o cyn i chi gyrraedd yma. Mae o wedi rhoi caniatâd i mi ddweud ei hanes o wrthach chi cyn belled â 'mod i ddim yn datgelu pwy ydi o.'

Gwrandawodd Jeff yn astud. Gwyddai fod rhywbeth diddorol i ddod.

'Nid gŵr priod ydi o, Sarjant,' dechreuodd y meddyg, a phlethodd ei fysedd o'i flaen cyn parhau â'r hanes. 'Mi oedd o wedi mynd at un o'r merched 'ma i chwilio am ryw, gan sicrhau fod ganddo gondoms efo fo. Trefnodd i gyfarfod â'r eneth mewn campyr-fan, o bob dim – yn ei eiriau o'i hun, roedd hi'n beth handi dros ben. Y ferch harddaf a welodd o erioed, medda fo, wedi'i gwisgo mewn dillad lledr du nad oedden nhw prin yn cuddio dim o'i chorff siapus. Roedd o wedi gwirioni'n lân. Talodd am 'brofiad arbennig', dyna'i geiriau hi. Cyn pen dim, roedd o'n noeth ar wely ac yn cael ei drin fel na chafodd ei drin erioed o'r blaen. Tynnodd y paced o gondoms o'i boced, a chyn iddo gael amser i agor y pecyn roedd hi wedi gwneud hynny drosto, a rhoi un ohonyn nhw yn ofalus dros ei bidyn. Wedi gwneud hynny, ailddechreuodd yr eneth roi pleser iddo, gan wneud pethau i'w gorff nad oedd o wedi'u profi yn ei holl ddyddiau.' Oedodd Dr Prydderch am ennyd. 'Ei ddyfynnu o ydw i fan hyn, cofiwch. Ta waeth, erbyn hyn roedd y gŵr yn ddigon bodlon iddi wneud unrhyw beth iddo. Cytunodd i gael ei rwymo i'r gwely ganddi gyda rhubanau o sidan du; ei freichiau uwch ei ben a'i goesau ar led. Dyna oedd y rhan arbennig, fel roedd o'n deall. Parhaodd yr eneth i'w foddi â phleser, yna rhoddodd ruban arall o amgylch ei ben gan orchuddio'i lygaid. Gallwch fentro ei fod wedi cynhyrfu'n lân erbyn hynny, Sarjant. Teimlodd ei phwysau cynnes ar hyd ei gorff, a chyn iddo sylweddoli hynny, tynnwyd y condom oddi ar ei bidyn, eiliad cyn y weithred gyflawn, fel petai. Chafodd o ddim cyfle i brotestio, hyd yn oed petai o eisiau gwneud hynny, medda fo, a chan fod ei freichiau wedi'u clymu uwch ei ben, roedd o'n ddiymadferth i'w stopio hi.'

'Swnio fel bod y profiad wedi dod â digon o bleser iddo,' sylwodd Jeff.

'Do,' meddai'r meddyg, yn edrych yn syth i lygaid Jeff. 'Ond nid dyna'r cyfan. Roedd o'n dal i fod yn anterth y weithred pan dynnwyd y rhuban oddi ar ei lygaid, ac i'w syndod, nid yr eneth dlos, siapus oedd yn gorwedd ar ei ben. Roedd honno wedi diflannu, a merch arall, un fain fel 'styllen, a hynod o wael yr olwg, wedi cymryd ei lle. Roedd ei llygaid yn oer a difywyd ac yn ddwfn yn ei phen, a'i chroen yn llwydaidd – fuasai'r gŵr ddim wedi dewis mynd ar ei chyfyl, medda fo.'

'Merch oedd yn edrych yn bur wael ... roedd hi'n cario rhyw fath o haint ers amser maith, mae siŵr gen i,' meddai Jeff. 'Sy'n golygu un peth yn unig – bod bwriad i heintio'r dyn, a bod popeth wedi cael ei gynllunio o flaen llaw. Sawl dyn arall aeth drwy'r un profiad, tybed?'

'A thair wythnos yn ddiweddarach roedd o'n eistedd o 'mlaen i, Sarjant, yn bwrw'i fol i mi yn ei ddagrau. Bachgen ifanc ydi o, dach chi'n gweld, a'i fywyd o'i flaen, yn gobeithio am wraig a theulu rhyw dro.'

Eisteddodd y ddau yn ôl yn eu cadeiriau yn dawel, yn ystyried y sefyllfa. Jeff oedd y cyntaf i siarad.

'Ac mae'r nodyn yma'n ceisio rhoi'r bai arna i am yr hyn sy'n digwydd. Nid yn unig am y cyffuriau ond am heintio'r boblogaeth â chlefyd gwenerol.'

'Mae 'na fwy, mae gen i ofn,' meddai Dr Prydderch yn araf.

Doedd Jeff ddim eisiau clywed mwy.

'Mi ges i alwad ffôn yn gynharach y bore yma, ar ôl i mi dderbyn y nodyn yn y post.'

Roedd Jeff yn ofni'r hyn yr oedd yn debygol o'i glywed nesaf.

'Galwad ffôn gan Emyr Huws, o'r *Daily Post* oedd hi,' parhaodd. 'Yn amlwg, roedd o wedi cael copi o'r un nodyn, a'r wybodaeth fod y gwreiddiol wedi'i yrru i mi.'

Suddodd calon Jeff. Nid oedd erioed wedi bod mewn sefyllfa fel hon o'r blaen. Ar yr eiliad honno, ni wyddai ble i droi.

Pennod 15

Aeth Jeff adref am damaid o ginio hwyr er nad oedd ganddo lawer o archwaeth y prynhawn hwnnw. Aeth ati i wneud brechdan, cyn cofio nad oedd neb wedi bod yn siopa am fwyd ers cyn i'r teulu fynd ar eu gwyliau dros bythefnos ynghynt. Chwiliodd yn y rhewgell a chafodd afael ar rôl o fara brown, a rhoddodd hi yn y meicrodon i ddadmer. Cymysgodd gynnwys tun o diwna efo dipyn o feionês a phupur du. Byddai'n rhaid i hynny wneud y tro efo cwpaned o goffi. Eisteddodd yn yr ystafell haul yn cnoi ar ei ginio ysgafn ac yn edrych draw dros y creigiau islaw tuag at y gorwel tawchlyd. Roedd hi'n ddiwrnod braf a phopeth o'i amgylch yn disgleirio yn yr haul, ond roedd tywyllwch yn pwyso arno.

Ni allai ddirnad yr hyn a oedd yn digwydd o'i gwmpas, nac ychwaith ble na phwy oedd tarddiad y cyfan. 'Mae dy elyn yn meddwl amdanat yn gyson' meddai'r nodyn cyntaf, gan sôn am 'ddylanwad'. Doedd gan Jeff ddim amcan beth oedd ystyr hynny ar y pryd, ym Mae Troulos, ond roedd ganddo well syniad o lawer erbyn hyn. Roedd yn anghredadwy fod rhywun yn gallu trefnu'r fath ganlyniadau mewn tref fechan mewn cornel fach o Gymru. Ond wrth ystyried ymhellach, sylweddolodd Jeff na fyddai mor anodd â hynny, petai rhywun yn ddigon hurt a dieflig i feddwl am y syniad yn y lle cyntaf. Wedi'r cyfan, roedd cyflenwyr yn dosbarthu cocên a chyffuriau eraill bob dydd ledled y byd, ac yn rhoi pob math o stwff ynddo er mwyn gwneud iddo fynd ymhellach. A beth am y busnes o heintio pobl ddiniwed â chlefydau gwenerol? Roedd enghreifftiau o hynny wedi cael eu cofnodi ym Mhrydain yn ystod y blynyddoedd diwethaf – gallai Jeff gofio darllen am y peth mewn papurau newydd. Estyniad o hynny oedd yn digwydd yng Nglan Morfa heddiw, ond pwy oedd mor frwnt a barbaraidd i ystyried gwneud y fath beth? Rhywun oedd â'r adnoddau angenrheidiol: y cocên, y strycnin a'r merched clwyfedig. Ond pam ei dynnu o i mewn i'r peth? Pam mynd i'r drafferth i'w fygwth o pan oedd o ar ei wyliau mor bell i ffwrdd – a pham ceisio rhoi'r bai arno am y digwyddiadau yn y dref a'r cylch? A'r cwestiwn mwyaf un: pam y llythyrau a'r lluniau od o ddarnau o aderyn arnyn nhw? Doedd hynny'n gwneud fawr o synnwyr ... dim eto, o leiaf.

Safodd ar ei draed heb orffen ei ginio a syllu i gyfeiriad y gorwel. Chawsai o ddim blas ar y bwyd. Daeth ysfa drosto i fynd draw i Ffestiniog i wneud yn siŵr bod Meira a'r plant yn saff, ond gwyddai fod yn rhaid iddo, cyn hynny, siarad ag Emyr Huws o'r *Daily Post*. Y peth olaf roedd Jeff ei angen ar hyn o bryd oedd pennawd yn y papur newydd y bore wedyn yn dadlennu mai fo oedd yn gyfrifol am yr holl aflwydd yn y dref. Beth fuasai pobl yn ei feddwl? Drwy ryw drugaredd, roedd Jeff yn adnabod Emyr Huws gan mai fo fyddai'n gohebu o Lys y Goron, ond dim yn ddigon da i ddechrau gofyn ffafrau iddo chwaith. Gwyddai'n iawn sut roedd o, fel pob newyddiadurwr arall, yn hoff o ddilyn stori, yn yr un modd ag yr oedd yntau'n dilyn trywydd achos.

Chwiliodd Jeff ar wefan y papur, a chyn hir daeth ar draws rif ffôn y swyddfa. Deialodd y rhif.

'Desg newyddion,' atebodd y llais.

'Emyr Huws, plis,'

'Yn siarad. Pwy sy 'na?'

'Ditectif Sarjant Jeff Evans, Glan Morfa C.I.D.,' meddai. Bu distawrwydd. 'Rhaid i ni gael sgwrs, Mr Huws,' ychwanegodd Jeff.

'Siŵr iawn,' atebodd y llais.

'Dwi'n ymwybodol o'r neges a gawsoch chi'r bore 'ma. Mae ei gynnwys yn gymaint o sioc i mi ag y mae o i unrhyw un arall. Ond mae 'na rwbath pwysicach na rhywun yn ceisio fy mhardduo i yn y fan hyn – hynny ydi, bod pobl ardal Glan Morfa yn cael eu niweidio. Mae un wedi'i ladd, hyd yn oed ... efallai gan bwy bynnag sy'n gyfrifol am y nodyn gawsoch chi.'

'Yn lle gawn ni gyfarfod?' gofynnodd Huws.

'Be am gaffi Tesco ym Mangor?'

'Hanner awr?'

'Rhowch dri chwarter i mi.'

Jeff oedd y cyntaf i gyrraedd yno. O'r balconi, gwyliodd y newyddiadurwr ifanc yn cerdded i mewn i'r siop ac anelu at y grisiau. Cododd Jeff ar ei draed pan ymddangosodd Emyr Huws ar ben y grisiau. Gwisgai bâr o jîns glas a chrys glas llewys byr a choler agored iddo, a chariai lyfr nodiadau yn ei law.

'Diolch am ddod mor handi. Te ta coffi?' gofynnodd Jeff.

'Coffi os gwelwch yn dda. Americano.'

Archebodd Jeff goffi bob un iddynt, cyn eistedd i lawr gyferbyn â'r newyddiadurwr.

'Gweld eich bod chi wedi dewis lle cyfleus,' meddai Huws.

'Heb gyfleusterau i recordio'r hyn sy'n cael ei ddweud,' meddai Jeff gan hanner chwerthin, ond roedd tinc difrifol yn ei lais.

'Ro'n i'n meddwl na fysach chi'n hapus i mi wneud hynny,' meddai Huws, gan roi'r llyfr nodiadau ar y bwrdd rhyngddyn nhw a gwneud sioe o ddiffodd ei ffôn symudol. 'Dyna pam ddois i â hwn efo fi.'

''Dan ni'n dallt ein gilydd felly, Emyr,' atebodd Jeff. 'Mae hyn yn rhoi cyfle i mi fod yn hollol agored efo chi. Mi ddyweda i gymaint ag y medra i – ond mae'n rhaid i mi ofyn i chi gynta be ydi'ch bwriad chi ynglŷn â'r stori yma.'

Meddyliodd Emyr Huws am funud.

'Rhaid i chi gofio, Jeff, be ydi 'ngwaith i, a bod gen i ddyletswydd i'r cyhoedd i adael iddyn nhw wybod be sy'n mynd ymlaen o'u cwmpas nhw.'

'Dwi'n dallt hynny, ond mi ddeallwch chithau hefyd, siŵr gen i, fod rhywun yn rwla yn bwriadu dryllio fy enw da i, a 'nghyhuddo i o bethau erchyll. Dwi'n gobeithio na wnewch chi gyhoeddi'r ffasiwn beth – hynny ydi, yr honiad di-sail mai fi sy'n gyfrifol am yr holl helynt yng Nglan Morfa.'

'Mi fysa dweud peth felly yn enllibus, a phrin y bysa golygyddion y papur yn gwneud hynny. Rydan ni'n gwneud ein gorau i gyhoeddi'r gwir, wyddoch chi. Wedi dweud hynny, fysa 'na ddim byd o'i le ar gyhoeddi stori sy'n dweud bod rhywun arall yn gwneud yr honiadau. Mi fysa hynny'n berffaith gyfreithlon, dwi'n siŵr.'

Dyna roedd Jeff yn ei ofni. Mi fyddai'r rhan helaethaf o'r mwd yn sticio, a'r cyhoedd yn credu beth bynnag lician nhw. Ceisiodd resymu â'r dyn ifanc o'i flaen.

'Edrychwch arni fel hyn, ta. Mae 'na lawer iawn mwy

yn mynd ymlaen nag yr ydach chi'n ymwybodol ohono fo, Emyr. Mi ddechreua i ddeud yr hanes wrthach chi rŵan, ac mi gewch chi'r holl hanes – chi yn bersonol – pan fydd yr amser yn iawn. Sut mae hynny'n swnio?'

Rhoddodd Emyr Huws ei gwpan fawr i lawr ar y soser o'i flaen.

'Pam ddylwn i'ch coelio chi?' gofynnodd.

'Am mai pwrpas hyn i gyd ydi fy nychryn i. Mae pwy bynnag sydd y tu ôl i hyn yn galw ei hun yn elyn i mi. Mae'n edrych yn debyg iawn fod hynny'n wir, ond ar f'enaid i, Emyr, does gen i ddim syniad ar hyn o bryd pwy ydi o, na be dwi wedi'i wneud iddo fo neu hi i haeddu hyn i gyd. Mae'n amlwg mai ei fwriad o ydi fy mhardduo i o flaen pawb, a'ch defnyddio chi i wneud hynny. Mae ganddoch chi ddewis: ei helpu, neu adael i mi ddarganfod pwy ydi'r bastad cas. Os aiff y stori yma allan, dwi'n rhag-weld na fydda i'n cael y rhyddid gan uwch-swyddogion yr heddlu i ddatrys yr holl lanast. A chofiwch chi gymaint o bobl sy wedi cael eu niweidio'n barod.'

Roedd Emyr Hughes yn dal i ystyried y mater yn fanwl.

'Reit,' meddai o'r diwedd. 'Mae gynnon ni fargen. Wna i ddim rhoi'r stori yma i'r golygydd ar hyn o bryd. Mi gewch chi chydig ddyddiau gen i ... ar yr amod ein bod ni'n cael sgwrs eto'n fuan, neu o leia pan fydd 'na unrhyw ddatblygiadau. Fedrwch chi roi rhywfaint mwy o wybodaeth i mi ar hyn o bryd?'

Penderfynodd Jeff chwarae'r gêm. Roedd yn rhaid iddo yntau gadw ei ran o'r fargen. 'Pan o'n i ar fy ngwyliau yng ngwlad Groeg yr wythnos dwytha y dechreuodd hyn i gyd, cyn belled ag y gwn i, er ei bod hi'n amlwg erbyn hyn bod y drwg wedi dechrau cael ei ledaenu wythnosau, efallai misoedd, cyn hynny.' Dechreuodd ddweud rhywfaint o'r hanes wrtho, ond nid y cwbl.

'Rargian, dwi'n gweld eich pryder chi rŵan,' meddai Huws. 'Mae'n syndod gen i fod rhywun wedi mynd i'r drafferth o fynd cyn belled â Groeg er mwyn dechrau'r holl firi o'ch brawychu chi. Mae o'n golygu busnes felly.'

'Sut gawsoch chi'r neges y bore 'ma, Emyr?' gofynnodd Jeff.

'Yn y post, wedi'i gyfeirio ata i yn bersonol. Y gyrrwr wedi cael fy enw o'r papur, ma' siŵr,' ychwanegodd.

'Wyddoch chi fod rhywun wedi cysylltu â'r BBC hefyd, a gofynnwyd cwestiwn ynglŷn â'r peth i'r Uwch-arolygydd Irfon Jones gan un o'u gohebwyr.'

'Mi welais i hynny ar y teledu, a dyna pam y rhois i gymaint o sylw i'r nodyn yma heddiw.'

'Wel, rhag ofn bod 'na unrhyw gamddealltwriaeth, gadewch i mi ddeud wrthach chi rŵan, Emyr, nad oeddwn i, na neb arall yn yr heddlu, yn gwybod bod 'na gyffuriau mor niweidiol â'r rhain ar strydoedd Glan Morfa.'

'Mae'n edrych yn debyg i mi eich bod chi'n iawn – mae rhywun yn gwneud ei orau i'ch niweidio chi'n bersonol Jeff, a'ch bygwth chi ar yr un pryd.'

Arhosodd y gair 'bygwth' ym meddwl Jeff wrth iddo yrru'r car o Fangor i Ffestiniog. Roedd yn edrych ymlaen at weld ei deulu, a chael gweld drosto'i hun eu bod yn saff.

'Dad! Dad! Lle dach chi 'di bod? Gwaith yn galw, ia?' Twm bach oedd y cyntaf i ymddangos pan agorwyd y drws, yn ei byjamas ac yn barod am ei wely. Y tu ôl iddo roedd Meira, yn cario Mairwen yn ei breichiau. Roedd y tri yn wên i gyd.

'Gwaith yn galw.' Sawl gwaith roedd o wedi gorfod dweud y geiriau hynny wrth ei fab yn ystod ei fywyd byr? Digon aml i'r bychan fod yn cofio'r geiriau a'u cysylltu ag absenoldeb ei dad. A phob tro, byddai'n well o'r hanner ganddo fod wedi aros gartref i ddarllen stori i'w fab cyn iddo fynd i gysgu na dychwelyd i orsaf heddlu Glan Morfa i ddelio â throseddwyr yr ardal. Ond yn anffodus, doedd troseddwyr yr ardal ddim yn cadw oriau swyddfa.

Cododd Jeff y bachgen yn ei freichiau a gafaelodd y teulu bach yn dynn yn ei gilydd, yn fôr o gusanau. Gwelodd Jeff ei rieni yng nghyfraith yn gwenu yn nrws y stafell fyw, a llifodd teimlad braf drosto am y tro cyntaf ers tridiau.

'Dy dro di ydi darllen stori heno, Jeff. I'r ddau, ti'n dallt?' meddai Meira efo gwên lydan ar draws ei hwyneb.

Roedd Jeff wrth ei fodd. 'Ydach chi wedi molchi'n iawn, a llnau'ch dannedd?' gofynnodd.

'Do,' atebodd y ddau gyda'i gilydd.

'Pwy ydi'r cynta am stori, 'ta?'

Cododd Mairwen ei braich fach i fyny ar unwaith, ennyd o flaen Twm.

'Reit, dos di i dy wely, Twm, ac mi gei di chwarter awr i feddwl pa stori wyt ti isio'i chlywed heno.'

'Stori 'sgota plis, Dad,' gwaeddodd ar y ffordd i fyny'r grisiau. 'A dim un o lyfr!'

Roedd Jeff ar fin codi Mairwen o freichiau ei mam pan ganodd y ffôn symudol yn ei boced. Edrychodd ar y sgrin.

'Sori ... rhaid i mi ateb hwn,' meddai.

Rowliodd llygaid Meira yn ei phen. Dyma ni eto. Pwy yn ei iawn bwyll fysa'n priodi ditectif, meddyliodd.

'Dau funud,' meddai Jeff. 'Dwi'n addo.' Roedd yn adnabod yr edrychiad ar wyneb ei wraig.

Cymerodd Meira'r fechan yn ôl, a throdd Jeff i ateb y ffôn. Edrychodd ar ei oriawr – deng munud wedi wyth.

'Rob, sut wyt ti?'

'Ddrwg gen i dy boeni di, Jeff. Lle wyt ti?' gofynnodd Sarjant Rob Taylor.

'Cartref rhieni Meira. Pam? Oes 'na rwbath wedi digwydd?'

'Mae 'na ddyn o'r enw Trefor Hudson wedi bod yn trio cael gafael arnat ti. Isio gair efo chdi ar frys, medda fo, ac roedd o'n swnio fel tasa ganddo fo rwbath pwysig iawn ar ei feddwl.'

'Trefor Hudson,' meddai Jeff gan bendroni dros yr enw. 'Trefor Hudson. Dwi'n siŵr y dylwn i adnabod yr enw yna. Pwy ydi o, dŵad?'

'Cyn-blismon wedi ymddeol,' atgoffodd Rob o. 'Ditectif oedd o draw yn ochrau Fflint, ac wedi iddo orffen yn y job, mi fu'n gweithio iddo fo'i hun yn ymchwilydd preifat. Mae o'n byw yng Nglan Morfa ers tro rŵan.'

'O, ia, mae gen i ryw gof ohono, ond mater brys neu beidio, rhaid iddo fo ddisgwyl tan fory,' meddai Jeff. 'Wnaiff dim byd fy llusgo fi o fama heno.' Gwelodd Meira yn gwenu arno a rhoddodd winc a gwên yn ôl.

'Wnei di ei ffonio fo o leia, Jeff?' gofynnodd Rob. 'Mae o'n disgwyl amdanat ti rŵan ac yn awyddus iawn i gael sgwrs. Mater hynod o bwysig ... neu felly mae o'n deud, beth bynnag.'

Cytunodd Jeff er nad oedd yn fodlon iawn, a chymerodd rif ffôn Hudson.

'Fydda i ddim ond dau funud,' meddai wrth Meira. 'Onest.'

Gwasgodd hithau ei gwefusau ac ysgydwodd ei phen.

Roedd hi wedi clywed yr un peth droeon o'r blaen, er na fyddai fyth yn cwyno. Roedd ganddi hithau brofiad o fod yn dditectif, a gwyddai yn rhy dda beth oedd gofynion y swydd.

Galwodd Jeff y rhif a gafodd gan Rob Taylor ac atebwyd y ffôn cyn yr ail ganiad.

'Mr Hudson? Ditectif Sarjant Jeff Evans. Dwi'n dallt eich bod chi isio siarad efo fi.'

'O, diolch am alw'n ôl mor handi, Sarjant. Mae'n rhaid i mi gael gair efo chi ar unwaith. Mae hyn yn hynod o bwysig.'

'Be am ganol bore fory?'

'Na, na, heno.' Roedd Jeff wedi disgwyl clywed llais cadarn, pwyllog cyn-dditectif profiadol, ond roedd Trefor Hudson yn swnio fel petai wedi'i gyffroi'n lân.

'Mae'n ddrwg gen i, Mr Hudson, ond dwi i ffwrdd o'r ardal heno, a fydda i ddim yn ôl yng Nglan Morfa tan bore fory.' Clywodd Jeff ochneidio uchel yr ochr arall i'r ffôn. 'Deudwch wrtha i dros y ffôn rŵan os liciwch chi, Mr Hudson.'

'Rargian annwyl, fedra i ddim deud dros y ffôn. Yr unig beth ddeuda i ydi mai taid Brian Owen ydw i. Tad ei fam o, ac mae gen i wybodaeth bwysig i chi. Dach chi'n dallt?'

'Ylwch, Mr Hudson. Dwi'n ddiolchgar iawn i chi am gysylltu, ac mi ydw innau'n edrych ymlaen at gael clywed be sy ganddoch chi i'w ddeud, yn enwedig o gofio'ch cefndir chi yn y job. Mi ddo i draw cyn gynted ag y medra i bore fory. Iawn?'

'Mi fydd yn rhaid i hynny wneud y tro felly, Mr Evans.' Rhoddodd Trefor Hudson ei gyfeiriad iddo.

Cymerodd Jeff ei ferch o freichiau Meira, a diflannodd

y ddau i fyny'r grisiau. Clywodd Meira lais Jeff yn galw o ben y grisiau i gyfeiriad ystafell ei fab. 'Mae gen ti ddeng munud arall i ddewis stori, Twm. Does 'na ddim gwaith yn galw heno.' Y peth nesaf a glywodd Meira oedd Mairwen yn chwerthin nerth ei phen ac yn gweiddi, 'Dad! Dad! Dad, na, na, peidiwch â chosi!'

Ymhen hanner awr dychwelodd Jeff i lawr y grisiau. Roedd Meira a'i mam yn gorffen paratoi swper, ac agorodd Jeff ddwy botel o win, un goch ac un wen. Rhoddodd fymryn o'r gwin gwyn mewn gwydrau i'r merched ac yna ymunodd â'r Twm hynaf yn y parlwr efo'r botel arall a'r gwydrau. Eisteddodd i lawr mewn cadair freichiau. Cadair gyfforddus mewn tŷ cyfforddus gyda chwmni cyfforddus. Roedd bywyd yn braf .... am heno. Roedd Jeff wedi dod i hen arfer ymlacio yn y tŷ hwn.

'Mae'n ddrwg iawn gen i am hyn i gyd, Twm,' meddai. 'Dod ar draws eich cartref chi fel hyn yn annisgwyl.'

'Paid ti â phoeni,' atebodd ei dad yng nghyfraith. 'Mae Meira wedi deud rhywfaint o'r hanes ac mi wyddon ni, y ddau ohonon ni, mai chwarae'n saff wyt ti. Ond mi fedri di fod yn dawel dy feddwl y byddan nhw'n berffaith saff yn fama. Meira a'r plant.'

Erbyn hyn, roedd Meira'n sefyll yn nrws yr ystafell a chlywodd frawddeg olaf ei thad. 'Mi fyddan ni'n iawn,' cadarnhaodd hithau.

Adroddodd Jeff hanes digwyddiadau'r dydd, gan gynnwys yr ail nodyn a dderbyniodd y meddyg. 'Mae pwy bynnag sydd wrthi yn dal ati,' meddai. 'Does gen i ddim bwriad o'ch dychryn chi, ond dwi angen i chi fod yn wyliadwrus dros ben, chwarae'n saff neu beidio. Mi fyddwch chi angen llygaid yng nghefn eich pennau ddydd a nos.’

Aeth bwyd blasus Mair i lawr yn ardderchog, a’r gwin i’w ganlyn. Roedd hi bron yn un ar ddeg pan orffennodd y pedwar ddiferyn bach o rywbeth cryfach, a chysgodd Jeff yn llawer gwell gyda Meira wrth ei ochr.

Pennod 16

Gyrrodd Jeff yn bwyllog yn ôl i Lan Morfa yn fuan y bore canlynol. Ar wahân i ychydig o gymylau gwlân cotwm uwchben y Cnicht roedd yr awyr yn las, yn argoel o ddiwrnod poeth arall. Penderfynodd alw yn ei gartref cyn mynd i gyfarfod Trefor Hudson – roedd yn awyddus i weld cynnwys y post boreol. Nid oedd yn disgwyl dim byd arbennig, ond roedd y llythyrau bygythiol wedi ei roi ar bigau'r drain. Wedi'r cyfan, dyna'r rheswm yr oedd ei deulu bach yn Ffestiniog, a'u cartref, Rhandir Newydd, yn wag yng Nglan Morfa. Doedd ganddo ddim syniad, petai'n dod i hynny, pa mor ddiogel oedd ei gartref. Roedd awdur y bygythiadau i weld yn gwybod llawer iawn amdano – oedd yna siawns y byddai'n ceisio torri i mewn i'r tŷ? Ochneidiodd Jeff. Pur anaml yn ystod ei yrfa yr oedd o wedi teimlo fel petai o dan bwysau – dim tan yr wythnos hon, mewn gwirionedd – ac roedd yn benderfynol na fyddai neb yn fistar arno. Er hynny, gwyddai y byddai'n rhaid iddo fod yn wyliadwrus.

Cerddodd o gwmpas y tu allan i'r tŷ yn ofalus cyn mynd i mewn. Roedd glaswellt yr ardd wedi'i esgeuluso, ond byddai digon o amser i ddelio â hynny rhywdro eto. Edrychai fel petai popeth fel y dylai fod o'r tu allan. Aeth i mewn trwy'r drws ffrynt a chanodd y larwm ei dôn gyfarwydd. Pwysodd y botymau i droi'r larwm i ffwrdd a chodi'r llythyrau oddi ar y mat. Dim byd anghyffredin: bil neu ddau a llu o daflenni'n hysbysebu yswiriant bywyd, bwyd parod a ffenestri gwydr dwbl. O leiaf doedd yr un amlen ag ysgrifen flêr arni.

Safodd yn yr ystafell haul, ei hoff ystafell, yn edrych draw dros y môr. I'r fan hon y byddai'n encilio pan fyddai angen ystyried materion cymhleth a rhoi trefn ar ei feddwl. Roedd yn awyddus i ddarganfod sut yr oedd ymholiadau Nansi'r Nos yn dod yn eu blaen. Oedd hi wedi cael gafael ar Rachel Higgs, ac os felly, a oedd honno'n barod i gyflwyno Nansi i'w deliwr? Gwyddai nad oedd Rachel a hithau yn troi yn yr un cylchoedd – faint o wahaniaeth a wnâi hynny, tybed? A beth petai Rachel ei hun yn rhoi'r cyffur i Nansi? Doedd hynny ddim yn rhan o'r cynllun. Am ryw reswm doedd Jeff ddim yn teimlo'n ffyddiog iawn y byddai'r fenter yn llwyddiannus, ond wedi dweud hynny, roedd yn rhaid rhoi cynnig arni.

Ond yn y cyfamser roedd ganddo gyfarfod arall, a throdd ei feddwl tuag at Trefor Hudson. Gan ei fod yn daid i Brian Owen, efallai ei fod wedi gallu holi rhywfaint ar y llanc – rhywbeth na allai unrhyw blismon ei wneud ar hyn o bryd. Wedi'r cyfan, roedd Hudson yn gyn-dditectif profiadol ac yn ymchwilydd preifat, a chan ei fod yn aelod o'r teulu, roedd yr achos yn siŵr o fod yn agos iawn at ei galon. Tybed oedd ganddo unrhyw wybodaeth i'w rhannu am y cwffio fu rhwng Brian ac un o ddynion Mathias yng nghinio'r pêl-droedwyr? Ni wyddai Jeff yn union pam yr oedd ei feddwl yn crwydro mor aml i'r cyfeiriad hwnnw.

Roedd yn edrych ymlaen at gyfarfod Hudson, a phetai'r ddau yn dod i ddeall ei gilydd, byddai Jeff yn ddigon parod i rannu tipyn o'r wybodaeth roedd eisoes wedi'i gasglu â fo

... efallai y byddai gan Hudson syniad gwell na fo sut roedd y jigsô'n ffitio at ei gilydd. Amser a ddengys, meddyliodd.

Roedd hi'n tynnu at hanner awr wedi deg pan gyrhaeddodd Jeff y stad fechan lle'r oedd Trefor Hudson yn byw. Gwelodd un o blismyn ifanc y dref yn sefyll ar y gornel wrth iddo droi i mewn a chododd ei law arno. Gwnaeth hwnnw'r un fath. Sylwodd fod tagfa draffig o'i flaen ar y ffordd fawr, a diolchodd nad oedd angen iddo yrru ymhellach ar hyd y ffordd honno.

Roedd hon yn stad fach ddigon twt gyda choed eirin wedi'u plannu'n daclus ar y palmant y ddwy ochr i'r ffordd. Lle eithaf braf i fyw, meddyliodd, ar gyrion y dref. I gadarnhau rhif y tŷ, edrychodd ar y tamaid papur yr oedd wedi sgriblo'r manylion yn frysiog arno – rownd y gornel ar y chwith, tybiodd, yn ôl rhifau'r tai. Trodd y gornel a gweld plismon arall, a phlismones, yn sefyll o flaen un o'r tai a oedd wedi'i amgylchynu â thâp melyn safle trosedd.

Suddodd calon Jeff. Dychmygodd y gwaethaf.

Stopiodd ei gar hanner canllath cyn cyrraedd y tŷ a cherddodd weddill y ffordd yno yn araf. Fel yr oedd wedi ofni, o amgylch tŷ Hudson roedd y tâp. Cerddodd yn ei flaen i siarad â'r blismones.

'Bore da, Sarj,' meddai, heb arwydd o wên na chroeso.

'Be sy 'di digwydd?' gofynnodd Jeff.

'O, dach chi ddim yn gwybod?' meddai'r blismones yn syn. 'Perchennog y tŷ, dyn o'r enw Trefor Hudson, sydd wedi'i ladd.'

'Wedi'i ladd?'

'Ia. Mwrdwr,' eglurodd, 'ond nid yn fama. Rhyw bum canllath i ffwrdd, yn y coed wrth ymyl y lôn fawr.'

'Pryd?'

'Wyddon ni ddim. Dim ond rhyw ddwyawr yn ôl y ffeindiwyd y corff ar ryw lwybr bach sy'n cysylltu'r lôn fawr â'r stad yma. Dydi petha ddim wedi dechrau symud ymlaen yn iawn eto ... dal i ddisgwyl i fforensics ac ati gyrraedd safle'r llofruddiaeth oeddan nhw gynna, a 'dan ni'n diogelu'r tŷ nes y byddan nhw'n barod i ddod yma.'

Diolchodd Jeff iddi a throdd ei gefn arni, ond ni allai symud o'r fan. Plygodd ei ben a rhwbio'i ên yn araf wrth i deimlad annifyr chwalu drosto. Ar ôl sawl eiliad, cerddodd yn araf heibio'i gar ac i gyfeiriad y ffordd fawr. Trodd i'r dde, ac ymhen dim gwelodd fwy o blismyn a mwy o dâp melyn. Roedd y briffordd wedi'i chau, a'r traffig yn cael ei ddargyfeirio. Gwelodd nifer o geir cyfarwydd: car Patholegydd y Swyddfa Gartref oedd un, ac un arall yn perthyn i'r Ditectif Brif Arolygydd Lowri Davies; ond dewisodd Jeff beidio â mynd yn nes. Doedd safle'r llofruddiaeth yn ddim o'i fusnes o ar hyn o bryd. Disgwyliodd am dros hanner awr yn syllu ac yn meddwl, ei ysfa am wybodaeth bron â berwi drosodd. Tybed ai fo oedd y person olaf i siarad â Trefor Hudson cyn ei farwolaeth? Oedd 'na gysylltiad rhwng y llofruddiaeth a beth bynnag roedd Trefor Hudson mor frwd i'w rannu â fo'r noson cynt? Cofiodd pa mor gynhyrfus oedd ei lais ar y ffôn.

Cyn hir, ymddangosodd Lowri Davies o'r goedwig yn ddwfn mewn sgwrs â'r patholegydd; y ddau wedi'u gwisgo yn yr oferôls gwyn di-haint angenrheidiol. Rhoddodd Lowri orchymyn i eraill gerdded ar hyd y llwybr i mewn i'r coed, ac ymhen rhai munudau, daethpwyd â'r corff allan wedi'i lapio mewn bag di-haint, a'i roi mewn un o eirch plastig, amhersonol yr olwg, ymgymerwr y Crwner. Yn syth, dechreuodd y timau archwilio a'r arbenigwyr fforensig ar eu gwaith.

Gwelodd Jeff lygaid Lowri Davies yn taro arno a nodiodd ei ben tuag ati. Roedd y ddau wedi cydweithio dro yn ôl, ac er mai araf fu datblygiad eu perthynas broffesiynol roedd y ddau wedi dod i ddeall ei gilydd yn eithaf. Gorffennodd hithau adrodd ei chyfarwyddiadau cyn cerdded ar draws y ffordd tuag ato, yn dal yn ei gwisg ddi-haint.

'Be dach chi'n ei wneud yma, Sarjant Evans?' gofynnodd heb fath o wên na chyfarchiad.

'Jeff,' mynnodd yntau.

'Ro'n i ar ddallt eich bod chi ar eich gwyliau am chydig ddyddiau eto.'

'Job ryfedd 'di hon ...'

'Ia,' cytunodd hithau.

'Rhaid ni stopio cyfarfod fel hyn,' parhaodd Jeff. 'Un llofruddiaeth ar ôl y llall ... mi fydd pobl yn dechrau siarad. Tref fach 'di hon, yntê?'

Nid oedd Lowri Davies byth yn sicr sut i gymryd Jeff, a phenderfynodd anwybyddu ei sylw cellweirus.

'Ddaru chi ddim ateb fy nghwestiwn i, Jeff. Be dach chi'n wneud yma, a chitha ddim i fod yn gweithio?'

O leiaf roedd hi wedi defnyddio ei enw cyntaf y tro hwn, ystyriodd.

Tynnodd Lowri Davies y siwt ddi-haint oddi amdani. Oddi tani gwisgai siwt lwyd dridarn a blows wen, ac am ei thraed roedd esgidiau du, trwm â byclau aur arnynt. Yr un hen Lowri, yr un hen agwedd, yr un hen ddillad, meddyliodd Jeff.

'Sut mae Pat, eich partner ... neu ddylwn i ei alw'n

Patrick?' Gwelodd arlliw o wên ar ei hwyneb am y tro cyntaf.

'Mae Pat yn iawn, diolch. Ond ta waeth am hynny rŵan, Jeff. Be ydi'r hanes yn fama?' gofynnodd. 'Dwi'n cael fy ngalw i Lan Morfa i arwain ymchwiliad i lofruddiaeth. Y peth cyntaf dwi'n ei wneud ydi holi lle ydach chi, er mwyn i ni gael cydweithio eto, a dwi'n cael ar ddallt eich bod ar wyliau. Eto, chi ydi un o'r bobl gyntaf dwi'n weld yn lleoliad y drosedd ...'

'Pryd lladdwyd o?' Syllodd Jeff yn syth yn ei flaen heb edrych arni.

'Amcan y patholegydd ydi rhwng wyth a hanner nos neithiwr. Pam?' Gwyddai Lowri Davies y byddai'n cael ateb i'w chwestiwn cyn bo hir, ond doedd hi ddim yn disgwyl yr ateb a gafodd. O gwbl.

'Am mai fi, mwya tebyg, oedd y person olaf i siarad efo Trefor Hudson.' Trodd Jeff i edrych yn syth i lygaid Lowri Davies. Roedd y syndod yn amlwg ar draws ei hwyneb.

'Faint o'r gloch oedd hynny?'

'Tua chwarter wedi wyth, ffor'no. Do'n i ddim yn ei nabod o, na hyd yn oed wedi'i gyfarfod o – er 'mod i wedi clywed sôn amdano yn y gwaith, wrth gwrs. Ddaru'n llwybrau ni erioed groesi. Fo gysylltodd efo fi neithiwr, yn mynnu fod ganddo rwbath pwysig i'w ddeud wrtha i. Mater pwysig iawn, medda fo, ond do'n i ddim yng Nglan Morfa neithiwr i'w gyfarfod, a gwrthododd siarad am y peth efo fi dros y ffôn. Mi wnes i drefniant i'w weld o bore 'ma – dyna'r gorau fedrwn i ei wneud ar y pryd, ond dwi'n difaru f'enaid rŵan na fyswn i wedi dod draw ato fo neithiwr. Be oedd achos y farwolaeth?'

'Ei saethu.'

‘Ei saethu?’ gofynnodd Jeff yn anghrediniol.

‘Ia, un fwled trwy ganol ei dalcen, wedi’i thanio o fewn modfedd i’w ben. Roedd powdwr yr ergyd yn dew ar ei groen. Llofruddiaeth broffesiynol, does dim dwywaith. Anodd coelio y gall y fath beth ddigwydd mewn tref fach fel hon. Be oedd ganddo i’w ddeud wrthoch chi, tybed? Unrhyw syniad?’

‘Oes a nag oes. Does gen i ddim syniad be yn union roedd o isio’i ddeud, ond mae gen i syniad eitha da ynglŷn â’r pwnc ... ma’ hi’n stori hir a chymhleth.’

‘Rhowch awr i mi ddechrau sortio’r ymchwiliad ’ma, a dewch i ’ngweld i yn y swyddfa, wnewch chi?’

‘Siŵr iawn.’

Safodd Jeff yn ei unfan am rai munudau ar ôl iddi fynd. Syllodd ar ei gyd-weithwyr yn mynd o amgylch eu gwaith yn y pellter, a dechreuodd deimlo fel petai eisiau cyfogi. Dylai fod wedi cyfarfod Trefor Hudson y noson cynt.

Roedd awr a hanner dda wedi mynd heibio cyn i Lowri gael amser i sgwrsio efo Jeff. Yn amlwg, roedd ei meddwl ar ddechrau’r ymchwiliad a threfnu’r staff angenrheidiol ar gyfer y gwaith. Byddai’n rhaid iddi sefydlu ystafell ymchwiliad er mwyn cofnodi pob mymryn o wybodaeth a oedd yn gysylltiedig â’r achos, a goruchwylio’r defnydd o system gyfrifiadurol arbennig i gydlynu’r cyfan. Oedd, roedd gan Lowri Davies ddigon ar ei meddwl.

Cerddodd Jeff i mewn i’w swyddfa yn cario paned o goffi bob un iddyn nhw, a chael Lowri’n eistedd yr ochr arall i bentwr o bapurau. Roedd tri theleffon a chyfrifiadur hefyd ar y ddesg, ond rhywsut roedd digon o le iddi orffwys ei thraed ymhlith y cyfan – heb dynnu ei hesgidiau, wrth gwrs. Erbyn hyn, roedd Jeff wedi hen arfer â'i ffordd unigryw hi o weithio.

'Reit, Ditectif Sarjant Jeff Evans,' meddai, gan ddefnyddio'i enw llawn mewn ffordd bryfoclyd y tro hwn. Datblygodd y ddau barch at ei gilydd wrth gydweithio, a daethai Jeff i ddeall ei hangen am dipyn o ffurfioldeb o dro i dro – oedd yn ddigon teg, ym marn Jeff, o ystyried bod y ferch ifanc ddwy reng swyddogol yn uwch na fo. 'Be ydi'r stori hir a chymhleth yma ddaru'ch arwain chi i safle'r llofruddiaeth y bore 'ma?'

Dechreuodd Jeff ddweud yr hanes wrthi, yr holl hanes, yr holl ffordd o Fae Troulos hyd eu cyfarfyddiad deirawr yn gynharach. Astudiodd Lowri y ddau nodyn a ddangosodd Jeff iddi, ond fel Jeff, methodd yn glir â deall arwyddocâd y brawddegau na'r lluniau.

'A be, medda chi, ydi'r cysylltiad rhwng y stori yma a llofruddiaeth Trefor Hudson?' gofynnodd wedi iddo orffen. 'Yr unig beth wela i ydi'ch bod chi'n cysylltu pwy bynnag sy tu ôl i'r llythyrau a yrrwyd i chi a Dr Prydderch efo'r cyffuriau sy'n dod i'r ardal a damwain Wil Morgan a Brian Owen. Efallai – ac mae hyn yn efallai mawr – fod y clefydau gwenerol sydd yn y dref yn gysylltiedig hefyd, ond fedra i ddim gweld unrhyw gysylltiad â llofruddiaeth Mr Hudson eto. Mae hyn i gyd yn swnio braidd yn annhebygol yn fy marn i, Jeff, rhaid i mi ddeud.' Edrychodd arno'n ddyrys.

'Mae'r ffaith fod Trefor Hudson yn daid i Brian yn bwysig, cofiwch,' atebodd. ''Swn i'n fodlon betio bod Hudson wedi darganfod rwbath,' parhaodd Jeff yn gyflym. 'Rwbath mor bwysig fel bod yn rhaid iddo gysylltu efo fi yn syth bìn i'w rannu. A rwbath mor bwysig fel bod yn rhaid i rywun ei ladd o cyn iddo fedru deud wrtha i.'

'Wel, dwi ddim wedi fy argyhoeddi, Jeff, ond dwi'n ddigon parod i gadw meddwl agored.'

Roedd Jeff yn siomedig nad oedd Lowri wedi rhoi mwy o goel i'w stori, ond fel yr oedd hi'n digwydd bod, doedd dim rhaid iddo ddisgwyl yn hir iddi newid ei meddwl yn llwyr. Roedd gan y ddau ddigon o brofiad yn yr heddlu i sylweddoli fod digwyddiadau'n disgyn i'w llefydd yn annisgwyl weithiau, ond y tro hwn roedd yr amseriad bron yn anghredadwy. Daeth cnoc ar y drws.

'Dewch,' galwodd Lowri.

Camodd Robin, un o'r swyddogion archwilio lleoliadau trosedd i mewn.

'Gair bach?' gofynnodd.

'Siŵr iawn,' meddai Lowri. Tynnodd ei thraed oddi ar y ddesg a sythodd yn ei chadair.

'Newydd ddod yn ôl o'r marwdy ac mae'r corff yn barod am y P.M., sydd wedi'i drefnu ar gyfer hanner awr wedi tri pnawn 'ma. Mi fydd y patholegydd yn disgwyl amdanoch chi yno.'

'Iawn,' atebodd Lowri. 'Well i mi ei throi hi, felly.'

'Un peth arall,' meddai'r swyddog. 'Be ydach chi'n feddwl o hwn? Ym mhoced siwt Mr Hudson oedd o.'

Tynnodd y swyddog amlen blastig allan o fag a oedd dan ei gesail a'i estyn i'r Ditectif Brif Arolygydd. Roedd hi'n ddigon hawdd gweld ei gynnwys trwy'r amlen blastig. Darlun blêr arall, o goes chwith aderyn ysglyfaethus y tro hwn, yn cario teyrnwialen yn y grafanc. Doedd dim geiriau arno, ond roedd y cysylltiad rhwng y llythyrau yn amlwg. Rhewodd Jeff ac edrychodd Lowri ac yntau ar ei gilydd yn gegrwth. Doedd y swyddog ddim yn deall yr arwyddocâd nes i Jeff dynnu ei ddwy amlen blastig ei hun allan o'i fag a'u rhoi wrth ochr y drydedd.

'Rargian, Sarj, lle gawsoch chi'r rheina?'

Pennod 17

Pan oedd Jeff yn sicr fod y gwyddonwyr a'r swyddogion archwilio lleoliadau trosedd wedi gorffen eu gwaith yn safle'r llofruddiaeth ac wedi symud i dŷ Mr Hudson, bachodd ar y cyfle i gael golwg iawn ar y lle. Mi fyddai'r archwiliad ar y tŷ yn debygol o gymryd dyddiau: roedd angen casglu olion bysedd a DNA, a chwilio'n fanwl drwy bob twll a chornel, yr un peth ag yr oedd Trefor Hudson ei hun wedi'i wneud ganwaith, mwya tebyg, yn ystod ei yrfa.

Safodd Jeff yn y ffordd fawr am ychydig funudau i gasglu ei argraffiadau o'r lleoliad. Roedd hon yn ffordd brysur ar gyrion y dref – byddai'n siŵr o fod yr un mor brysur am hanner awr wedi wyth y nos, pan laddwyd Hudson, ystyriodd. Yn sicr, nid y man delfrydol i gyflawni llofruddiaeth broffesiynol. Pam yma, felly, yn hytrach nag yn ei gartref rownd y gornel? Roedd y palmant yn llydan a thamaid o laswellt ar yr ochr allan iddo, a blwch post tua hanner canllath i gyfeiriad y dref. Safai nifer o dai pâr smart yr ochr arall i'r llwybr, a mwy o dai tebyg yr ochr arall i'r ffordd, yn agos i lle bu Jeff yn sefyll yn gynharach yn y dydd. Digon o gyfleoedd i dystion fod wedi medru gweld a chlywed unrhyw ddigwyddiadau amheus, meddyliodd. I'r dde o geg y llwybr doedd dim byd ond coedwig nes cyrraedd y troad i Lwyn Eirin, y stad lle trigai Trefor Hudson.

Cerddodd Jeff i lawr y llwybr cul – doedd o'n ddim

llawer o lwybr, a dweud y gwir, a phrin yr oedd lle i ddau berson basio'i gilydd. Gwelodd ddyn yn sefyll o'i flaen yn y llystyfiant tywyll, dim mwy na ugain llath o'r ffordd fawr. Un o'r swyddogion archwilio lleoliad trosedd – yr un swyddog ag a welodd yn swyddfa Lowri Davies yn gynharach.

'Robin ... ro'n i'n meddwl eich bod chi i gyd wedi gorffen yma,' meddai Jeff.

'Ydan,' atebodd. 'Dim ond cael ail olwg o'n i ... rhag ofn 'mod i wedi methu rwbath pwysig gynna. Ma' hi'n talu i ddod yn ôl weithia ac ailystyried, yn tydi?'

'Ydi,' cytunodd Jeff. 'Fan hyn ddigwyddodd o?'

'Ia, Jeff. Fan hyn yn union.' Roedd Robin ar ei gwrcwd, yn rhwbio'r pridd a'r dail pydredig oddi tano â'i fysedd.

'Os ddigwyddodd y llofruddiaeth am hanner awr wedi wyth, mae'n syndod gen i na ddaeth neb ar draws y corff cyn bore heddiw,' cynigodd Jeff.

'Yn ôl pob golwg, does 'na ddim llawer o ddefnydd yn cael ei wneud o'r llwybr 'ma,' atebodd Robin. 'A rŵan, gan ei bod hi'n tynnu at ddiwed Awst, ma' hi'n dywyll erbyn tua naw, tydi? Pobl mewn oed sy'n byw yn Llwyn Eirin gan fwya, a tydyn nhw ddim yn tueddu i gerdded llwybrau fel hyn ar ôl iddi nosi.'

'Digon gwir. Gawsoch chi'r fwled?' gofynnodd Jeff.

'Do,' atebodd Robin. 'Reit o dan y corff. O dan ei ben o, i fod yn fanwl gywir. Mae'n edrych yn debyg bod rhywun wedi taro Hudson i'r llawr. Pan oedd o'n gorwedd ar ei gefn, rhoddwyd baril y gwn yn erbyn ei dalcen i'w saethu. Sôn am lanast, y creadur. Roedd allanfa'r fwled yn enfawr a darnau o'i benglog a'i ymennydd wedi treiddio'r ddaear. Dyna lle cawson ni'r fwled.'

'Ym mha boced oedd y darlun 'na o goes yr aderyn?'

'Poced tu mewn i siaced ei siwt.'

'Siwt?'

'Ia, un ffurfiol, dipyn yn hen-ffash.'

Cerddodd y ddau ar hyd y llwybr, am tua chanllath i gyfeiriad stad Llwyn Eirin. 'Oedd 'na rwbath yn fan hyn?' gofynnodd Jeff.

'Dim byd.'

'Oes modd cadarnhau ai cerdded y llwybr o'r stad am y ffordd fawr oedd o, i leoliad yr ymosodiad, neu gafodd o'i dynnu i mewn o ochr y lôn?'

'Mi fyswn i'n deud mai cael ei dynnu i mewn i'r llwybr ddaru o,' atebodd Robin. 'Weli di pa mor fwdlyd ydi'r llwybr yn fama ar ôl y storm gawson ni echnos? Wel, doedd dim arwydd o fwd ar ei sgidia fo, a does 'na ddim mwd y pen arall i'r llwybr.'

O ben arall y llwybr roedd heddweision ac archwilwyr lleoliad trosedd fel morgrug o amgylch tŷ Trefor Hudson. Penderfynodd Jeff beidio ymyrryd â nhw. Dim ei le o oedd busnesu ... dim ar hyn o bryd, o leiaf.

Erbyn hanner awr wedi chwech, roedd y Ditectif Brif Arolygydd Lowri Davies yn ôl o'r post mortem, a dechreuodd y stafell ymgynnull yng ngorsaf heddlu Glan Morfa lenwi ar gyfer y gynhadledd gyntaf. Eisteddodd Jeff Evans yn y cefn – er ei fod yn dal ar ei wyliau yn swyddogol, roedd o eisiau gwrando ar ffeithiau'r achos hyd yma, rhag ofn bod cysylltiad â'i ymchwil personol o.

Cymerodd Lowri ei lle ar y llwyfan bychan o flaen pawb a daeth distawrwydd dros yr ystafell. Erbyn hyn roedd yr holl dditectifs o'i blaen wedi dod i arfer â'i dull anarferol hi o weithio, oedd mor wahanol i uwch-swyddogion eraill yr heddlu. Profodd yr ymchwiliad mawr cyntaf iddi ei arwain ei bod yn hen ddigon atebol i arwain criw o dditectifs sinigaidd – a chadw trefn arnyn nhw. Dechreuodd drwy ganolbwyntio ar y dioddefwr.

'Dyn chwe deg wyth oed oedd Trefor Hudson, gŵr gweddw a chyn-dditectif yn Heddlu Gogledd Cymru. Roedd wedi ymddeol ers pymtheng mlynedd – yn ochrau Fflint y treuliodd y rhan fwyaf o'i yrfa, ac roedd ei gyd-weithwyr yn meddwl yn uchel ohono.' Edrychodd o'i chwmpas er mwyn cadarnhau fod pawb yn gwrando. 'Gweithiodd iddo'i hun yn dditectif preifat ar ôl ymddeol, a symudodd i'r ardal hon saith mlynedd yn ôl ar ôl colli'i wraig. Roedd ganddo gysylltiadau blaenorol â Glan Morfa. Parhaodd i weithio iddo'i hun yn rhan amser ar ôl cyrraedd yma, a châi'r rhan helaethaf o'i waith gan gyfreithwyr yr ardal. Bu'n ymchwilio i faterion troseddol a sifil ... efallai fod hynny'n berthnasol. Oedd o wedi bod mewn cysylltiad â throseddwyr yn yr ardal? Achos ei farwolaeth oedd un fwled trwy ei ben, o'r talcen i'r cefn. Roedd mân-gleisiau ar ei wddf hefyd, sy'n awgrymu bod rhywun wedi'i daro cyn ei saethu. Yn fy marn i, mae pwy bynnag wnaeth hyn wedi gwneud yr un peth o'r blaen. Llofrudd proffesiynol, efallai. Rydan ni wedi darganfod y fwled ac mi fydd canlyniadau'r profion arni ar gael cyn bo hir. Dylai hynny gadarnhau a ydi'r gwn wedi cael ei ddefnyddio i gyflawni trosedd o'r blaen.

Oedodd Lowri a cherdded o gwmpas y llwyfan yn hamddenol cyn parhau. Oedd, meddyliodd Jeff, roedd hi wedi dysgu lot ers y tro diwethaf iddi arwain ymchwiliad o'r fath.

'Rŵan ta, y tŷ. Tydi'r archwilwyr ddim wedi gorffen yn y fan honno eto. Efallai y bydd eu gwaith yn cymryd hyd at dridiau, ond mae un neu ddau o bethau wedi codi yn barod. Mae olion bod rhywun neu rywrai wedi torri i mewn i'r tŷ. Malwyd ffenest y gegin yn y cefn er mwyn galluogi rhywun i'w hagor a dringo i mewn trwyddi. Does dim yn anghyffredin yn y dull hwn o dorri i mewn, ac mae fforensics wedi medru cadarnhau fod pwy bynnag a oedd yn gyfrifol yn gwisgo menig rwber, fel menig golchi llestri. Mi wyddoch chi ddynion am y rheiny, dwi'n siŵr,' meddai, gan godi ei haeliau'n awgrymog, a chwarddodd mwyafrif y gynulleidfa. 'Pa bryd yn union y torrwyd i mewn i'r tŷ, wyddon ni ddim,' parhaodd, 'ond mi fyswn i'n awgrymu mai ar ôl y llofruddiaeth y digwyddodd y peth. Roedd cyfrifiadur yn y tŷ – mae'r gwifrau, y monitor a'r printar yn dal i fod yno, ond does dim sôn am y cyfrifiadur ei hun ... y darn sy'n cynnwys y ddisg galed. Rydan ni'n gwneud ymholiadau mewn siopau sy'n trin nwyddau cyfrifiadurol rhag ofn bod Trefor Hudson wedi mynd â fo i'w drwsio, ac mae cael gafael ar hwnnw'n flaenoriaeth. Yn ôl cyn gydweithwyr Trefor Hudson, roedd o'n dditectif cydwybodol, ac yn gwneud nodiadau trwyadl ar bob achos. Dydi arferion dyn byth yn newid, felly mae'n rhaid ei fod wedi cofnodi'r hyn roedd o'n gweithio arno pan laddwyd o.'

'Be am go' mawr allanol, neu go' bach?' gofynnodd llais o'r llawr.

'Tydan ni ddim wedi dod ar draws 'run hyd yn hyn,' atebodd Lowri Davies. 'Ond os oes 'na un ar gyfyl y tŷ, mae'n siŵr o ddod i'r fei. Ond rŵan, mi fyswn i'n hoffi troi at ei symudiadau olaf. Mae amryw yn deud iddyn nhw'i weld o a siarad efo fo yn ystod y dydd, ac roedd o i'w weld yn ymddwyn yn hollol normal. Gwelwyd o gan un o'i gymdogion yn gadael y tŷ neithiwr, ychydig ar ôl hanner awr wedi wyth. Bryd hynny, roedd golwg nerfus ar Mr Hudson, yn edrych i fyny ac i lawr y lôn cyn cloi'r drws ffrynt a gadael y tŷ. Cerddodd yn anarferol o gyflym, yn frysiog hyd yn oed, i gyfeiriad y ffordd fawr. Cyfarchodd y cymydog ef ond wnaeth Hudson ddim ateb, ac roedd hynny hefyd yn anarferol iawn. Yn amlwg, roedd rwbath yn ei boeni o.'

Gwelodd Jeff lygaid Lowri yn troi ato a gwyddai beth oedd ar ei meddwl.

'Mi gafodd Ditectif Sarjant Evans sgwrs efo Trefor Hudson neithiwr. Wnewch chi roi'r manylion i ni, os gwelwch chi'n dda, Sarjant?'

Doedd dim gobaith i'w ymchwiliad personol aros yn bersonol rŵan, meddyliodd Jeff pan welodd bob pen yn yr ystafell yn troi i'w gyfeiriad.

'Mi ges i neges neithiwr yn dweud bod Mr Hudson wedi bod yn trio cael gafael arna i. Mi ffoniais o'n ôl a dweud y byswn i'n cysylltu â fo bore heddiw. Erbyn i mi gyrraedd yno ganol y bore ro'n i'n rhy hwyr.'

'Faint o'r gloch gawsoch chi'r sgwrs efo Hudson neithiwr, Sarjant Evans?' gofynnodd y Ditectif Brif Arolygydd.

'Chwarter wedi wyth.'

'A dim mwy nag ugain munud ar ôl eich sgwrs, gadawodd Trefor Hudson ei gartref yn frysiog – y tro olaf iddo gael ei weld yn fyw. Mae'r wybodaeth hon yn cadarnhau fy namcaniaeth mai ar ôl y llofruddiaeth y torrwyd i mewn i'r tŷ. Oes ganddoch chi unrhyw syniad be roedd o isio'i ddeud wrthach chi, Sarjant Evans?' parhaodd.

'Nag oes, dim yn uniongyrchol,' atebodd Jeff. 'Ond roedd Trefor Hudson yn daid i Brian Owen, y pêl-droediwr a anafwyd yn ddifrifol mewn damwain car chydig dros wythnos yn ôl. Yr amheuaeth ydi bod cocên wedi'i gymysgu â strycnin wedi chwarae rhan yn y ddamwain ... y cocên sy'n cael ei werthu yn y dre 'ma ar hyn o bryd. Mae gen i reswm i feddwl fod rhywun yn ceisio fy nghysylltu i â'r busnes hwnnw rhywsut gan ddweud mai fi sy'n gyfrifol am ddod â'r cyffur i Lan Morfa. Ond yn fwy na hynny, mae pwy bynnag sy'n gwneud yr honiad hwnnw wedi danfon llythyrau dienw– tri hyd yma. Danfonwyd y cyntaf i mi pan o'n i ar fy ngwyliau yng ngwlad Groeg, yr ail i un o feddygon y dref a chafodd y trydydd ei ddarganfod ar gorff Trefor Hudson heddiw. Llythyrau tebyg, efo lluniau tebyg arnyn nhw.'

Dechreuodd y gynulleidfa o'i flaen siarad efo'i gilydd o dan eu gwynt.

'Dwi'n ymwybodol eich bod chi'n dal i fod ar eich gwyliau, Sarjant Evans,' parhaodd Lowri Davies, 'ond hoffwn i chi roi adroddiad yn y system er mwyn i bawb fod yn gyfarwydd â'r holl fanylion. Heno, os gwelwch yn dda, fel bod yr wybodaeth ar gael i bawb erbyn bore fory.'

Dyna ei noson o ymchwilio ymhellach i fater y llythyrau a'r cyffuriau wedi mynd yn ffliwt, meddyliodd Jeff. Erbyn hyn, rhagwelai na fyddai'n cael hamdden i ddilyn ei drwyn yn ei ffordd ei hun – ond beth oedd hynny o'i gymharu â ffawd Trefor Hudson druan?

'I fynd yn ôl at neithiwr,' meddai Lowri Davies pan drodd pawb yn ôl i edrych arni. 'Mae nifer o dai yn ardal y drosedd, ac mae'r ochr honno o'r dref yn eithaf prysur. Dwi'n synnu na welodd neb Trefor Hudson ar ôl iddo gyrraedd y ffordd fawr, allan o Lwyn Eirin. A pheth arall sy'n arwyddocaol ydi na chlywodd neb sŵn gwn yn cael ei danio neithiwr. Mae'n debygol felly fod y llofrudd wedi defnyddio tawelydd – ffaith arall sy'n awgrymu llofruddiaeth broffesiynol.'

Cododd un o'r ditectifs ei law i ddenu sylw'r Ditectif Brif Arolygydd, ac amneidiodd Lowri Davies arno i siarad.

'Pan o'n i'n holi trigolion yr ardal pnawn 'ma,' meddai, 'dywedodd un wraig wrtha i nad oedd hi wedi gweld na chlywed dim byd o'i le neithiwr, ond bod 'na ddyn amheus yn hongian o gwmpas yn gynnar bore 'ma, cyn i'r corff gael ei ddarganfod. Welodd hi mohono fo wedi i'r heddlu gyrraedd.'

'Peth rhyfedd,' atebodd Lowri Davies. 'Fyswn i ddim yn disgwyl i lofrudd proffesiynol ddod yn ôl i leoliad y drosedd. Oes 'na ddatganiad, a disgrifiad o'r dyn, ar y system?'

'Dim eto,' atebodd. 'Newydd ddod yn ôl ar ôl cymryd y datganiad ydw i. Ac yn anffodus does 'na ddim llawer o ddisgrifiad. Dyn reit fawr, tal a llydan ... canol oed, gwallt cwta cyrliog tywyll neu lwyd ... ac roedd o'n gwisgo côt ledr frown. Dyna'r cwbwl ma' hi'n gofio.'

'Lle oedd o?'

'Tu allan i'w thŷ hi, sydd ar draws y ffordd i'r blwch postio. Roedd o fel petai'n disgwyl am rwbath. Ddaru hi ddim cymryd llawer o sylw, medda hi.'

'Cofiwch hyn, bawb.'

Ar ôl cloi'r gynhadledd a galw un arall am hanner awr wedi naw y bore canlynol, aeth Lowri Davies yn ôl i'w swyddfa. Dilynodd Jeff hi yno, er mwyn ei holi am deulu Trefor Hudson.

'Dwi'n awyddus i fynd i weld Helen a Dennis, ei ferch a'i fab yng nghyfraith o. Dwi wedi cael sgwrs fer efo Dennis yn barod, ac mi ddeudodd o nad oes gan Helen fawr o amser i'r heddlu,' esboniodd. 'Mae'n anodd credu bod un teulu wedi gorfod diodda cymaint mewn amser mor fyr.'

'Gwir,' cytunodd Lowri. 'Mae tîm gwarchod y teulu wedi bod yno efo nhw drwy'r dydd – maen nhw'n deud bod Helen Owen mewn sioc. Be sy ganddi yn ein herbyn ni, beth bynnag?'

'Y cyffuriau yn y dref, a'n bod ni, yr heddlu, wedi gadael i'r lle 'ma fynd i'r fath gyflwr.'

'Tydi hi ddim yn meddwl mai cyfrifoldeb y rhieni ydi rhybuddio'u plant ynglŷn â chyffuriau?'

'Pwynt teg,' cytunodd Jeff. 'Ond os ydw i'n iawn, mi gafodd y cyffur yn achos Brian ei guddio mewn potel o Diet Coke. Mi gawn ni gadarnhad o hynny, gobeithio, pan ddaw canlyniadau'r profion yn ôl o'r labordy. Ond dwi'n teimlo bod gen i ddyletswydd i fynd i weld Dennis a Helen cyn gynted â phosib. Mynd heno oedd fy mwriad i.'

'Dim cyn i chi roi'r adroddiad llawn y gofynnais i amdano fo ar system yr ymchwiliad, Jeff. Mae'r wybodaeth honno'n bwysig, er mai dim ond darnau o ryw dderyn sy'n cysylltu'r cwbwl ar hyn o bryd.' Roedd yn ddigon hawdd gweld nad oedd Lowri wedi'i hargyhoeddi.

'Gwrandwch arna i am funud,' meddai Jeff yn bwyllog – yn ddigon pwyllog i wneud i'w bennaeth sylweddoli ei fod o ddifrif, 'rydw i'n berffaith saff fod 'na gysylltiad rhwng hyn i gyd. A dyna pam dwi'n fodlon treulio dyddiau olaf fy ngwyliau yn trio darganfod pwy sy tu ôl i'r bygythiad 'ma. Cofiwch fod y bygythiad cynta wedi dod i mi ar y traeth ym Mae Troulos efo 'nheulu – cyn 'mod i'n ymwybodol o'r cyffuriau budur na'r miri efo'r puteiniaid. Bygythiad personol. Dwi wedi dechrau dilyn fy nhrwyn ... a dwi'n siŵr o ddod at y gwir cyn bo hir. Ond mae mwrdwr Trefor Hudson wedi chwalu'r cynlluniau hynny, gwaetha'r modd. Dwi wedi cael fy nal yng nghanol eich ymholiad chi erbyn hyn, yn do?' Sylwodd Jeff fod Lowri Davies yn edrych arno'n ansicr, felly parhaodd i siarad. 'Wrth gwrs, mi ydw i'n berffaith fodlon – yn fwy na bodlon – sgwennu'r adroddiad 'na ar y system i chi heno, ond mi fyswn i'n lecio parhau i fod ar fy ngwyliau, am chydig ddyddiau, o leia, er mwyn medru ymchwilio i'r sefyllfa o ongl bersonol yn hytrach nag un swyddogol.'

Cododd Lowri ar ei thraed a cherddodd o amgylch yr ystafell yn araf. Gwyddai Jeff o brofiad fod ei meddwl ar garlam, a bod ei gais yn mynd yn hollol groes i'w greddf. 'Dipyn o rebel fuoch chi erioed yntê, Jeff Evans? Ddeudais i bore 'ma 'mod i'n gobeithio cael eich cymorth chi pan ges i fy ngyrru yma i arwain yr ymchwiliad ... y bysach chi'n gefn i mi yn ystod achos mawr arall. Ond mi ddysgais i y tro dwytha i ni gydweithio na tydach chi ddim fel plismyn eraill.' Gwenodd arno, er ei bod wedi trio'i gorau i gadw wyneb syth. 'Be am i ni gyfaddawdu, Ditectif Sarjant Jeffrey Evans? Mi adawa i i chi ddilyn eich trwyn yn eich ffordd unigryw eich hun ... ond mae amodau. Mae popeth fyddwch chi'n 'i ddarganfod, popeth sy'n berthnasol i'r ymchwiliad i lofruddiaeth Trefor Hudson, i gael ei rannu efo fi yn bersonol cyn gynted â phosib, a'i roi ar y system er mwyn i bawb allu elwa ohono. Iawn?'

'Iawn.' Doedd gan Jeff ddim bwriad i guddio'i wên eu hun.

'Yn ail, dydach chi ddim i fynd ar unrhyw drywydd

dadleuol cyn trafod y peth efo fi o flaen llaw. Mi wyddoch chi'n iawn be dwi'n feddwl.'

Gwenodd Jeff eto. 'Siŵr iawn,' cytunodd.

'Un peth arall,' ychwanegodd Lowri. 'Yr adroddiad 'na ... cyn i chi fynd adra heno.'

'Wrth gwrs.'

Roedd hi'n tynnu at wyth o'r gloch y nos, ac ar ôl ffonio'i deulu yn Ffestiniog, eisteddodd Jeff wrth ei ddesg. Gwaith yn galw eto, ar f'enaid i, meddyliodd wrth ddechrau teipio. Gweithiai'n well o gael y swyddfa iddo'i hun, ond fe'i cafodd yn anodd glynu at y ffeithiau yn ei adroddiad gan fod ei ragdybiaethau personol yn mynnu dod i'r wyneb. O ganlyniad, roedd ymhell wedi hanner nos arno'n gorffen. Bu'n ddiwrnod hir.

Pennod 18

Er iddo geisio ymlacio ar ôl cyrraedd adref, roedd ymennydd Jeff yn gwrthod gollwng gafael ar waith. Yn ogystal, roedd ei lygaid yn llosgi a'i stumog yn grwgnach. Gwyddai o brofiad nad oedd fawr o bwynt iddo fynd i'w wely, felly agorodd botel o wisgi The Balvenie a thywalltodd fesur sylweddol iddo'i hun.

Roedd y noson yn drymaidd, ac eisteddai Jeff yn nhywyllwch yr ystafell haul mewn pâr o siorts a chrys T, yn syllu ar draws y bae ar y mellt oedd, bob hyn a hyn, yn disgleirio'n flanced arian dros y gorwel. Agorodd ddrws y patio er mwyn cymryd mantais o awel ysgafn y môr, a chymryd llymeidiau bach o wisgi brag o'r gwydr cerfiedig yn ei law, gan wrando ar y rhew yn clecian wrth doddi.

Ni allai waredu digwyddiadau'r wythnos flaenorol o'i feddwl. Roedd wedi trin y nodyn cyntaf fel bygythiad personol o'r cychwyn, ond wnaeth o ddim rhag-weld y byddai sylw'r 'gelyn' yn arwain at lofruddiaeth Trefor Hudson. Oedd y ddau beth yn gysylltiedig, ynteu a oedd ei ddychymyg yn rhy weithgar? Dilynodd Jeff y trywydd ymhellach. Oedd hi'n fwriad lladd Trefor Hudson o'r dechrau, neu a oedd Hudson wedi dod i sylw'r llofrudd drwy gysylltu â fo y noson cynt? Ai damwain Brian Owen a Wil Morgan oedd y cysylltiad? Os felly, roedd yn sefyll i reswm mai busnes y cocên oedd y tu ôl i'r cwbl. Wedi'r cyfan, dyna oedd achos y ddamwain, er nad oedd y bechgyn wedi'i gymryd yn fwriadol. Cwestiwn arall a'i trawodd yn nhywyllwch y nos oedd pam Brian a Wil? Roedd Jeff mor sicr ag y gallai fod nad oedd yr un o'r ddau athletwr ifanc yn defnyddio unrhyw fath o gyffuriau, felly a gawson nhw eu targedu'n fwriadol? Allai o ddim aros i weld canlyniadau'r profion ar y botel Diet Coke. I fynd gam ymhellach, os oedd yn rhaid cuddio'r cyffur yn y ddiod, byddai'n rhaid bod pwy bynnag a oedd yn gyfrifol am wneud hynny yn y clwb ar y pryd.

Cododd Jeff ei ben pan dynnwyd ei sylw gan fellten fforchog dros y bae tywyll o'i flaen. Cyn iddo allu cyfrif i saith, clywodd glec y daran, a'i murmur yn diflannu'n araf ymhell yn y fagddu. Ymhen dim, clywodd sŵn dafnau trymion o law yn dechrau taro'r gwydr uwch ei ben – un neu ddau yn unig i ddechrau, nes iddynt droi'n llif a sŵn byddarol. Cododd i gau drws y patio cyn cymryd llymaid bach arall o'r gwirod. Cynhesodd ei wddf ar unwaith.

Beth oedd Trefor Hudson wedi'i ddarganfod, tybed, oedd yn ddigon o reswm i'w ladd? Gwyddai Jeff o brofiad fod pobl a oedd yn delio mewn cyffuriau fel cocên yn bobl galed, yn hitio yr un gronyn am neb na dim ond eu cyfoeth a'u pŵer eu hunain – neu yn ei werthu i dalu am eu habit eu hunain, wrth gwrs. Ym mha gategori oedd pwy bynnag a roddodd y botel ddiod i Wil, tybed? Oedd 'na reswm arall – talu'n ôl am rywbeth roedd Wil neu Brian wedi'i wneud? Efallai fod Trefor Hudson wedi darganfod rhywbeth a fyddai'n profi'r ddamcaniaeth honno.

Daeth mellten arall i oleuo'r stafell, ac roedd y daran a ddaeth yn ei sgil o fewn eiliad yn ddigon i ysgwyd sylfeini'r tŷ. Ond roedd meddwl Jeff yn dal i chwilio am atebion.

Roedd eisoes wedi gofyn iddo'i hun beth oedd y

bechgyn a Trefor Hudson wedi'i wneud i haeddu eu ffawd, ond dechreuodd ddyfalu nawr beth roedd o'i hun wedi'i wneud i haeddu'r fath sylw. Yr awgrym oedd bod awdur y llythyrau am geisio chwalu ei yrfa a'i enw da yn ulw ... ffawd wahanol iawn i'r driniaeth roedd y tri arall wedi'i dioddef. A pham yr honiad ei fod o'n gyfrifol am ddod â chyffuriau a chlefydau gwenerol i'r ardal? Roedd rhywun wedi mynd i drafferth fawr i wneud y cyhuddiad yn gyhoeddus, gan ddefnyddio'r meddyg a'r wasg. Ni allai ddirnad cynllun mor frwnt, na pham fod y 'gelyn' ddim ond eisiau ei bardduo fo pan oedd yn barod i ladd eraill.

Allai o ddim meddwl am gysgu, ddim hyd yn oed am ddeng munud i ddau y bore, oherwydd gwyddai fod tasg anodd o'i flaen y bore canlynol, sef mynd i weld Dennis a Helen Owen i holi am berthynas Trefor â'i ŵyr, Brian. Penderfynodd fynd am gawod – erbyn hyn roedd y glaw yn taro'r to gwydr uwch ei ben fel marblis, a daeth syniad rhagorol i'w ben. Aeth i nôl tywel mawr a bar o sebon o'r stafell ymolchi, a dadwisgodd. Yn hollol noeth, gafaelodd yn y sebon a cherdded allan ar y patio i ganol y glaw trymaf iddo'i brofi erioed. Dechreuodd rwbio'r sebon dros ei gorff nes yr oedd yn drochion drosto, a phan ddaeth y fellten nesaf, gwelwyd, am eiliad yn unig, olygfa nas gwelwyd yn agos i Lan Morfa erioed o'r blaen.

Pennod 19

Disgwyliodd Jeff tan hanner awr wedi deg y bore canlynol cyn torri ar draws galar Dennis a Helen Owen. Doedd hi ddim yn teimlo mor drymaidd â'r diwrnodiau blaenorol gan fod y storm wedi clirio'r aer – a chlirio'i ben yn y fargen.

Mewn ffordd, roedd yn falch pan welodd un o geir yr heddlu tu allan i'r tŷ fel yr oedd o'n cyrraedd. Un o'r tîm cyswllt teulu, mwy na thebyg, a byddai presenoldeb wyneb caredig ar ran yr heddlu wedi tawelu'r dyfroedd i ryw raddau, gobeithiodd.

Plismones nad oedd o'n ei hadnabod a agorodd y drws. Rhoddodd wên sych iddo wrth lenwi'r drws i'w atal rhag pasio. Estynnodd Jeff ei gerdyn swyddogol a chamodd y ferch o'r neilltu.

'Ddrwg gen i. Meddwl efallai mai un o'r wasg oeddach chi. Maen nhw wedi bod yn hofran o gwmpas yn barod bore 'ma.'

'Dim problem,' atebodd Jeff. 'Sut maen nhw?'

Cododd y ferch ei hysgwyddau i awgrymu fod trigolion y tŷ dan deimlad, fel y disgwyl.

Eisteddai'r ddau gyda'i gilydd ar y soffa, yn agos ond heb fod yn cyffwrdd. Cynigiodd y blismones aros y tu allan i'r ystafell iddynt gael llonydd ond mynnodd Jeff ei bod yn aros – credai y byddai'n dda iddi fod yn ymwybodol o'r darlun cyflawn.

Dechreuodd Dennis Owen godi ar ei draed ond arwyddodd Jeff arno i beidio. Estynnodd y ditectif gadair ysgafn iddo'i hun a'i gosod gyferbyn â Helen Owen. Doedd hi, hyd yma, ddim wedi codi'i phen i edrych arno.

'Ditectif Sarjant Evans ydi hwn,' meddai Dennis wrthi. 'Fo ddaeth yma dridiau yn ôl – ti'n cofio fi'n deud wrthat ti?'

Cododd Helen Owen ei phen rhywfaint, digon i daro golwg sydyn arno. Gwaedai calon Jeff dros y ddynes nad oedd wedi cael cyfle i ddod i delerau â damwain ei mab cyn derbyn y newyddion syfrdanol bod ei thad wedi'i saethu'n farw. Ceisiodd ystyried creulondeb y sefyllfa. Un digwyddiad ar ôl y llall, ac o fewn cyn lleied o amser. Ni allai Jeff feddwl am unrhyw eiriau a fyddai'n dod yn agos at gynnig unrhyw gysur.

'Mae'n wir ddrwg gen i, Mrs Owen. Yr unig beth fedra i ddeud ydi y gwna i bopeth o fewn fy ngallu i ddarganfod pwy sy'n gyfrifol am hyn i gyd.'

'Hyn i gyd?' meddai Helen trwy'r dagrau a ddisgynnai o'i llygaid coch. 'Mae hi chydig yn hwyr rŵan, tydi? Mae bywyd Brian wedi'i ddinistrio a 'nhad wedi'i saethu'n farw o flaen eich trwynau chi. Fedar popeth o fewn eich gallu ddim dod â Dad yn ôl na gwella Brian, yn na fedar, Sarjant Evans?' meddai'n wawdlyd. 'Lle oedd yr heddlu pan oedd y dre 'ma'n dechra troi yn lle mor beryg? Biti na fysa 'na fwy o blismyn fel Dad o gwmpas. Plismyn cydwybodol.'

Wnaeth Jeff ddim ymateb – wedi'r cyfan, roedd ganddi hawl i'w barn, a hawl i ymddwyn fel y mynnai, dan yr amgylchiadau. Diolchodd nad oedd yn ymwybodol o'r llythyrau a'u hawgrym mai fo oedd yn gyfrifol am ddenu'r helynt i'r dref. Byddai hynny'n tywallt olew ar y fflamau go iawn.

'Wyddech chi fod eich tad wedi cysylltu â fi y noson y bu farw?' gofynnodd. 'Yn amlwg, roedd ganddo rwbath ar ei feddwl – rwbath yr oedd o'n awyddus i'w rannu efo fi ar fyrder.'

Mi weithiodd y cwestiwn. Gwelodd Jeff y newid yn ei hagwedd yn syth. Cododd ei phen a syllu arno'n chwilfrydig.

'Be?'

'Do'n i ddim yn yr ardal 'ma ar y pryd, a doedd o ddim isio trafod y mater dros y ffôn. Mi ges i'r argraff o'r ffordd yr oedd o'n siarad ei fod o'n fater brys, felly mi wnes i drefniadau i'w gyfarfod o bore ddoe.' Oedodd. 'Roedd hynny'n rhy hwyr, mae gen i ofn.'

Agorodd ceg Helen Owen mewn syndod wrth amsugno'r wybodaeth newydd. Rhoddodd Dennis ei fraich o amgylch ei hysgwyddau, ond ddywedodd yr un o'r ddau air. Wnaeth Jeff ddim brysio i orffen ei stori – er cymaint yr oedd o'n teimlo drostyn nhw roedd o wedi dod yno i gael gwybodaeth angenrheidiol. Yn ara deg mae dal iâr, meddan nhw, ac roedd o'n fodlon bod yn amyneddgar a phenderfynol i gael eu cydweithrediad.

'Mae gen i syniad eitha da be dach chi'n mynd trwyddo fo,' dechreuodd Jeff ymhen sbel, 'ond mae un peth yn sicr, all yr ymchwiliad i lofruddiaeth eich tad, na'r un i ddamwain Brian, ddim symud ymlaen heb i ni fod yn dallt ein gilydd, Mr a Mrs Owen. Mae hynny'n sicr i chi. Mae'n rhaid i chi ... mae'n rhaid i *ni*, weithio efo'n gilydd neu fydd ganddon ni ddim gobaith o gael canlyniad boddhaol.' Roedd y ddau yn gwrando'n astud. 'Rŵan ta,' parhaodd, 'mi ydw i'n credu bod cysylltiad rhwng damwain Brian a llofruddiaeth eich tad, Mrs Owen. Mi wyddon ni fod cocên a strycnin yng ngwaed Brian yn dilyn y ddamwain, ac yng nghorff Wil Morgan hefyd ... llawer mwy yng nghorff Wil na Brian, yn ôl pob golwg. Does gen i ddim tystiolaeth gadarn o hyn, ond mae fy ymholiadau yn fy arwain at y posibilrwydd fod rhywun wedi rhoi'r cyffuriau i Brian a Wil yn fwriadol, a heb yn wybod iddyn nhw. Ei guddio mewn diod, efallai. Pam? Wyddon ni mo hynny eto. Ond mi ydw i'n ymwybodol o enw da eich tad fel ditectif, Mrs Owen, er na wnes i erioed weithio efo fo. Chwilio ydw i am unrhyw dystiolaeth bod eich tad wedi bod yn gwneud ei ymholiadau ei hun i'r mater, a'i fod o wedi darganfod rwbath a'i gyrrodd i'w fedd. *Rhaid* i mi ddarganfod os ydw i ar y trywydd iawn ai peidio.'

Edrychodd Jeff ar y ddau o'i flaen yn ystyried ei eiriau. Gwelodd drwy gornel ei lygad fod y blismones yn gegrwth – yn amlwg, doedd hi ddim wedi disgwyl clywed Jeff yn siarad mor blaen.

'Wel?' gofynnodd, gan gadw'r pwysau arnynt i gydweithredu.

'Fysach chi byth yn coelio pa mor agos oedd Dad a Brian,' meddai Helen yn dawel. 'Roedd y ddau mor ffond o'i gilydd, yn enwedig ar ôl colli cymaint o flynyddoedd yng nghwmni ei gilydd pan oeddan ni'n byw dramor. Roedd Dad wrth ei fodd pan glywodd ein bod ni'n dod yn ôl i fyw i'r ardal 'ma, ac mor hynod o falch fod Brian yn gwneud yn dda ar y cae pêl-droed. Felly pan ddigwyddodd y ddamwain, a'r awgrym bod y ddau yn cymryd cyffuriau, doedd Dad ddim yn coelio hynny am funud.'

'Sut fysach chi'n disgwyl i'ch tad ymateb i'r honiad?'

Roedd Jeff yn ofalus sut y gofynnodd y cwestiwn, gan geisio osgoi'r temtasiwn i roi geiriau yn ei cheg.

'Mi oedd o'n wallgo bod y fath beth yn cael ei awgrymu yn y dre 'ma. A doedd o ddim yn un am adael i'r math yna o siarad barhau – enw da Brian yn cael ei sathru dan draed a fynta'n gorwedd rhwng byw a marw yn yr ysbyty – nag oedd wir. Mi oedd o'n benderfynol o gyrraedd at y gwir, ac yn grediniol mai fo oedd yr unig un i allu gwneud hynny. Roedd y cwbwl mor bersonol, dach chi'n gweld.'

Gwenodd Jeff. Mater personol? Deallai'r teimlad hwnnw'n iawn.

'Ddywedodd o be oedd o am 'i wneud?'

'Cael gafael ar bwy bynnag oedd yn rhannu'r stwff, medda fo, a'i gloi o i fyny fel bysa fo wedi'i wneud ers talwm, cyn iddo fo ymddeol.'

Gwenodd Jeff eto. Buasai wedi hoffi cael adnabod Trefor Hudson. 'Wyddoch chi be oedd canlyniadau ei ymholiadau? Ddaru o ddarganfod rwbath o bwys?'

'Os wnaeth o, Sarjant Evans, ddeudodd o ddim wrthan ni ... naddo, cariad?' Dennis atebodd, gan edrych ar ei wraig am gadarnhad.

'Naddo,' cytunodd hithau. 'Un fel'na oedd o. Cadw pob dim iddo fo'i hun – ond dwi'n siŵr y bysa fo wedi gadael i ni wybod tasa ganddo fo unrhyw newyddion.'

'Nid os bysa'r wybodaeth yn peryglu'n bywydau ni,' ategodd Dennis.

'Ers pryd bu eich tad yn ymchwilio i'r sefyllfa? Mae hyn yn bwysig er mwyn i mi, fel ditectif fy hun, geisio deall faint o wybodaeth roedd o'n debygol o fod wedi'i ddarganfod cyn ei farwolaeth.'

'Mi ddechreuodd ar y gwaith o fewn deuddydd neu dri i'r ddamwain 'swn i'n deud,' atebodd Helen. 'Tan echnos.' Dechreuodd wylo eto, a newidiodd Jeff lwybr yr holi.

'Sut mae Brian erbyn hyn?'

'Roedd o mewn coma am ddyddiau ar ôl y ddamwain,' esboniodd Helen. 'Ond mae o allan ohoni ers wythnos a mwy bellach. Dyna'r newyddion da. Y newydd drwg ydi na fydd o byth yr un peth eto. Ŵyr y doctoriaid ddim fedran nhw achub ei goes dde ai peidio. Wneith o ddim chwarae pêl-droed eto, mae hynny'n bendant.'

'Fu eich tad yn ei weld o yn yr ysbyty, Mrs Owen?'

'Wel do, siŵr iawn, nifer o weithia.'

'Ar ôl iddo ddod allan o'r coma?'

'Ia, fwy nag unwaith, a chyn hynny hefyd.'

'Ar ôl iddo ddod allan o'r coma, ddaru eich tad siarad efo Brian, ei holi fo?'

'Wel, do'n i ddim yno ar hyd yr amser, ond synnwn i ddim ei fod o wedi trio holi be'n union ddigwyddodd y noson honno. Ond wir rŵan, Sarjant Evans, does gen i ddim syniad os oedd fy nhad rhywfaint callach.'

'Wyddoch chi i ble aeth eich tad i wneud ei ymholiadau?'

Dennis atebodd y tro hwn, a throdd at ei wraig. 'Wel, cariad,' meddai, 'mi wyddost ti sut un oedd dy dad. Unwaith roedd o'n rhoi ei feddwl ar rwbath, i ffwrdd â fo. Fel ro'n i'n deud, ddaru o ddim sôn wrthan ni ei fod o wedi ffeindio dim, ond mi glywais ei fod o wedi dechrau mynd i'r clwb pêl-droed am beint – a chlywais i erioed mohono fo'n sôn am fynd i fanno o'r blaen. Dim i'r math yna o le roedd o'n arfer mynd, felly 'swn i'n meddwl bod 'na reswm da iddo fynd yno.'

'Oedd o'n gwneud llawer o ddefnydd o'i gyfrifiadur?' gofynnodd Jeff.

'Gwneud defnydd!' ebychodd Helen. 'Roedd o arno fo drwy'r dydd, bob dydd, yn cofnodi manylion – ac yn dipyn o arbenigwr technegol hefyd.'

'Wyddech chi fod ei gyfrifiadur o wedi diflannu o'r tŷ? Meddwl oeddan ni tybed oedd o wedi'i yrru fo i ffwrdd i gael ei drwsio?'

'Dim peryg,' atebodd Helen yr un mor bendant. 'Roedd Dad yn ddigon o foi i drwsio unrhyw gyfrifiadur ei hun.'

Cododd Jeff ar ei draed. 'Mi hoffwn inna gael gair efo Brian, os fysa hynny'n iawn efo ...'

'Ma' hi'n rhy fuan o lawer, Sarjant Evans. Mae o'n rhy wan,' meddai Helen yn frysiog cyn i Jeff gael amser i orffen ei frawddeg. 'Dyna mae'r doctoriaid yn ei ddeud, a fedrwn ni ddim cymryd y risg na fyddai cael ei holi gan yr heddlu yn gwaethygu ei gyflwr. Duw a ŵyr sut na pha bryd y medrwn ni ddeud wrtho bod ei daid wedi ei lofruddio, a bod Wil wedi marw hefyd. Mi fydd hynny'n siŵr o gael effaith andwyol arno fo.'

'Dwi'n cydymdeimlo efo chi. A dwi'n dallt eich safbwynt chi'n iawn, Mrs Owen, ac yn ei barchu. Ond cofiwch, efallai fod gan Brian un neu ddau o atebion a fyddai'n rhoi'r hwb angenrheidiol i'r ymchwiliad – nid yn unig i fusnes y cyffuriau ond i lofruddiaeth eich tad hefyd. Holwch y meddygon sy'n gyfrifol amdano, os gwelwch yn dda, a gadewch i mi wybod y munud y bydd o'n ddigon da i mi fynd i'w weld o. Mi fydda i'n dyner iawn efo fo, dwi'n addo i chi.'

Cododd Helen Owen ar ei thraed. 'Dwi'n siŵr y byddwch chi,' atebodd, 'a diolch i chi am ddod i'n gweld ni.

Gwnewch eich gorau, Sarjant Evans, wnewch chi, plis?'

Gadawodd Jeff y tŷ ar delerau llawer iawn gwell nag yr oedd wedi ei ddisgwyl. Roedd Trefor Hudson wedi bod yn ymchwilio'n gydwybodol ers bron i bythefnos, felly. Ac edrychai'n debyg fod rhywbeth, neu rywrai, wedi'i arwain i gyfeiriad y clwb pêl-droed.

Pennod 20

Ystyried ei gam nesaf roedd Jeff pan wnaethpwyd y penderfyniad drosto. Cyn iddo gyrraedd y car, oedd wedi'i barcio nid nepell o ddrws tŷ Dennis a Helen Owen, canodd ei ffôn symudol a gwelodd y ddwy lythyren gyfarwydd, 'N. N.', ar y sgrin.

'Sut wyt ti, Nansi?' gofynnodd. 'Oes gen ti rwbath diddorol i mi?'

'Gwranda, Jeff, myn uffar i,' dechreuodd Nansi'r Nos yn frysiog. 'Ges i afael ar Rachel Higgs yn nhafarn y Rhwydwr neithiwr ... wedi cael llond bol o lysh, a Duw a ŵyr be arall. Ddeudis i wrthi 'mod i'n desbret i brynu cocên i un o'r hogia 'cw, a gofyn oedd ganddi rwbath i sbario. Doedd ganddi hi ddim, wrth gwrs. Trio gwneud busnes oedd hi yno, gwerthu'i hun i ddynion y gwaith 'na er mwyn prynu'r stwff iddi hi'i hun. Er, fedra i ddim meddwl pwy ddiawl fysa'n mynd ar gefn honna – a gorfod talu am y fraint hefyd!'

'Lle mae hyn yn ein harwain ni, Nansi?' Doedd Jeff ddim yn un amyneddgar, yn enwedig pan oedd o'n eitha ffyddiog bod rhywbeth go lew ar feddwl ei hysbysydd.

'Dal dy wynt, Jeff, am funud, wnei di? Ti'n gweld, y peth ydi, roedd hi mewn cymaint o stad neithiwr, rhwng y ddiod a bob dim arall, doedd gen i ddim llawer o obaith y bysa hi'n cofio siarad efo fi, hyd yn oed. Ta waeth, mi ddoth hi i'r tŷ 'cw bore 'ma, a gofyn o'n i'n dal isio prynu ... ac wrth gwrs, mi oedd hi isio gwybod os oedd y pres gen i i dalu.'

'Ma' hi'n gwybod lle ti'n byw, felly?'

'Ydi. Mi werthis i dipyn bach o ganabis iddi ryw dro, flynyddoedd yn ôl. Mi ddoth hi yma'r adeg honno ... ond dim ots am hynny rŵan. Mi ddangosis yr hanner canpunt iddi a deud yn strêt nad oedd hi'n cael ei bachau ar y pres nes y byswn i'n gweld y crac yn nwylo pwy bynnag sy'n ei werthu fo.'

'Reit dda, Nansi,' meddai Jeff ar ei thraws. 'Dwi'n licio dy steil di.'

'Mae hi isio i mi fynd i'w chyfarfod hi am bedwar o'r gloch pnawn 'ma, ac mi eith hi â fi i rwla i nôl y stwff.'

'Yn lle?'

'Ym mhen draw'r stryd fawr 'dan ni'n cyfarfod, ond lle wedyn, wn i ddim.'

'Wyt ti'n meddwl y gwneith hi gytuno i ti ddelio efo'r gwerthwr ei hun?' gofynnodd Jeff.

'Sgin i ddim blydi syniad, nag oes? Be ti'n feddwl ydw i, jipsan yn edrych i mewn i ryw grystal bôl? Y peth dwytha o'n i isio'i wneud, Jeff, oedd gofyn gormod o gwestiynau. Ti'm yn gwneud y math yna o beth yn y busnes yma, 'sti.'

'Call iawn, Nansi.' Dylai Jeff fod wedi gwybod yn well. Pwy oedd o i ddechrau dweud wrthi hi sut roedd rhywun i fod i ymddwyn ym myd tywyll masnachu cyffuriau, a hithau wedi bod yn ddwfn yn y maes ers blynyddoedd?

'Be ti isio i mi wneud, Jeff?'

'Mynd yna erbyn pedwar a gwneud y dêl mor naturiol â phosib.'

'A be tasa 'na gopar yn fy stopio fi ar y ffordd adra, a gwerth hanner canpunt o gocên arna i?'

'Paid â phoeni am hynny. Mi edrycha i ar dy ôl di.

Fydda i ddim yn bell, ond weli di mohona i o gwbl. Dos adra wedyn, a chuddia'r stwff yn rwla saff. O,' ychwanegodd, 'paid ti â meddwl am gymryd dim ohono fo, na rhoi'r mymryn lleia i neb arall. Mae 'na bosibilrwydd y bydd o'n cynnwys digon o strycnin i wneud llanast go iawn arnat ti.'

'Paid â bod mor blydi gwirion, Jeff. Be ti'n feddwl ydw i, rhyw fath o gôc-hed?'

Gwenodd Jeff. 'A bydda'n ofalus,' ychwanegodd wrth ddiffodd ei ffôn.

Roedd Nansi'r Nos yn eithriadol o dalentog mewn nifer fawr o feysydd, yn enwedig ym myd cyflenwi cyffuriau, ond doedd ymddwyn yn ddiniwed ddim yn un o'i chryfderau, roedd hynny'n sicr.

Roedd yn rhaid i Jeff feddwl yn gyflym, ond gwyddai nad oedd yr atebion i gyd ganddo – o bell ffordd. Y cwestiwn cyntaf, wrth gwrs, oedd o ble roedd Rachel Higgs yn cael y cocên. Wedi'r cyfan, dyna oedd pwynt yr holl ymgyrch. Oedd o ganddi yn barod? Os oedd o, doedd gweithgareddau'r pnawn ddim yn debygol o daflu unrhyw oleuni ar y mater. Doedd dim ots ganddo golli hanner canpunt, ond y peth olaf roedd o eisiau ei weld oedd Nansi'n cael unrhyw niwed.

Byddai'n ddifyr darganfod lleoliad y cyfarfod hefyd. Yn ei brofiad o, doedd neb yn mynd i gyfnewid gwerth hanner canpunt o gocên ar ganol y stryd fawr yng ngolau dydd. Ble oedd Rachel yn debygol o fynd â Nansi? Rhywle cyfagos, tybiodd – doedd dim pwynt gwneud trefniadau i gyfarfod yn rhywle dim ond i gerdded ymhell oddi yno er mwyn gwerthu swm cymharol fychan o gocên. Ystyriodd hefyd natur y berthynas rhwng Rachel Higgs a phwy bynnag oedd yn ei chyflenwi hi. Pwy yn ei iawn bwyll fyddai'n ymddiried yn rhywun fel hi? Gwyddai'r ateb i hynny: neb, yn enwedig ym myd y delwyr proffesiynol. Roedd Jeff yn fodlon, felly, y byddai Rachel yn arwain Nansi i'r cyfeiriad cywir.

Gyrrodd ei gar ar hyd y stryd fawr yn araf, gan gadw llygad am unrhyw beth amheus. Yna, yn sydyn, ymddangosodd y posibilrwydd mwyaf amlwg o'i flaen – caffi bach Marc Mathias, Bwyd Bendigedig. Oedd cysylltiad â'r fan honno, tybed? Roedd Mathias yn gyfeillgar â Sydney Higgs, tad Rachel,wedi'r cyfan, a gwyddai Jeff fod cysylltiad busnes rhwng Blas Bendigedig a'r clwb pêl-droed. Roedd noson cinio diwedd y tymor wedi dod i'w sylw am fwy nag un rheswm yn barod.

Gyda bron i bedair awr cyn y cyfarfod rhwng Rachel a Nansi, roedd gan Jeff gynllun. Ystyriodd y dylai gysylltu â Lowri Davies o flaen llaw, ond diflannodd hynny o'i feddwl yn syth. Pam cymhlethu pethau'n ddiangen? Byddai gwneud yr ymgyrch fach hon yn un swyddogol yn creu tomen o waith papur, a doedd o ddim angen peth felly, ac yntau ar ei wyliau o hyd ... yn swyddogol, o leia. Byddai digon o amser i ddarbwyllo Lowri Davies ryw dro eto – hynny yw, pe byddai'r ymgyrch yn llwyddiannus.

Parciodd ychydig bellter oddi wrth y caffi a gwnaeth alwad ar ei ffôn symudol.

'Idwal! Sut wyt ti? Jeff Evans sy 'ma.'

'Grêt diolch, Jeff. Sut aeth y gwyliau?'

'Rhy fyr o lawer,' atebodd. 'Gwranda, dwi isio ffafr fach gen ti, os gweli di'n dda.'

'Dim ond isio i ti ofyn sydd, mêt.'

Roedd Idwal Hughes wedi bod yn cadw siop bapur newydd, offer swyddfa ac ati ar stryd fawr Glan Morfa ers blynyddoedd lawer, ac wedi bod yn gyfaill da i'r heddlu yn gyffredinol, ac i Jeff yn arbennig drwy'r cyfnod hwnnw. Fel yr oedd hi'n digwydd bod, roedd ei siop fwy neu lai gyferbyn â chaffi Bwyd Bendigedig, a gwyddai Jeff nad oedd gan Idwal ddim byd da i'w ddweud am Marc Mathias. Eglurodd fod arno angen cadw golwg ar y caffi y prynhawn hwnnw, ac y byddai'n ddiolchgar petai'n cael defnyddio'r fflat uwchben y siop, lle'r oedd y ffenestri yn edrych i lawr dros y stryd, i'r perwyl hwnnw.

'Cei, a chroeso, Jeff. Mae'r wraig 'cw allan drwy'r dydd a fydd neb ddim callach. Parcia dy gar yn y cefn os leci di. Mi fydda i wedi datgloi'r drws cefn i ti.'

Gyrrodd adref i chwilio am ei gamera, oedd yn dal yn un o'r bagiau gwyliau yr oedd o wedi'u gadael yng nghyntedd y tŷ ... y rhai yr oedd wedi addo i Meira y byddai wedi eu gwagio a golchi eu cynnwys cyn iddi ddod adref. Fory, meddyliodd. Yna cofiodd fod ganddo ymhell dros gant o luniau o'r gwyliau ar gerdyn y camera – byddai'n rhaid eu lawrlwytho i'w gyfrifiadur i wneud lle i'r lluniau newydd. Edrychodd ar ei oriawr a gweld ei bod hi'n tynnu am un. Doedd ganddo ddim awydd gwastraffu amser yn gwneud hynny, ond ar y llaw arall, gwyddai na fyddai ei fywyd yn werth ei fyw petai Meira a'r plant yn darganfod bod eu lluniau gwerthfawr wedi diflannu. Tynnodd y Nikon allan o'i gas a rhoddodd y cyfrifiadur ymlaen. Pan oedd y peiriant wedi deffro, cysylltodd y camera â'r cyfrifiadur a dechreuodd y broses o lawrlwytho. Fflachiodd ymhell dros gant o luniau'r gwyliau braf ar y sgrin o'i flaen wrth iddo eu trosglwyddo i ffeil arbennig. Lluniau o'r gwesty, gwahanol olygfeydd ar yr ynys hardd a'r plant yn ymdrochi ac yn cael hwyl ar y traeth. Tybed a ddylai edrych ar y lluniau yn fwy manwl, rhag ofn ei fod wedi tynnu llun rhywbeth o bwys yng nghefndir un o'r delweddau? Meddyliai'n benodol am y sawl a adawodd y papur newydd ar y gwely haul, y dyn a ddanfonodd y nodyn cyntaf i'r gweinydd yn y gwesty. Dechreuodd gyffroi drwyddo, dim ond i deimlo'n rhwystredig nad oedd ganddo amser i wneud hynny'n syth. Wedi i'r cyfrifiadur orffen y gwaith trosglwyddo, gwagiodd gerdyn y camera ac aeth i chwilio am ei lens 300mm a'i drybedd. Gafaelodd yn y cyfan ac i ffwrdd â fo.

Ymhen ugain munud roedd Jeff yn eistedd yn y fflat uwchben siop Idwal Hughes. Edrychodd ar ei oriawr unwaith eto. Tynnu am ddau. Roedd hynny'n rhoi digon o amser iddo, dipyn dros ddwy awr, ond roedd yn well ganddo ddisgwyl yn y fan honno, a dechrau tynnu lluniau. Roedd o wedi cau'r cyrtens o flaen y camera a safai ar drybedd, a phrin iawn oedd y posibilrwydd y gallai unrhyw un weld blaen y lens o'r stryd islaw. Gallai weld i ben y stryd fawr, tua hanner canllath i ffwrdd, yn glir, ac roedd drws y caffi yn nes o lawer ato na hynny. Ond am beth, neu yn hytrach pwy, roedd o'n chwilio? Pwy heblaw am Nansi a Rachel Higgs?

Penderfynodd dynnu llun pob person amheus a welai yn y cyffiniau. Yn sicr, roedd digon o fynd a dod: plant, merched yn mynd am baned a sgwrs i'r caffi, un neu ddau yn stopio am sgwrs, ond sut oedd diffinio 'amheus'? Dechreuodd dynnu mwy o luniau nag yr oedd wedi'i fwriadu, y rhan fwyaf ohonynt o fechgyn gweddol ifanc a dynion hyd at hanner cant oed. Gobeithiai i'r nefoedd na fyddai Rachel Higgs yn newid y trefniant.

Am ddau funud i bedwar, o ben arall y stryd, ymddangosodd Nansi'r Nos yn ei holl ogoniant. Roedd hi'n gwisgo jîns glas tyn a gwaelodion y coesau wedi'u stwffio mewn i bâr o fŵts du oedd yn cyrraedd at ei phengliniau, gyda sawdl digon uchel i wneud i Jeff ystyried sut aflwydd roedd hi'n gallu cerdded ynddyn nhw. Os oedd y jîns yn dynn, roedd y crys T a wisgai yn dynnach fyth, a'i bronnau'n bownsio'n afreolus y tu mewn iddo wrth iddi gerdded heibio'r caffi i ben draw'r stryd. Tynnodd Jeff ei llun wrth iddi basio ac edrychodd arni'n stopio i sefyll ar y gornel ym mhen y stryd. Tynnodd becyn o sigaréts o'r bag llaw du a oedd yn hongian oddi ar ei hysgwydd. Rhoddodd un yn ei cheg a'i thanio. Edrychodd ar ei horiawr ac yna edrychodd o'i chwmpas. Yn sicr, roedd hi'n edrych y part.

Doedd dim rhaid iddi ddisgwyl yn hir cyn i Rachel Higgs ymddangos. Welodd Jeff mohoni'n cyrraedd, ond gwelodd mai ar ei phen ei hun yr oedd hi, neu dyna sut yr edrychai pethau. Roedd Rachel yn gwisgo trowsus tywyll di-siâp a hen anorac a oedd wedi gweld dyddiau gwell. Roedd ei gwallt yn flêr a'i chroen yn llwydaidd ... mewn ffordd, roedd hithau hefyd yn edrych y part. Druan ohoni, meddyliodd Jeff; doedd dim llawer o obaith i gwrs ei bywyd newid bellach, waeth beth oedd gobeithion ei thad na maint ei waled.

Tynnodd Jeff un neu ddau o luniau o'r ddwy yn cerdded yn ôl tuag ato. Suddodd ei galon pan welodd y ddwy yn cerdded heibio i ddrws y caffi, ond gwelodd Rachel yn edrych i mewn trwy'r ffenest a rhoddodd hynny hwb bach i'w ysbryd. Trodd y ddwy yn ôl drachefn, lluchiodd Nansi'r sigarét ar y pafin a sathrodd arni, yna diflannodd y ddwy i mewn i'r caffi.

'Bingo,' meddai Jeff wrtho'i hun.

Edrychodd i fyny ac i lawr y stryd brysur am nifer o

funudau a thynnodd amryw o luniau o bobl yn cerdded yn ôl ac ymlaen. Tynnwyd ei sylw gan ddyn a oedd yn cerdded tuag ato o gyfeiriad y gornel ym mhen draw'r stryd. Roedd yn ei ugeiniau hwyr, yn gymharol dal a thenau ond yn gyhyrog a ffit yr olwg. Gwisgai jîns glas a chrys T du o dan siaced ledr ddu, cap lledr du tebyg i gap stabl ond yn fwy cyfoes, a sbectol haul. Cerddai'n hyderus, bron fel petai'n berchen ar y dref, ond roedd o'n amlwg yn cadw llygad slei ar bopeth a ddigwyddai o'i gwmpas. Dechreuodd Jeff dynnu lluniau ohono, un ar ôl y llall. Doedd dim dwywaith – hwn oedd y person mwyaf addawol iddo'i weld hyd yma, ond trueni fod ei sbectol haul a phig ei gap yn gorchuddio cymaint o'i wyneb. Arafodd y dyn cyn cyrraedd drws y caffi, edrychodd o'i gwmpas yn ofalus ac yna aeth i mewn trwy'r drws.

'Bingo,' meddai Jeff eto. Edrychai'n debyg fod pethau'n disgyn i'w lle. 'Gwna dy waith rŵan, Nansi bach,' meddai wrtho'i hun.

Ni chymerodd beth bynnag a ddigwyddodd o fewn y caffi fwy nag ychydig funudau. Nansi gerddodd allan yn gyntaf gan gamu'n sionc i fyny'r stryd fawr i'r un cyfeiriad ag y daeth hi ohono. Tynnodd Jeff lun neu ddau ohoni, yna disgwyliodd. O fewn dau neu dri munud arall, ymddangosodd Rachel Higgs yng nghwmni'r gŵr ifanc, a'r tro hwn doedd o ddim yn gwisgo'i gap na'i sbectol haul. Roedd ei wallt tywyll yn sgleinio fel petai'n defnyddio rhyw fath o olew arno, a thrwy lens y camera gwelodd Jeff fod ei lygaid sionc yn neidio i bob cyfeiriad. Rhoddodd ei gap am ei ben a gwisgodd ei sbectol haul, ond cyn iddo wneud hynny roedd Jeff wedi cael amryw o luniau eitha da ohono. Doedd dim sgwrs rhwng y ddau yn nrws y caffi, dim arwydd o ffarwelio na dim arall. Cerddodd y dyn yn ôl tua'r gornel ym mhen draw'r stryd a Rachel i'r cyfeiriad arall.

Brysiodd Jeff yn ôl i'w gar a'i gamera'n ddiogel wrth ei ochr, a gyrrodd ymaith. Ymhen pum munud, gwelodd Nansi'r Nos yn brasgamu i gyfeiriad ei chartref. Pasiodd hi, gan wneud yn siŵr ei bod hi wedi'i weld o, a gwnaeth arwydd ei fod am yrru rownd y bloc cyn stopio. Deallodd hithau'n iawn. Dim ond pan oedd yn sicr nad oedd neb o gwmpas y stopiodd Jeff ei gar wrth ochr Nansi. Neidiodd hithau i mewn gan lenwi'r car ag arogl ei phersawr, a gyrrodd Jeff yn gyflym i ben draw'r traeth, man anghysbell lle'r oedd y ddau wedi cyfarfod nifer o weithiau yn y gorffennol.

'Sut aeth hi?' Eisteddodd Jeff yn ôl, dipyn yn fwy cyfforddus gan fod y fenter drosodd.

'Fatha chwarae plant,' atebodd hithau, ei llygaid yn dawnsio o ganlyniad i'r antur. Yn amlwg, roedd hi wrth ei bodd yn cael rhan mor bwysig i'w chwarae.

'Dwi'n cymryd mai'r boi mawr tal 'na oedd o, yr un yn y gôt ledr ddu a'r cap?'

'Doeddet ti ddim yn bell felly?'

'Fel y gwnes i addo, 'de?' atebodd Jeff. 'Pwy oedd o?'

'Dim syniad. Welis i 'rioed mohono o'r blaen. Dydi o ddim yn un o'r dre 'ma. Ma' hynny'n saff i ti. 'Swn i'n meddwl mai un o weithwyr y pwerdy ydi o.'

'Be arall fedri di ddeud wrtha i amdano? Iaith? Cymraeg, Saesneg, acen ...?'

'Does gen i ddim syniad, Jeff. Agorodd o mo'i geg unwaith tra o'n i yno. Mi ddeudodd Rachel wrtho mai fi oedd y cwsmer, a'i bod yn fy nabod i'n ddigon da. Pan rois i'r arian yn llaw Rachel mi roddodd yntau'r pecyn drygs yn fy llaw i ar yr un eiliad. Yna, rhoddodd Rachel y pres iddo fo yn syth. Es i drwodd i'r tŷ bach i guddio'r stwff, cyn mynd allan o'r caffi a'u gadael nhw yno.'

'Roedd hi'n brysur iawn yno i weld,' meddai Jeff.

'Oedd. Jyst y job a dweud y gwir. Pawb yn ei fyd bach ei hun, a neb yn hitio fawr am neb na dim byd arall. Gest ti be roeddat ti angen?'

'Dipyn o luniau, dyna'r cwbwl. Enw a chyfeiriad y diawl fysa'n handi.'

'Fedra i wneud rwbath arall i ti, Jeff? Tasat ti'n rhoi copi o'i lun o i mi, 'swn i'n gallu ei ddangos o gwmpas a gwneud dipyn o holi. Os ydi'r stwff yma brynais i rŵan yn cynnwys y gwenwyn peryg 'na, mi wna i fy rhan i ffendio pwy sy'n ei rannu o.'

'Na, dim diolch, Nansi,' gwrthododd. 'Dwi'n ddiolchgar i ti, ond mae hon yn job rhy beryg. Ella bod 'na gysylltiad â'r saethu echnos.'

'O ia, y boi Hudson 'na, y dic preifat. Mi wn i am un neu ddau nad oeddan nhw'n hoff iawn ohono fo.'

'Sut felly?'

'Roedd o'n cadw tabs ar bobl oedd yn chwara oddi cartra ... ar gyfer twrneiod difôrs. Un tro, mi guddiodd o dan garafán yn recordio dau yn cael secs uwch ei ben o. Dyna i ti ffordd o gael enw drwg o gwmpas y lle 'ma, 'de?'

'Mi fydd yn rhaid i'r ymchwiliad i'w farwolaeth o ystyried petha felly,' meddai. 'Ond rŵan ta, lle mae'r stwff 'ma ti 'di brynu i mi?'

Heb unrhyw fath o embaras eisteddodd Nansi yn ôl yn y sedd wrth ei ochr, bron fel petai'n ceisio gorwedd. Agorodd sip ei jîns i ddadlennu pâr o nicers coch, talp helaeth o'i bol gwyn blonegog a thop ei chluniau – dipyn mwy nag yr oedd ei angen i adennill y trysor yr oedd wedi'i guddio mor ofalus. Ceisiodd Jeff edrych drwy'r ffenest wrth i Nansi wthio'i llaw yn isel i lawr blaen ei nicer a thynnu'r pecyn bychan llawn powdwr gwyn allan ohono. Rhoddodd ef yn llaw chwith Jeff gan gau ei ddwrn yn dynn amdano. Cododd ei nicer yn ôl amdani, a'i jîns i'w ganlyn. Stwffiodd ei chrys T yn ôl i'w le a chaeodd y sip heb dynnu ei llygaid awgrymog oddi arno.

'Mae hwn yn gynnes iawn, Nansi,' meddai Jeff gan chwerthin. Am ryw reswm allai o ddim meddwl am unrhyw beth arall i'w ddweud.

'Cynnes fysat titha hefyd, mistar, tasat ti 'di bod yn fanna am yr ugain munud dwytha,' meddai hithau, cyn agor drws y car a chamu ohono.

Cyn iddi ddiflannu, galwodd Jeff arni.

'Gwranda, Nansi,' meddai, ei lais yn ddifrifol erbyn hyn. 'Bydda'n ofalus, wnei di? Does gen i ddim syniad efo pwy rydan ni'n delio, 'sti, ond mi wn i eu bod nhw'n bobl beryg iawn.'

'Paid â phoeni, Jeff. Dim ond chdi, fi a Rachel sy'n gwybod am hyn, a dydi hi ddim yn debygol o agor ei cheg, nac'di?'

Pennod 21

Aeth Jeff adref yn weddol hapus ei fod wedi cael gafael ar gymaint o wybodaeth ag y gallai'r prynhawn hwnnw. Byddai'n wych petai o wedi medru adnabod y dyn a werthodd y cocên i Nansi, ond o leia roedd o wedi medru cael nifer o luniau da ohono. Yna, wrth baratoi paned o de, dechreuodd amau ei resymeg ei hun. Sut oedd modd cadarnhau ai hwn oedd yn gyfrifol am gyflenwi'r ardal â'r cocên budur? Wedi'r cyfan, roedd Rachel Higgs wedi bod yn defnyddio cyffuriau caled ers blynyddoedd, a chyn belled ag y gwyddai Jeff doedd hi ddim wedi dioddef yn yr un modd â'r defnyddwyr eraill. Doedd dim sôn iddi dreulio amser yn yr ysbyty, na dioddef o unrhyw un o sgileffeithiau'r strycnin. O ystyried faint o gyffuriau yr oedd hi'n siŵr o fod yn eu cymryd, byddai effeithiau'r gwenwyn ar ei chorff nid yn unig yn amlwg ond yn hynod ddifrifol. Gallai Jeff felly gymryd bod y cocên roedd hi'n ei ddefnyddio yn lân. O ganlyniad, roedd hi'n rhesymol i ystyried nad oedd cocên y dyn a ddaeth i'r caffi'r prynhawn hwnnw – os mai fo oedd ei chyflenwr rheolaidd – yn cynnwys y gwenwyn. Teimlodd chwys oer yn rhedeg i lawr ei gefn. Oedd o wedi dilyn y trywydd anghywir wedi'r cyfan? Ceisiodd ystyried y posibiliadau eraill.

Yr unig eglurhad arall y gallai Jeff feddwl amdano oedd bod y cocên yn cael ei gymysgu efo'r strycnin yn lleol. Os felly, oedd y cyflenwr, pwy bynnag oedd o, yn dewis pwy oedd yn cael y strycnin a phwy oedd yn cael y stwff arferol?

Gwyddai Jeff y byddai'n rhaid iddo yrru'r cocên yn ei feddiant i'r labordy cyn dod i unrhyw fath o gasgliad pendant, ond allai o ddim gwneud hynny tan y bore. Roedd yn cymryd dipyn o risg yn cadw gwerth hanner canpunt o gyffur anghyfreithlon yn ei gartref dros nos, plismon neu beidio ... ond beth oedd bywyd heb dipyn bach o risg weithiau, myfyriodd?

Tynnodd y pecyn o'i boced a cheisiodd feddwl lle y gallai ei guddio. Gwenodd wrth feddwl lle'r oedd y pecyn wedi cael ei guddio yn gynharach yn y dydd a phenderfynodd ei lapio mewn hosan a'i roi yn ei ddrôr dillad isaf.

Taniodd ei gyfrifiadur ac aeth i chwilio am rywbeth i'w fwyta tra oedd y peiriant yn deffro. Daeth ar draws potyn o saws *bolognese* cartref yn y rhewgell, a rhoddodd ei gynnwys yn y popty ping i ddadmer cyn chwilio am basta yn y cwpwrdd. Roedd digon o saws i ddau, a theimlodd hiraeth yn ei lorio wrth iddo feddwl am Meira'n ei fesur yn ofalus cyn ei rewi, yn barod i'r ddau ohonynt ei rannu ryw noson gyda gwydraid o win coch da ar ôl i'r plant fynd i'w gwlâu. Roedd o wedi cael llond bol ar fyw ar ei ben ei hun yn barod, ond diogelwch ei deulu oedd y flaenoriaeth. Petai'r bygythiad, y cyffuriau a'r salwch yn y dref yn gysylltiedig â llofruddiaeth Trefor Hudson – ac roedd ganddo bob rheswm i gredu hynny – yna gwyddai ei fod wedi gwneud y penderfyniad cywir i'w gadael yn Ffestiniog.

Cyn rhoi'r pasta i ferwi, cysylltodd y Nikon â'r peiriant a dechreuodd lawrlwytho lluniau'r prynhawn. Rhyfeddodd pan sylweddolodd ei fod wedi tynnu dros hanner cant o luniau, ond tasg hawdd oedd dewis pa rai i'w cadw a pha rai i'w dileu. Canolbwyntiodd ar ddwsin o'r rhai gorau a gymerodd o'r deliwr ei hun a dechreuodd chwarae o gwmpas efo nhw, gan ddefnyddio rhaglen arbennig i'w chwyddo a gwella eu hansawdd. Cyn hir roedd ganddo nifer o luniau gwerth chweil. Gwelodd fod y gŵr yn gwisgo rhyw fath o freichled aur am ei arddwrn de, ond ni allai weld unrhyw fath o fanylion anghyffredin arni. Peth arall gwerth ei nodi oedd bod ganddo glustdlws yn ei glust dde – roedd ei edrychiad yn gyffredinol yn tueddu i awgrymu mai tramorwr oedd o. Cadwodd yr holl luniau yr oedd wedi'u golygu yn ogystal â'r rhai gwreiddiol, a gyrrodd y goreuon i'w ffôn symudol fel y byddent ganddo'n hwylus bob amser petai angen eu dangos i rywun.

Cyn cau'r rhaglen golygu lluniau, aeth yn ôl i'r ffeil a oedd yn cynnwys lluniau ei wyliau. Yn ogystal ag ail-fyw'r atgofion braf, roedd o'n awyddus i archwilio'r posibilrwydd ei fod wedi cynnwys rhywun neu rywbeth amheus yn y cefndir yn ddiarwybod iddo. Ei obaith oedd y byddai llun o bwy bynnag a adawodd y papur newydd ar y gwely haul agosaf atynt ar y traeth.

Dechreuodd edrych drwy'r lluniau. Yr unig beth a ddaliodd ei sylw oedd llun o un dyn ar ei ben ei hun ar y traeth, y tu ôl iddo fo, Meira a Twm, oedd yn tynnu stumiau ar ei chwaer. Mairwen a fynnodd dynnu'r llun, a chan nad oedd eto wedi dysgu sut i drin y camera, roedd hi wedi llwyddo i gael mwy o weddill y traeth ynddo na'r teulu. Doedd y llun o'r gŵr ar y gwely haul nesaf ddim yn un da gan ei fod yn troi'i gefn ar y camera, ond gallai Jeff weld mai dyn canol oed oedd o, gyda chefn llydan blewog a phen a oedd bron yn foel. Doedd 'run manylyn arall yn werth ei nodi, dim ond ei fod o ar ei ben ei hun, a phur anaml yr oedd hynny i'w weld gan mai teuluoedd a chyplau oedd mwyafrif yr ymwelwyr yn y gwesty. Aeth drwy weddill y luniau ar y sgrin o'i flaen ac mewn ychydig eiliadau cyrhaeddodd y lluniau a dynnwyd yn y taferna ar y noson pan dderbyniodd y nodyn. Roedd un llun da o'r teulu cyfan, wedi'i dynnu gan y gweinydd, ac oedodd Jeff drosto. Yn y cefndir, tu hwnt i olau'r taferna a fflach y camera, gwelodd lun dyn fel petai'n troi i gerdded oddi yno. Doedd o ddim yn llun da ohono, ond roedd yn ddigon clir i Jeff ystyried efallai mai'r un dyn oedd hwn â'r un ar y traeth. Roedd ganddo ysgwyddau mawr dan grys lliwgar, a'r un math o wallt. Ond hyd yn oed os mai hwn oedd y dyn roddodd y nodyn i'r gweinydd, doedd dim byd y gallai ei wneud ar gownt y peth ar hyn o bryd. Yn sicr, nid hwn oedd y dyn a welodd yn mynd a dod allan o'r caffi heddiw. Roedd hwn yn debycach i rai o weithwyr y safle adeiladu: dyn mawr cryf oedd yn gwneud gwaith corfforol, yn hytrach nag un a oedd yn gwisgo gemwaith aur a dillad ffasiynol.

Cyn bwyta'i swper, ffoniodd Ffestiniog a threuliodd ugain munud a mwy yn cael hanes eu diwrnod gan y plant. Er iddo addo y byddai'n dod yno atyn nhw cyn gynted â phosib, gwyddai fod yn rhaid i'w ymholiadau gymryd blaenoriaeth. Dewisodd beidio dweud wrth Meira am y pecyn oedd wedi ei guddio ymysg ei sanau a'r hanes y tu ôl iddo – nid oherwydd ei fod am gadw'r peth yn gyfrinach, ond am ei fod eisiau gweld ei hwyneb pan ddywedai'r cyfan wrthi dros wydraid o win. Gwyddai y buasai ei wraig yn chwerthin llond ei bol ar antics Nansi – gan iddi dreulio blynyddoedd yn blismones yn Lerpwl, roedd Meira'n hen gyfarwydd â'r hyn a âi ymlaen ar y strydoedd.

Roedd hi'n bell ar ôl wyth wedi i Jeff orffen ei swper, a hanner potel o Chianti i'w ganlyn, ac er ei fod wedi llwyr ymlâdd, methodd â gorffwys. Er ei fod yn ffyddiog fod ei ymchwiliad yn symud yn ei flaen, doedd o'n ddim nes at allu dirnad pam roedd pwy bynnag a oedd y tu ôl i bob dim yn ceisio ei gysylltu o yn bersonol â'r cyfan. Mae'n rhaid bod cysylltiad â rhyw achos o'r gorffennol – roedd yn sicr wedi bod yn gyfrifol am garcharu mwy na llond llaw o ddynion peryglus iawn – ond pwy, a pham rŵan?

Aeth yn ôl at ei gyfrifiadur gyda gwydryn o wisgi brag yn ei law. Dim ond un bach. Daeth delwedd o Rachel Higgs i'w feddwl yn ddigymell ... mor hawdd oedd dechrau mynd yn ddibynnol – ar wirod, cyffuriau, tabledi – ond ar y llaw arall roedd o angen ymlacio, a rhoddodd fymryn mwy yn y gwydr.

Agorodd injan chwilota ar y we a theipio yn y bocs chwilio: adar ysglyfaethus. Roedd hi'n amser iddo ddarganfod arwyddocâd y lluniau cyntefig ar y llythyrau. Edrychodd ar y rhestr o wefannau a ymddangosodd o'i flaen, ond doedd 'run o'r lluniau yn debyg i'r sgetshis. Rhoddodd dro arall arni: eryr aur. Eto, roedd digon o atebion, gan gynnwys gwybodaeth am raglenni a llyfrau Iolo Williams. Daliodd ati, gan fewnbynnu nifer o amrywiadau: 'pig yn cario croes', 'crafanc yn dal cleddyf a 'crafanc yn dal teyrnwialen', ond nid ymddangosodd unrhyw awgrymiadau a ddaliodd ei sylw. Roedd hi'n tynnu am un ar ddeg ac roedd wedi syrffedu, felly rhoddodd y ffidil yn y to a mynd i'w wely.

Cysgodd Jeff yn drwm tan chwarter wedi saith y bore wedyn, a chan nad oedd dim arbennig yn galw, aeth i lawr y grisiau yn ei ŵn wisgo i wneud paned o goffi iddo'i hun. Setlodd o flaen y teledu i'w hyfed er mwy gwylio'r newyddion, cyn dychwelyd i'r llofft i gael cawod a gwisgo amdano. Dros frecwast o uwd a thamaid o dost penderfynodd fynd i gael sgwrs â Lowri Davies am ddigwyddiadau'r diwrnod cynt ... a chael gwared â'r pecyn cocên.

Cyrhaeddodd orsaf yr heddlu fel yr oedd y gynhadledd foreol ar gychwyn am hanner awr wedi naw. Cymerodd ei sedd arferol yn y cefn, gan sylwi fod nifer o'r ditectifs yn ei lygadu, fel petaen nhw'n methu â deall be oedd o'n ei wneud yno ac yntau ar ei wyliau. Gwyddai fod mân-siarad ynglŷn â phenderfyniad y Ditectif Brif Arolygydd i adael iddo fo fynd a dod fel y mynnai, yn lled swyddogol, ond doedd dim affliw o ots ganddo.

Yn ystod yr hanner awr dilynol, dysgodd Jeff fod yr ymchwiliad yn datblygu fel y disgwyl. Cafwyd cadarnhad mai bwled 9mm oedd wedi'i defnyddio i ladd Trefor Hudson, ac, yn ôl y marciau reiffl ar y plwm a deithiodd trwy ei ymennydd, doedd dim tystiolaeth i'r gwn a'i taniodd gael ei ddefnyddio i gyflawni unrhyw drosedd arall ym Mhrydain. Gan fod cymaint o dramorwyr yn gweithio yn yr ardal, penderfynwyd ehangu'r chwiliad am darddiad y gwn drwy wledydd eraill Ewrop, ond byddai'r canlyniad hwnnw'n debygol o gymryd peth o amser i ddod i law.

Bu'r ymholiadau ynglŷn â'r ddelwedd ar y llythyr o grafanc yn cydio mewn teyrnwialen yn aflwyddiannus hefyd. Pwysleisiwyd y ffaith nad oedd allweddi i'w gartref ar gorff Trefor Hudson pan ddarganfuwyd o. Yr esboniad mwyaf tebygol oedd bod y llofrudd wedi eu cymryd o'i boced, ond wedi dewis peidio â mynd i mewn i'r tŷ trwy'r drws ffrynt na'r drws ochr yng ngolau dydd. Darganfuwyd bod rhywun wedi troedio trwy'r goedwig oedd yn ffinio â gardd gefn Hudson – y llofrudd, yn ôl pob golwg, er mwyn mynd dros y ffens i ardd gefn y tŷ. Edrychai'n debygol felly ei fod, pwy bynnag oedd o, wedi paratoi'n fanwl o flaen llaw. Doedd dim golwg o ffôn symudol yr ymadawedig chwaith – awgrym arall bod y llofrudd wedi gwneud ei waith yn drylwyr.

Heb fod cyfrifiadur Trefor Hudson yn eu meddiant, roedd yn amhosib darganfod pa achosion, a phwy, y bu'n ymchwilio iddynt yn rhinwedd ei swydd yn ymchwilydd preifat. Am resymau digon teg, doedd cyfreithwyr yr ardal ddim yn fodlon rhannu manylion eu cleientiaid. Fu ymholiadau'r heddweision o gwmpas yr ardal ddim yn ffrwythlon chwaith, gan nad oedd neb, heblaw'r un cymydog hwnnw, wedi gweld unrhyw beth amheus ar noson y llofruddiaeth, na neb arall wedi gweld y dyn oedd yn loetran o gwmpas y bore wedyn.

Wedi i'r cyfarfod orffen aeth Jeff i swyddfa Lowri Davies a chnociodd ar y drws.

'Dewch.'

Yn ôl ei harfer, roedd hi'n eistedd â'i thraed i fyny ar y ddesg o'i blaen, a digon o bapur o'i chwmpas i greu twll helaeth yng nghoedwigoedd yr Amazon.

'Welais i chi yn y gynhadledd, Jeff, ac ro'n i'n gobeithio y bysech chi'n taro heibio cyn gadael. Dwi'n siŵr bod y trwyn enwog 'na yn eich arwain i lefydd difyr iawn.'

Ni wyddai Jeff yn iawn faint o sinigiaeth oedd yn ei llais. 'Wel, mi wnes i addo rhannu pob gwybodaeth efo chi ...' meddai, a chymerodd ugain munud iddo ddweud hanes y diwrnod cynt i gyd wrthi.

'Lle mae'r cocên rŵan?' gofynnodd Lowri ar ôl iddo orffen.

'Yn fy mhoced i.' Rhoddodd Jeff y pecyn ar y ddesg. 'Dwi angen ei yrru i'r labordy i weld os oes 'na strycnin ynddo fo,' meddai. 'Dwi'n cymryd bod eich cyllideb chi'n caniatáu hynny?'

Gwelodd Jeff ei bod hi'n ystyried y cwestiwn yn fanwl gan nad oedd hi wedi'i hargyhoeddi'n llwyr fod busnes y cyffuriau yn gysylltiedig â'r llofruddiaeth.

'Ydi ... jyst y tro yma,' atebodd.

'Dwi'n bendant fod Trefor Hudson wedi bod yn gwneud ei ymholiadau ei hun ynglŷn â'r cyffur ar ôl damwain ei ŵyr, Brian – a dwi'n meddwl bod cysylltiad rhwng hynny a'i lofruddiaeth,' mynnodd Jeff. 'Taswn i'n cael cario 'mlaen i ymchwilio am chydig eto, D.B.A., dwi'n siŵr o gael yr ateb i chi. Gewch chi weld.'

'Gobeithio wir,' atebodd Lowri, wrth estyn am y ffôn oedd yn canu ar ei desg.

Cododd Jeff ar ei draed a chwifiodd hithau ei llaw i'w gyfeiriad i ddatgan bod eu sgwrs ar ben.

Aeth Jeff yn syth i'w swyddfa ei hun i ddechrau teipio'r ffurflenni yr oedd o'u hangen i yrru'r pecyn cocên i'r labordy. Roedd o bron â gorffen pan ymddangosodd Sarjant Rob Taylor yn y drws, yn wên i gyd fel arfer.

'Methu cadw i ffwrdd, ia?' meddai'n hwyliog. 'Ro'n i'n meddwl mai dy gar di oedd tu allan – ac mae hwn wedi cyrraedd i ti yn y post y bore 'ma. Edrych yn becyn personol.' Lluchiodd Rob amlen fechan gwiltiog i'w gyfeiriad.

Daliodd Jeff yr amlen. Roedd y gair 'personol' mewn priflythrennau ac wedi'i danlinellu wrth ochr ei enw, ond doedd o ddim yn adnabod y llawysgrifen. Stamp dosbarth cyntaf oedd arni, a marc post Caer a gogledd Cymru.

'Sut mae petha'n mynd beth bynnag?' gofynnodd Rob.

Roedd Rob yn ei adnabod yn well nag unrhyw heddwas

arall yn Heddlu Gogledd Cymru, ac roedd gan Jeff feddwl mawr ohono. Gallai gyfri'r bobl roedd o'n ymddiried ynddynt ar fysedd un llaw, ac roedd Rob ymysg yr enwau hynny ers blynyddoedd.

'Os oes gen ti ddeng munud, Rob, 'stedda i lawr.'

Rhoddodd Jeff yr amlen i lawr ar y ddesg o'i flaen cyn eistedd yn ôl yn ei gadair ac adrodd yr holl hanes wrth ei gyfaill, yn union fel y gwnaeth o flaen Lowri Davies ychydig ynghynt. Roedd Rob yn un da am gynnig ei farn neu roi cyngor fel rheol, ond heddiw, i syndod y ddau, doedd ganddo ddim byd newydd i'w gynnig.

'Dyma lun dynnais i ddoe o'r boi,' meddai Jeff, gan ddangos sgrin ei ffôn symudol. Un o brif gyfrifoldebau Sarjant Rob Taylor ers rhai blynyddoedd oedd rheoli'r ddalfa yng ngorsaf heddlu Glan Morfa, a fo fyddai'n prosesu'r mwyafrif o garcharorion yr ardal. Edrychodd Rob ar y ddelwedd a ffliciodd ei fys ar draws y sgrin er mwyn cael gweld gweddill y lluniau.

'Na, tydi ei wyneb o ddim yn gyfarwydd,' meddai, 'ond mi edrycha i drwy'r lluniau fyddwn ni'n eu cymryd o bob carcharor cyn eu rhyddhau nhw, jyst rhag ofn.'

Wel, roedd ymateb Rob yn golygu un peth, meddyliodd Jeff, sef ei bod hi'n bur annhebygol fod y deliwr wedi cael ei arestio yng Nglan Morfa.

Gorffennodd Jeff deipio'r ffurflenni a pharatoi'r pecyn bach o gocên ar gyfer ei daith i'r labordy yn ddiweddarach yn y dydd. Wedi gwneud hynny, trodd ei sylw at yr amlen annisgwyl a roddwyd iddo gan Rob. Ni wyddai, wrth ei hagor, y byddai ei chynnwys yn peri iddo ailystyried trywydd yr ymchwiliad yn gyfan gwbl.

Pennod 22

Un peth oedd yn yr amlen: co' bach ar gyfer cyfrifiadur. Dim nodyn, dim label, dim byd arall, dim ond y co' bach. O leia doedd 'na ddim darlun bygythiol, diolchodd Jeff – ond eto, ystyriodd y posibilrwydd fod bygythiad pellach ar y teclyn, neu feirws fyddai'n chwalu ei gyfrifiadur. Gwyddai y dylai fynd â fo at yr adran dechnegol i'w wirio, ond roedd yn rhy chwilfrydig i aros yr oriau y bydden nhw'n debygol o'i gymryd i wneud y gwaith. Rhoddodd y co' bach yn y cyfrifiadur ar ei ddesg, ac ymddangosodd rhestr o ffeiliau ar y sgrin o'i flaen. Dechreuodd ddarllen eu teitlau, gan feddwl i ddechrau nad oedd yr un o'r enwau'n golygu dim iddo, ond rhewodd pan sylweddolodd beth oedd o'i flaen. Ffeiliau o gyfrifiadur Trefor Hudson oedden nhw. Cododd yr amlen unwaith yn rhagor – roedd y marc post yn dangos ei bod wedi cael ei phostio ddeuddydd ynghynt, y diwrnod y darganfuwyd corff Trefor Hudson. Pwy oedd wedi'i phostio, felly, ar ôl i Trefor gael ei ladd?

Disgynnodd yr ateb i'w le yn annisgwyl – yr unig ateb a oedd yn gwneud synnwyr. Trefor Hudson ei hun oedd wedi ei phostio, nid ar ôl ei farwolaeth, wrth gwrs, ond cynt. I'r blwch postio roedd Trefor yn mynd ar gymaint o frys am hanner awr wedi wyth y noson y'i lladdwyd, i bostio'r co' bach – a hynny tuag ugain munud ar ôl iddo siarad â Jeff ar y ffôn. I Trefor Hudson, cofiodd, doedd y trefniadau i'w gyfarfod y bore canlynol ddim yn ddigon da. Mae'n rhaid ei fod yn ofni y byddai rhywun yn ceisio'i rwystro rhag rhannu pa bynnag wybodaeth oedd yn ei feddiant; gwybodaeth mor bwysig fel bod yn rhaid iddo wneud yn siŵr ei bod yn cyrraedd pen ei thaith. Dyma neges o'r bedd os bu un erioed.

Edrychai'n debyg fod Trefor wedi trosglwyddo'r ffeiliau i'r co' bach a gadael y tŷ o fewn munudau i roi'r ffôn i lawr, a chymaint oedd ei frys fel na chyfarchodd ei gymydog. A ble oedd y blwch postio agosaf? Hanner canllath o'r man lle darganfuwyd ei gorff. Roedd yn sefyll i reswm bod casgliad olaf y dydd wedi digwydd awr neu ddwy o leiaf cyn y llofruddiaeth. Felly, roedd yr amlen wedi bod yn y blwch dros nos, a fyddai'n egluro marc post y diwrnod canlynol.

Trodd meddwl Jeff at y gŵr amheus a welwyd ar draws y ffordd i'r blwch post y bore y canfuwyd y corff. Mae'n rhaid mai'r llofrudd oedd hwnnw, a'i fod wedi dilyn Trefor y noson cynt a'i weld yn postio'r amlen. Mae'n rhaid ei fod yntau'n ymwybodol o'r cynnwys gan ei fod wedi dychwelyd at y blwch y bore wedyn, i ddisgwyl am y casgliad boreol. Efallai ei fod wedi bwriadu ymosod ar y postmon fel yr oedd o'n gwagio'r blwch, ond yn ffodus i'r postmon roedd y corff wedi'i ddarganfod cyn hynny, a'r heddlu eisoes wedi cyrraedd. Dyna, yn sicr, pam y diflannodd y gŵr amheus, fel yr oedd y ddynes a oedd y byw ar draws y lôn wedi cyfeirio ato.

Roedd Jeff yn cael ei dynnu ddwy ffordd. Roedd rhan ohono am fynd â'r co' bach pwysig hwn yn syth i lawr y coridor i swyddfa Lowri Davies, a rhan arall yn ysu i gael edrych drwy ei gynnwys cyn i neb arall gael y cyfle i wneud hynny. Yr ail ddewis a enillodd y dydd. Caeodd ddrws ei swyddfa, ac ar ôl gwneud copi o gynnwys y teclyn dechreuodd bori trwy'r ffeiliau.

Un ffolder oedd i'w gweld i ddechrau: 'Ymchwiliadau Hudson', ac roedd dwy ffolder arall yn honno. Agorodd y cyntaf, un o'r enw 'Cyfrifon', a gweld nifer o ffeiliau yn cynnwys manylon ei filiau, treuliau, treth incwm ac ati, oll yn gyfredol i'r flwyddyn dreth bresennol. Edrychodd Jeff drwyddynt yn frysiog ond nid oedd cynnwys yr un ohonynt o ddiddordeb iddo. Edrychai'r ail ffolder yn fwy addawol: 'Ymholiadau'. Ynddi roedd nifer o is-ffolderi ar gyfer ymholiadau'r flwyddyn honno, yn cynnwys datganiadau, adroddiadau, nodiadau a phob math o wybodaeth fanwl – yn union fel y buasai Jeff wedi'i ddisgwyl gan ddyn ym maes Trefor Hudson. Tybiodd Jeff y byddai eu cynnwys yn sbarduno nifer go dda o ymholiadau ar gyfer timau'r ymchwiliad i'w lofruddiaeth.

Roedd yn amlwg ar ôl hanner awr a mwy o chwilota nad oedd Trefor Hudson wedi paratoi'r wybodaeth ar ei gyfer o yn bwrpasol. Efallai mai lawrlwytho'i holl ffeiliau a wnaeth gan nad oedd ganddo amser i ddewis a dethol y rhai perthnasol. Cododd hynny gwestiwn arall: a oedd Trefor yn gwybod bod ei fywyd mewn perygl?

Doedd gan Jeff ddim amser i balu drwy'r cyfan yn y gobaith y byddai rhywbeth mwy diddorol yn dod i'r fei – roedd yn ddigon bodlon i aelodau o'r timau ymchwil wneud hynny, cyn belled â'i fod o wedi cael y cyfle cyntaf.
Roedd bron â rhoi'r ffidil yn y to pan ddaeth ar draws ffolder o'r enw 'Personol'. Unwaith yn rhagor, doedd yr isffeiliau ddim i'w gweld yn ddiddorol ... heblaw un. Ffeil o'r enw 'Bri Bach'. Cododd ei galon, ond siomwyd ef pan agorodd y ffeil a darganfod nad oedd sôn am Brian yno o

gwbl. Doedd dim byd yn awgrymu cysylltiad â chyffuriau na dim arall a oedd yn berthnasol â'r bachgen, na'r dref chwaith. Byr iawn oedd cynnwys yr unig ddogfen yn y ffeil, a oedd yn cyfeirio at gwmni o'r enw Gwinoedd Mawreddog a Phrin o Ffrainc. Chwiliodd ymhellach ond ni welodd ddim arall i ddal ei sylw, felly penderfynodd fynd yn ôl i weld y Ditectif Uwch Arolygydd Lowri Davies.

Wedi iddo drafod holl gynnwys y co' bach efo hi, eglurodd Jeff ei fod yn awyddus i ddilyn trywydd yr wybodaeth yn y ffeil 'Bri Bach', er mai manylion am winoedd o Ffrainc yn unig oedd ynddi.

'Pam?' gofynnodd Lowri. 'Dwi ddim yn dallt. Dwi'n gwybod eich bod chi'n hoff o win da, ond ...'

'Mater arall ydi hynny,' gwenodd Jeff, cyn ochneidio. 'Wn i ddim, a deud y gwir,' meddai. 'Isio bod yn drylwyr ydw i – roedd Trefor mor awyddus i gysylltu efo fi, ac yn benderfynol o yrru'r co' bach 'ma i mi, mae'n rhaid bod 'na rwbath o bwys yma yn rwla. Y ffeil 'Bri Bach' ydi'r lle mwya naturiol i ddechra.'

'A'r unig beth sydd yn y ffeil honno ydi manylion cwmni sydd, yn ôl pob golwg, yn gwerthu gwin.'

'Ia,' atebodd Jeff, 'ond gadewch i mi ddilyn y trywydd yma, os ydi o'n drywydd, ac mi ddo' i yn ôl atoch chi os ffendia i rwbath.'

Fel yr oedd hi'n digwydd bod, darganfu Jeff gysylltiad yn syth, er na wyddai ei arwyddocâd. Darganfu bod y cwmni gwerthu gwin wedi'i gofrestru ym Mhrydain, a bod swyddfa gofrestredig y cwmni wedi'i lleoli yn adeilad Ellis a Bowen, cwmni o gyfreithwyr yng Nglan Morfa. Yna, wrth edrych ymhellach – ac i'w syndod llwyr – gwelodd mai Mrs

Elen Thomas oedd un o gyfarwyddwyr y cwmni a'i bod yn dal pedwar deg naw y cant o gyfranddaliadau'r cwmni.

Cwmni ag enw Ewropeaidd arno, Angst Dede Române SRL, oedd yn berchen ar bedwar deg naw y cant o'r gweddill, a dwy ffyrm o gyfreithwyr oedd perchnogion y ddau gyfranddaliad arall. Ellis a Bowen oedd un o'r rheiny, ac roedd enw'r cwmni arall hefyd yn swnio'n Ewropeaidd. Penderfynodd nad oedd ond un ffordd i ddarganfod y cysylltiad, os oedd yna un – ond roedd yn dal i fethu deall beth oedd diddordeb Trefor Hudson yn hyn i gyd.

Cofiodd fod Elen wedi sôn wrtho y tro diwethaf iddynt gyfarfod am ryw dwyll neu'i gilydd yn ymwneud â photeli o win ... a chofiodd hefyd ei fod o fwy neu lai wedi gwrthod gwrando ar ei stori. Roedd ganddo fwy o ddiddordeb yn y ddamwain car ar y pryd, ac wedi awgrymu iddi nad cyfrifoldeb Heddlu Gogledd Cymru oedd ymchwilio i'r mater. Roedd hwnnw'n ateb digon teg, ond roedd hynny cyn iddo gael co' bach Trefor Hudson, ac enw Elen yn ei grombil.

Ffoniodd Elen Thomas a gwnaeth drefniadau i fynd draw i'w gweld, gan ofyn am gael siarad efo Geraint ar yr un pryd. Roedd pum niwrnod wedi pasio ers iddo siarad â'r ddau, ac roedd Jeff wedi dysgu tipyn mwy erbyn hyn.

Pennod 23

Parciodd Jeff y Touareg o flaen tŷ Elen ar gyrion tref Glan Morfa. Agorodd y giât bren lydan a gwelodd Geraint yn ymarfer ei sgiliau pêl-droed yn yr ardd.

'Tyrd, Ger, at 'y mhen i,' gwaeddodd Jeff ac ar y gair ciciodd Geraint y bêl tuag ato. Cymerodd Jeff hi ar ei dalcen, dod â hi i lawr yn grefftus at ei droed, a heb iddi gyffwrdd y ddaear ciciodd hi'n ôl i gyfeiriad y bachgen.'

'Reit dda, Sarjant Evans,' meddai Geraint.

'Jeff,' cywirodd y ditectif.

'Reit dda, Jeff! Do'n i ddim yn gwybod eich bod chi'n gystal pêl-droediwr.'

'Yn f'amser, 'ngwas i. Yn f'amser.'

Roedd Jeff yn falch o'r cyfle i chwarae pêl-droed efo'r llanc – byddai angen gofyn cwestiynau braidd yn annifyr iddo ymhen ychydig funudau ac roedd o angen i Geraint deimlo'n gyfforddus yn ei gwmni cyn i hynny ddigwydd.

Ciciodd Geraint y bêl i gyfeiriad pen Jeff unwaith yn rhagor, ond y tro yma camodd Jeff yn ôl a'i chymryd ar ei frest, i lawr ar ei ben glin ac yna'i chicio'n ôl. Doedd dim dwywaith bod gallu Jeff i reoli'r bêl wedi gwneud argraff ar y bachgen. Sylwodd fod Elen yn edrych arnynt yn y ffenestr, gan chwerthin, felly cerddodd Geraint ac yntau i fyny at y tŷ. Roedd Elen yn sefyll yn y drws agored erbyn iddyn nhw gyrraedd. Gwisgai drowsus ysgafn golau a blows felen, a disgynnai ei gwallt du, a oedd yn dangos yr arwyddion cyntaf o ddechrau britho, dros ei hysgwyddau, yn cyferbynnu yn hyfryd â'i gwisg.

'Dos i olchi dy ddwylo,' meddai wrth Geraint, 'a ty'd drwadd aton ni wedyn.'

Safodd Jeff yn ffenestr fawr agored y lolfa, yn edrych dros yr harbwr a'r bae islaw. 'Golygfa ddigon tebyg i'r un o'n tŷ ni,' meddai. 'Ond ein bod ni dipyn pellach o'r arfordir.'

''Dan ni'n lwcus iawn, tydan?'

Trodd Jeff i edrych arni. 'Mae un neu ddau o bethau wedi codi yn sgil yr ymchwiliad i'r ddamwain,' meddai. 'A hefyd, yn anffodus, efallai bod 'na gysylltiad efo llofruddiaeth Trefor Hudson.' Gwelodd Jeff olwg ymholgar ar ei hwyneb. 'Mae gen i un neu ddau o gwestiynau i ofyn i ti, Elen, ond 'swn i'n lecio siarad efo Geraint gynta, os ydi hynny'n iawn. Ella bydd rhai o'r cwestiynau dipyn yn anodd iddo fo ... nid 'mod i'n meddwl am eiliad ei fod o wedi gwneud dim o'i le,' cadarnhaodd yn gyflym.

Roedd Elen ar fin gofyn am esboniad pan gerddodd Geraint i mewn i'r ystafell, ond dewisodd beidio â gwneud hynny yng ngŵydd ei mab. Eisteddodd y tri i lawr.

'Wel, Geraint, o sbio ar y ffordd roeddat ti'n cicio'r bêl 'na rŵan, ma' hi'n edrych yn debyg dy fod yn dod yn ôl atat dy hun ar ôl y ddamwain.'

'Ydw diolch, Jeff. Gwella bob dydd,' atebodd y bachgen.

'Wyt ti wedi bod yn ôl yn y clwb pêl-droed?'

'Na, dim eto. Dwi ddim yn teimlo 'mod i isio mynd yno ... ma' hi'n rhy fuan. Fedra i ddim stopio meddwl am Wil fel ma' hi, na Brian chwaith, ac mi fysa bod yn y clwb hebddyn nhw yn rhy anodd.'

'Dwi'n dallt. Ond gwranda, Geraint, mi wyddost ti 'mod

i'n awyddus i gael darlun clir o be sy'n mynd ymlaen yn y clwb 'na. Dwi'n amau fod petha reit amheus yn digwydd yno o dro i dro – fel mewn lot o lefydd eraill, wrth gwrs. Ond dwi isio pwysleisio nad oes 'na ddim amheuaeth o gwbl dy fod ti wedi gwneud unrhyw beth o'i le. Ti'n dallt?'
Nodiodd Geraint ei ben i gadarnhau hynny, a gwelodd Jeff ysgwyddau ei fam yn gostwng, yn arwydd o'i rhyddhad.
'Delio a chymryd cyffuriau o fewn ac o gwmpas y clwb sy'n fy mhoeni i fwya, Geraint. Mi ddeudist ti y tro dwytha i ni siarad bod sôn am y peth. Be yn union sy'n cael ei ddeud?'

Edrychodd Geraint ar ei fam, ond nid atebodd y cwestiwn.

'Os wyt i'n gwybod rwbath, cariad, deud wrth Jeff. Welith neb fai arnat ti. Dydi o ddim o bwys os mai gan rywun arall glywist ti'r hanes chwaith – mae'n bwysig stopio'r cyffuriau 'ma rhag lladd mwy o bobl. Yli be ddigwyddodd i Wil a Brian ... ac mae 'na lot mwy o bobl ifanc yn yr un cwch â nhw.'

'Ond be tasan nhw'n dod i wybod 'mod i wedi sbragio?'

Edrychodd Elen ar Jeff am gefnogaeth.

'Mi fydd unrhyw beth ddeudi di wrtha i yn y stafell 'ma yn aros efo fi, Geraint. Ella y bydda i'n defnyddio'r wybodaeth, ond fydd gan neb syniad o ble ddaeth hi.'

'Rhyw foi o'r enw Gerry sy'n dod â fo yno, meddan nhw,' atebodd y bachgen ar ôl oedi am ennyd.

'Pwy ydi "nhw"?' gofynnodd Jeff.

'Jyst un neu ddau o'r hogia. Wna i ddim deud pwy.'

Roedd yn rhaid i Jeff fodloni ar hynny. 'Pryd ddechreuodd hyn?' gofynnodd.

'Chydig fisoedd yn ôl, am wn i. Clywed hogia'r tîm cynta yn siarad fydda i ... mi wyddoch chi sut mae hogia'n siarad.'

'Be sy'n cael ei ddeud, Geraint?'

'Bod gan ryw foi maen nhw'n 'i alw'n Gerry stwff da, sy'n gwneud pêl-droedwyr yn gryfach a chyflymach ar y cae ... chwarae'n well, yn fwy ymosodol. Dyna pam y cafodd o'i lysenw: 'Gerry the Pacemaker'. Ar ôl rhyw grŵp pop oedd yn boblogaidd ers talwm, medda rhai o'r hogia.'

'Wyt i'n adnabod y Gerry 'ma, Geraint?'

'Ran ei weld, ond wnes i erioed siarad efo fo.'

'Pwy ydi o felly?'

'Rwbath o ffwrdd, am wn i. Wedi dod yma efo'r gwaith adeiladu.'

'Disgrifia fo i mi.'

'Tua phump ar hugain, boi reit dal ... bob amser yn gwisgo cap lledr a sbectol dywyll, dim o bwys be 'di'r tywydd.'

Canodd y disgrifiad gloch i Jeff yn syth. Tynnodd ei ffôn symudol allan o'i boced a chwiliodd am galeri'r lluniau. 'Hwn ydi o?' gofynnodd.

'Ia,' atebodd Geraint yn syth. 'Dyna fo, Gerry the Pacemaker ydi hwnna.'

'Pa mor aml fyddi di'n 'i weld o yn y clwb?'

'Reit gyson. Bob amser yn hongian o gwmpas, ond byth yn chwarae, nac ymarfer chwaith.'

'A heblaw'r adegau hynny?'

'Mi glywis i ei fod o yn y cinio diwedd tymor ... do'n i ddim yno fy hun.'

'Wnes i ddim gadael iddo fo fynd, Jeff,' torrodd Elen ar draws ei mab. 'Mae chwarae'n troi'n chwerw yn aml ar nosweithiau fel'na, ac fel o'n i'n clywed, mi oedd 'na dipyn o firi'r noson honno.'

'Y Gerry 'ma oedd yn cwffio efo Brian,' eglurodd Geraint. 'Ond mi gafodd Brian y gora arno fo, medda fo.'

'Mi glywis i mai camddealltwriaeth rhwng Brian ac un o'r criw arlwyo oedd y miri,' meddai Jeff.

'Ia, dyna chi. Gerry oedd hwnnw, ac fel dwi 'di clywed, y busnes cyffuriau oedd tu ôl i'r peth. Mi rybuddiodd Brian o i gadw'i sothach yn ddigon pell o'r clwb. Doedd Gerry'n licio dim 'i fod o wedi cael ei lorio gan Brian, oedd gymaint 'fengach na fo, ac o flaen pawb hefyd. Mae o'n ystyried ei hun yn foi go galed.'

'Ai Gerry ydi'i enw iawn o?' gofynnodd Jeff.

'Wel, dyna mae pawb yn 'i alw fo.'

'Ydi'r enw Albert Challenor yn golygu rwbath i ti?'

Meddyliodd Geraint am funud. 'Na, dwi ddim yn meddwl,' atebodd.

'Be am Dave Ashton?'

'Ydi. Dwi'n cofio clywed Wil Morgan yn sôn amdano fo. Un o hyfforddwyr Academi Man U ydi o. Boi reit bwysig yn y set-yp, a fo oedd yn edrych ar ôl Wil, fel rhyw fath o fentor iddo fo, am wn i. Roedd Wil, a gweddill bois yr academi, yn meddwl y byd ohono fo.'

Diddorol iawn, ystyriodd Jeff, fod Gerry yn gweithio i Marc Mathias. Wel, roedd wedi cael enw a rhyw fath o gyfeiriad i ddeliwr Rachel Higgs a Nansi'r Nos erbyn hyn. Meddyliodd am yr Audi gwyn a welsai yn y clwb pêl-droed ychydig ddyddiau ynghynt – ai Gerry oedd yn ei yrru, tybed? Ni chafodd olwg digon da arno i fedru dweud i sicrwydd.

'Oedd Gerry yn y clwb noson y ddamwain, Geraint?' gofynnodd.

'Oedd.'

'Sut gar sy ganddo fo?'

'Wn i ddim.'

'Oedd o'n loetran wrth ymyl Wil a Brian y noson honno?'

'Ella ei fod o. Doedd Brian ddim isio llawer i'w wneud â fo, fel dwi'n dallt.'

'Efo pwy mae Gerry'n cymdeithasu felly?'

'Mae Terry Polyn Lein yn un.'

'Terry Polyn Lein?'

'Ia. Wn i ddim be ydi'i enw iawn o, ond mae o'n hogyn tal, tenau ... pêl-droediwr da.'

'Oedd Terry yno'r noson honno?'

'Oedd, yng nghanol petha fel arfer.'

'Mi wyt ti wedi bod o help mawr i mi, Geraint, ond mae 'na un peth arall sy'n fy mhoeni fi, a Norman Jones, y cyn-reolwr, ydi hwnnw.' Oedodd Jeff, a gwelodd wedd y bachgen yn newid. 'Ydi o'n wir fod y bechgyn yn teimlo'n annifyr yn ei gwmni?'

Edrychodd Geraint i lawr ar ei draed, a sylwodd ei fam ar y newid yn ei agwedd hefyd. Roedd o'n edrych yn anghyfforddus iawn erbyn hyn.

'Oes 'na rwbath wedi digwydd y dylet ti ddweud wrtha i amdano?' gofynnodd Elen.

'Na, dim byd o gwbl,' atebodd. 'Jyst bod pawb yn deud na ddylai neb fynd yn agos ato yn y stafell newid, neu pan mae o'n mynd am gawod.'

'Pam, Geraint?' gofynnodd Jeff.

'Am ei fod o wedi cyffwrdd yn un o'r hogia.'

'Pwy?'

'Wn i ddim.'

'Ydi o wedi trio rwbath efo chdi?' gofynnodd ei fam yn syth.

'Naddo, erioed. Cadw'n glir fydda i.'

'Wyddost ti os ydi unrhyw un o'r bechgyn eraill wedi cael ei gyffwrdd ganddo fo?' gofynnodd Jeff.

'Naddo, neb. Dim ond y mân-siarad dwi wedi'i glywed, a does 'na neb wedi'i gyhuddo fo o ddim, cyn belled ag y gwn i. Mae rhai o'r hogia hynaf yn cymryd y cwbl fel jôc.'

'Wyt ti'n meddwl bod gwirionedd yn y peth?'

'Wn i ddim.'

'Diolch i ti am fod mor agored efo fi, Geraint,' meddai Jeff. 'Rŵan, dos allan i ymarfer efo'r bêl 'na. A chofia – dim gair wrth neb, a wna inna ddim sôn chwaith. Ydan ni'n dallt ein gilydd?'

'Ydan, Jeff. Dim problem.'

Wedi iddo fynd trodd Elen i wynebu Jeff. 'Faint o wir sydd i'r busnes Norman Jones 'na?' gofynnodd iddo. 'Chlywis i ddim gair am y peth tan rŵan.'

'Anodd bod yn sicr,' atebodd, 'ond dwi'n tueddu i feddwl bod rhywun wedi dechra'r straeon yn fwriadol er mwyn lluchio baw i gyfeiriad Norman Jones. Mi glywaist ti nad oes neb wedi gwneud cwyn yn ei erbyn. Neb yn honni ei fod o wedi ymddwyn yn amhriodol. Dim ond mân-siarad sy 'na, ac mi wyddost pa mor hawdd ydi plannu hedyn o'r math yna, a pha mor sydyn mae'r peth yn tyfu.'

'A pha mor anodd ydi hi i amddiffyn rhag cyhuddiadau celwyddog hefyd,' cytunodd hithau. 'Mi soniaist ti am lofruddiaeth Trefor Hudson gynna, Jeff. Be 'di'r cysylltiad?'

'Gwinoedd Mawreddog a Phrin o Ffrainc Cyf.,' atebodd, ac edrychodd arni i ddisgwyl ei hymateb. Ni chafodd ei siomi.

'O? Pan soniais i am y posibilrwydd o dwyll ynglŷn â'r gwin y tro dwytha i ni gyfarfod, doeddat ti ddim isio gwybod. A rŵan mi wyt ti wedi newid dy gân, do?' Plethodd

Elen ei breichiau ac eisteddodd yn ôl fel petai'n cellwair, ond gallai Jeff synhwyro ei hanniddigrwydd.

'Ydw, Elen, dwi wedi newid fy nghân – ond ymchwilio i'r ddamwain car a'r cyffuriau o'n i bryd hynny, a doedd yr hen Trefor Hudson druan heb gael ei saethu gan lofrudd proffesiynol yr adeg honno chwaith. Roedd Trefor a finnau wedi trefnu i gyfarfod i drafod rhywbeth oedd yn pwyso ar ei feddwl, ond mi roddodd rywun fwled yn ei ben o cyn i ni fedru siarad. Mi o'n i'n meddwl mai gwybodaeth ynglŷn â'r cyffuriau oedd ganddo, ond nid felly oedd hi, mae'n ymddangos ... os nad ydi'r ddau beth yn gysylltiedig.'

Adroddodd Jeff hanes y co' bach, a'r data oedd arno yn gysylltiedig â'r gwin.

'Ti'n gweld felly, Elen, sut mae petha wedi newid,' meddai. 'Oeddet ti'n nabod Trefor Hudson?' gofynnodd.

Roedd Elen yn pwyso ymlaen yn ei chadair erbyn hyn, yn awyddus i ddarganfod mwy.

'Unwaith yn unig wnes i ei gyfarfod o, a diwedd yr wythnos cyn y ddiwetha oedd hynny, ar ôl y ddamwain – ac fel y medri di fentro, do'n i ddim ar fy ngorau. A doedd yntau ddim chwaith, dwi'n siŵr. Mi ddaeth o i 'ngweld i ynglŷn â'r gwin.' Oedodd am eiliad. 'Gwranda, cyn i mi fynd ddim pellach, mi a' i i nôl coffi i ni – dwi angen un. Aros funud.'

Aeth Elen i'r gegin a chododd Jeff i ymestyn ei goesau. Gwyliodd Geraint yn trin y bêl yn yr ardd uwchben yr harbwr, a chrwydrodd ei feddwl. Beth oedd gan Trefor Hudson i'w wneud â'r gwin, a pham roedd yr wybodaeth honno ar ffeil o'r enw 'Bri Bach'? Roedd wedi dod i weld Elen ar ôl y ddamwain. Oedd cysylltiad â'r cyffuriau wedi'r cyfan?

Daeth Elen yn ei hôl yn cario hambwrdd ac arno ddau goffi a phlât o fisgedi, ac eisteddodd y ddau yn ôl i lawr.

'Ddylwn i ddechrau o'r dechrau, mae'n debyg,' dechreuodd Elen wrth i Jeff helpu'i hun i'r coffi a bisgeden.

'Deuddeg ces o win gwerthfawr,' meddai. 'Cant pedwar deg a phedwar o boteli, mewn bocsys pren heb eu hagor, yn y ceudyllau o dan ffarm Hendre Fawr. Y ceudyllau a ddefnyddiwyd i guddio ac ailgyflenwi llongau tanfor yn ystod y rhyfel. Mi wyddost ti dy hun faint o nialwch gafodd ei adael i lawr yno. Mae'n edrych yn debyg bod rhywun wedi dod â nhw yn ôl o Ffrainc ar ôl D-Day. Wel, mi wnaethon ni ymholiadau ar y pryd i geisio darganfod os oedd 'na berchennog – doedd dim posib deud os oedd y poteli wedi cael eu dwyn ai peidio, a doedd gan y winllan ddim gwybodaeth chwaith.'

'Handi iawn. Deuddeg ces o win gwerthfawr a dim perchennog.'

'Yn ôl y cytundeb, pan werthais i a fy chwaer y ffarm i ddatblygwyr y pwerdy newydd, ni'n dwy oedd yn berchen ar bopeth yn y ceudyllau. Dwi'n cofio gwneud dau drip yn y car i'w nôl nhw o'r ffarm, eu rhoi nhw yn y garej a meddwl y byswn i'n cael parti ... cyn i mi ddarganfod eu gwerth nhw, hynny ydi!'

'Be oedd y gwin?'

'Gwin coch, Château Mouton Rothschild 1942. A hen labeli budron arnyn nhw i gyd, dwi'n cofio'n iawn. Ymhen rhyw fis mi ddechreuais edrych ar y we, a sylweddoli bod posibilrwydd ei fod o'n werth tipyn go lew. Wel, do'n i'n gwybod dim am win, felly mi ofynnais i Marc Mathias am gyngor.'

Bu bron i Jeff dagu ar ei goffi. Pam yn y byd roedd ei enw fo'n codi mor aml?

'Mi ddaeth o yn ôl ata i ymhen chydig ddyddiau gan ddweud bod y poteli gwin werth cannoedd o filoedd o bunnau. A'r rheiny yn y garej 'cw, Jeff, ar f'enaid i! Es i â nhw'n syth i'r banc, ac mi newidis i fy meddwl am y parti, fel y gelli di fentro. Mi ddeudodd Marc y bysa fo'n fodlon chwilio am brynwr, am bump y cant o'r elw, a dyma fi'n cytuno. Pam lai?'

'Ia, pam lai – ond pam Marc Mathias, o bawb?' gofynnodd.

'O, mi wn i ei fod o'n dipyn o hen lob weithia, ond wedi deud hynny roedd o'n debygol o fod yn gwybod am fwyd a gwin da. I fod yn saff, mi wnes i fynnu bod y gwerthiant yn mynd drwy'r cyfreithwyr, Ellis a Bowen. Rhys Bowen werthodd Hendre Fawr i ni, a'i syniad o oedd creu cwmni ar gyfer gwerthu'r gwin. Mi gafodd Marc Mathias brynwr, a dyna sut ddigwyddodd yr holl beth. Ymhen ychydig wythnosau roedd cwmni Ewropeaidd wedi prynu'r cwbwl am chydig dros hanner miliwn o bunnau – dyna be ges i ar ôl talu i Marc a'r cyfreithiwr. Hanner miliwn i rannu rhwng fy chwaer a finna.'

'Braf iawn,' meddai Jeff, gan obeithio nad dyna ddiwedd y stori.

'Dwi'n synnu na chlywist ti am hyn pan ddigwyddodd o, Jeff. Mi oedd yr hanes yn y papurau newydd a'r newyddion ar y pryd, ac mi fu'r stori mewn sawl un o'r cylchgronau gwin arbenigol.'

'Na, chlywais i ddim o'r hanes,' meddai Jeff. 'Ond prynwyd y gwin, medda chdi – be ydi'r twyll, felly?' gofynnodd.

'Mi synnais glywed ymhen tipyn bod y gwin yn cael ei werthu i gasglwyr gwinoedd ledled y byd am chwe mil a naw cant o bunnau'r botel,' parhaodd Elen. 'Gwna dy syms, Jeff. Ychydig dan filiwn o bunnau oedd gwerth y cwbl … nid 'mod i'n cwyno. Mi wnes i'n iawn allan o'r peth. Mae 'na ddwy flynedd dda ers hynny, ond rhyw ddeufis yn ôl mi ges i alwad ffôn gan ddyn o'r cylchgrawn *The Wine Spectator*. Fo ddeudodd fod twyll yn cael ei amau: roedd yn ymddangos fel petai llawer mwy na chant pedwar deg pedwar o boteli wedi cael eu gwerthu. Gwin ffug mewn poteli ffug, a labeli ffug arnyn nhw. Mae o'n digwydd yn gyson mewn rhai rhannau o'r byd, medda fo.'

'A be oedd diddordeb Trefor Hudson yn hyn i gyd?' gofynnodd Jeff yn ddryslyd.

'Fel dwi'n dallt, roedd *The Wine Spectator* wedi cyflogi Trefor Hudson i wneud rhywfaint o ymholiadau i gefndir y gwin. A phan ddaeth o yma, mi rois i'r un stori iddo fo â'r un dwi newydd ei rhannu efo chdi rŵan. Ond ddeudodd Mr Hudson mo'r cwbwl wrtha i. Roedd yn ddigon hawdd gweld ei fod yn cadw rwbath yn ôl – rwbath i'w wneud â Marc Mathias a'r cwmni yr oedd hwnnw wedi cael gafael arno i brynu'r gwin, ella. Mi holodd fi'n drwyadl iawn am y cysylltiad hwnnw, ond do'n i ddim yn gwybod yr atebion.'

'Yn ystod y cyfarfod, ddaru o sôn rhywbeth am y ddamwain car, a'i ŵyr, Brian?' gofynnodd Jeff.

'Naddo,' atebodd. 'Ond mi ofynnis i iddo sut oedd Brian, wrth gwrs, a … wel, mi wyddost ti cystal â fi bod petha ddim yn dda o gwbl.'

'Pwy arall heblaw Marc Mathias fysa'n gwybod mwy am werthiant y gwin, tybed?'

'Rhys Bowen, am wn i. Wyt ti isio i mi ofyn iddo fo?'

Wedi i Jeff gytuno, aeth Elen i'w ffonio, gan ddychwelyd ar ôl gorffen yr alwad fer.

'Mi fedar o'n gweld ni ymhen hanner awr, Jeff. Wyt ti'n gêm?'

Doedd dim rhaid gofyn ddwywaith.

Pennod 24

Busnes gweddol fychan oedd Elis a Bowen gyda dau bartner yn unig, dau gyfreithiwr a oedd dros y blynyddoedd wedi gwrthod y demtasiwn i fod yn rhan o fusnes llawer mwy. Roedd un yn ymwneud â materion troseddol a'r llall, Rhys Bowen, â materion sifil. Roedd Jeff wedi ei gyfarfod unwaith neu ddwy yn y gorffennol, ond doedd o ddim yn ei adnabod yn dda gan nad oedd Bowen yn un o'r cyfreithwyr a fyddai'n cynrychioli troseddwyr yr ardal ac, o ganlyniad, yn dangos ei drwyn yng ngorsaf yr heddlu bob hyn a hyn. Cwmni dipyn yn hen ffasiwn oedd Elis a Bowen, ac er mai dyn gweddol ifanc oedd Rhys Bowen ei hun, heb gyrraedd ei ganol oed eto, gwisgai fel y byddai rhywun wedi disgwyl i gyfreithiwr wneud yng nghanol y ganrif ddiwethaf. Roedd rhywbeth yn debyg i Dr Prydderch ynddo, meddyliodd Jeff.

Safodd Bowen i'w cyfarch mewn siwt wlân ddu dridarn, ac fel yr oedd Jeff yn ysgwyd ei law, tynnwyd ei sylw at gadwyn aur yn ymestyn o'r botymau yng nghanol ei wasgod tuag at oriawr guddiedig yn y boced dde. Am ryw reswm cymerodd Jeff at y dyn yn syth. Roedd yn bleser gweld dipyn o steil yr hen ddyddiau o'i gwmpas – yn enwedig â chymaint o weithwyr proffesiynol y dyddiau hyn, fo'i hun yn eu plith, yn dod i'w gwaith mewn dillad llai ffurfiol. Roedd Trefor Hudson wedi bod yn ddyn smart hefyd, o gofio disgrifiad yr heddwas yn lleoliad y drosedd o'i siwt. Wedi'r cyfan, roedd yn un o'r hen frid o dditectifs.

Gwahoddwyd Elen a Jeff i eistedd ar gadeiriau caled o flaen desg anferth Bowen tra eisteddai'r cyfreithiwr ar gadair lawer mwy cyfforddus yr ochr arall iddi. Tu ôl iddo roedd silffoedd derw o'r llawr i'r nenfwd, yn llawn llyfrau hynafol yr olwg. Ceisiodd Jeff ddychmygu faint o ddefnydd roedden nhw'n ei gael yn yr oes ddigidol hon, a daeth i'r casgliad mai yno i ychwanegu at ddelwedd Bowen roedden nhw. Ar y ddesg ymysg pentyrrau o ffeiliau, rhai gyda rhuban coch yn dwt o'u hamgylch, roedd cyfrifiadur – yr unig arwydd bod yr unfed ganrif ar hugain wedi cyrraedd y swyddfa.

'Reit,' dechreuodd Bowen. 'Gwinoedd Mawreddog a Phrin o Ffrainc Cyf. – be ydi'ch diddordeb chi yn y cwmni, Ditectif Sarjant?' Dechreuodd wneud nodiadau yn syth, hyd yn oed cyn i Jeff ddechrau ateb ei gwestiwn.

'Llofruddiaeth Trefor Hudson, a'i fod o, fel ditectif preifat, wedi bod yn ymchwilio i hanes y cwmni ychydig cyn iddo gael ei saethu.' Roedd Jeff wedi penderfynu peidio â sôn am y cyffuriau, y ddamwain car na'r clwb pêl droed, nac ychwaith y bygythiadau yn ei erbyn.

Trodd y cyfreithiwr at Elen. 'Arwyddwch yn fan hyn i roi caniatâd i mi drafod y mater efo'r heddlu, os gwelwch yn dda.'

Rhoddodd damaid o bapur o'i blaen. Darllenodd Elen ei gynnwys a'i arwyddo cyn ei roi yn ôl iddo.

'Fi benderfynodd greu cwmni ar gyfer gwerthiant y gwin, Sarjant, a does gen i ddim syniad pam roedd Trefor yn gwneud ymholiadau yn ei gylch, mae gen i ofn.'

'Mae'n swnio fel petaech chi'n gyfarwydd â Trefor.'

'Ro'n i'n ei nabod yn eitha da, gan 'mod i wedi ei gyflogi nifer fawr o weithiau i wneud ymholiadau ar ran fy nghleientiaid. Dyn da, a cholled fawr.'

‘Ewch trwy fanylion y gwerthiant efo fi, os gwelwch yn dda, Mr Bowen,’ gofynnodd Jeff, gan dynnu ei lyfr nodiadau bychan ei hun o’i boced er mwyn cofnodi’r drafodaeth.

Trodd Bowen at ei gyfrifiadur, ac edrychodd ar gynnwys y sgrin o’i flaen dros dop ei sbectol ddarllen. ‘Efallai eich bod chi’n gwybod rhan o’r hanes yn barod, Sarjant Evans,’ meddai. ‘Roedd Elen wedi darganfod bod gwerth y gwin yn sylweddol cyn iddi ddod ata i, ac wedi cysylltu â Mr Mathias hefyd. Fo, Mr Mathias, ddaeth o hyd i gwsmeriaid a dod â’u manylion i mi. Ond y peth cyntaf roedd rhaid i mi ei wneud oedd ceisio darganfod a oedd rhywun arall â hawl i’r eiddo. Er bod cymaint o amser wedi mynd heibio, doeddwn i ddim eisiau i neb ei hawlio, dim hyd yn oed ymhen blynyddoedd. Ar ôl ysgrifennu at nifer o wahanol ffynonellau yn y wlad hon ac yn Ffrainc, ro’n i’n fodlon nad oedd gan neb arall hawl i’r gwin.’

‘Pwy oedd yn prynu?’ gofynnodd Jeff yn awyddus.

‘Wn i ddim pwy oedd yr unigolion tu ôl i’r pryniant, ond gyda chwmni o’r enw Angst Dede Romàne SLR roedd y cytundeb. Mi wnes i’n sicr fod yr arian yn ei le a bod perchnogaeth y gwin yn trosglwyddo i’r cwmni hwnnw unwaith y byddai’r arian yn cael ei drosglwyddo i gyfrif ein cwmni ni ym Mhrydain.’

‘Beth oedd bwriad y cwmni hwnnw wedyn?’

‘Mae marchnad ryngwladol sylweddol i winoedd drudfawr. Ei werthu ymlaen, fyswn i’n tybio, oedd y syniad.’

‘Ddaru chi gysylltu â Mr Mathias ei hun?’

‘Dim ond er mwyn cael manylion y cwmni a’u cyfrif banc. Efo nhw a’u cyfreithwyr wnes i gysylltu wedyn, nes cwblhau’r gwerthiant.’

'Ddaru Trefor Hudson gysylltu â chi ynglŷn â'r gwerthiant.'

'Naddo.'

'Wyddech chi ei fod o wedi cysylltu ag Elen?'

'Na.' Edrychodd i gyfeiriad Elen.

'Ac nid fo oedd y cyntaf i gysylltu efo fi, Rhys,' esboniodd Elen. 'Mi ges i alwad i ddechrau gan rywun o ryw gylchgrawn, y *Wine Spectator*, oedd yn amau bod nifer fawr o boteli'n cael eu gwerthu'n rhyngwladol – llawer mwy na'r cant pedwar deg a phedwar o boteli a werthais i.'

'Rhyw fath o dwyll, felly,' meddai Bowen. 'Ar ôl i ni ei werthu,' parhaodd, i wneud y pwynt i Jeff.

'Wrth reswm,' cytunodd Jeff. 'Wyddoch chi pwy ydi'r unigolion tu ôl i Angst Dede Românе SLR?' gofynnodd.

'Na,' atebodd y cyfreithiwr. 'Sicrhau ei fod o'n gwmni wedi'i sefydlu yn gyfreithlon, a bod yr arian yn ei le i dalu, oedd fy ngwaith i. Oes rheswm i feddwl fod Trefor ar drywydd y twyll, dach chi'n meddwl, Sarjant?' gofynnodd Bowen.

'Anodd deud, Mr Bowen. Anodd deud, wir.'

Hanner dwsin o alwadau ffôn yn ddiweddarach roedd Jeff wedi darganfod mai Terence, neu Terry, Robertson oedd enw iawn Terry Polyn Lein, ac mai un o Hen Golwyn oedd o – llanc yn ei ddauddegau oedd yn gweithio yn friciwr ar safle adeiladu yn Llandudno. Roedd Jeff wedi amcangyfrif y gallai gyrraedd Llandudno cyn pedwar o'r gloch y prynhawn hwnnw, pan fyddai Terry'n gorffen gweithio am y diwrnod.

Eisteddodd Jeff yn y Touareg i ddisgwyl i'r gweithwyr adael. Safle adeiladu stad o dai sylweddol oedd o, gyda ffens uchel o'i amgylch. Doedd dim angen gofyn pa un oedd

Terence Robertson pan gerddodd y gweithwyr tuag at y giât am bedwar o'r gloch ar y dot. Dim ond un o'r pymtheg o ddynion oedd ymhell dros chwe throedfedd a hanner ac yn fain fel styllen.

Aeth atynt, a chyn i'r dyn tal gamu ar y bws am adref efo gweddill ei gyd-weithwyr, tynnodd ef i'r naill ochr a dangos ei gerdyn gwarant iddo. Er bod Geraint Thomas wedi awgrymu bod Terry Polyn Lein yn llawiau â Gerry the Pacemaker, doedd o ddim am fod yn ymosodol wrth holi'r gŵr ifanc. Roedd o, fel aelodau eraill tîm y dref, wedi cael tipyn o ysgytwad yn dilyn damwain Wil a Brian. Byddai'n ddigon hawdd iddo newid ei dac yn hwyrach ymlaen, pe byddai angen.

'Ditectif Sarjant Jeff Evans, Glan Morfa CID,' meddai. 'Dwi isio gair bach os gweli di'n dda, Terry.'

'Ond dwi ar y ffordd adra ...' atebodd, gan edrych i lawr ar Jeff.

'Dwi'n sylweddoli hynny, Terry, ond mae hyn yn bwysig. Marwolaeth Wil Morgan ac anafiadau Brian Owen sy gen i dan sylw.' Gwelodd Jeff y gŵr ifanc yn difrifoli, ond wnaeth o ddim dweud gair, dim ond syllu yn ei flaen.

'Mi gei di lifft adra gen i wedyn,' addawodd Jeff. 'Iawn?'

Edrychodd Terry Polyn Lein i lawr i lygaid Jeff a gwelodd y ditectif fod tristwch ynddynt. Trodd i gyfeiriad ei gyd-weithwyr, a oedd erbyn hyn ar y bws i gyd. 'Wela i chi fory, bois. Dwi'n cael pàs adra.'

Cerddodd y ddau i gyfeiriad car Jeff.

'Dwi braidd yn fudur,' meddai Terry, gan edrych ar ei ddillad llychlyd.

'Paid â phoeni. Mae'r car 'ma wedi gweld ei siâr o faw a fydd o ddim gwaeth.'

Eisteddodd y ddau yn y seti blaen.

'Fel dwi'n dallt, Terry, mi oeddat ti ym mar y clwb pêl-droed ar noson y ddamwain – dwi'n awyddus i siarad efo pawb a oedd yno, er mwyn dallt yn union be ddigwyddodd cyn i Wil a Brian adael yn y car.'

'O'n, mi o'n i,' atebodd.

'Pwy arall oedd yno?'

'Dim ond yr hogia arferol, y rhai sy'n chwarae i'r tîm cynta a'r ail dîm, a rhai o'r chwaraewyr ifanc fel Geraint.'

'Geraint?' gofynnodd Jeff, yn cofio'r addewid a wnaeth i'r bachgen yn gynharach yn y dydd.

'Ia, Geraint Thomas ... roedd o yn y car hefyd, doedd?'

'Oedd rhywun arall yno?' Byddai'r ateb yn cadarnhau a oedd Terry Polyn Lein am fod yn onest hefo fo. Pasiodd Terry y prawf.

'Neb ond y dyn tu ôl i'r bar a rhyw foi o'r enw Gerry,' meddai. 'Fydd o byth yn chwarae pêl-droed, ond mae o yno'n reit aml.'

'Gerry the Pacemaker wyt ti'n feddwl?' Chwiliodd Jeff am unrhyw ymateb ar ei wyneb.

Roedd Terry wedi'i synnu bod Jeff yn ymwybodol o'r llysenw, ond ceisiodd ei orau i beidio â dangos hynny. 'Ia, hwnnw,' atebodd, ychydig yn fwy ansicr erbyn hyn.

'Deud rwbath wrtha i amdano fo,' meddai Jeff.

'Wedi dod i'r dre ar gyfer y gwaith adeiladu mae o. O un o wledydd Ewrop yn wreiddiol dwi'n meddwl ... yn ôl ei acen, beth bynnag. Meddwl ei fod o'n foi mawr caled, ac isio i bawb wybod hynny.'

'Wyt ti'n un o'i fêts o?'

'Na, dim mwy.'

'Dim mwy?'

'Ella 'mod i ar y dechrau, pan ddechreuodd o ddangos ei hun o gwmpas y lle, fisoedd yn ôl. Driais i ei berswadio fo i chwarae'r gêm, ond doedd ganddo ddim diddordeb o gwbl mewn pêl-droed ac mi wnaeth hynny i mi amau pam roedd o yn y clwb mor aml.'

'Sut gafodd o'r llysenw Pacemaker?' gofynnodd Jeff yn blwmp ac yn blaen.

'Dwi'n meddwl eich bod chi'n gwybod yr ateb i'r cwestiwn yna cystal â fi,' atebodd Terry. 'Ac ydi, mae o wedi bod yn rhannu cyffuriau i rai o hogiau'r tîm, a dwi'n gwneud cyn lleied â phosib efo fo ers i mi ddysgu hynny. Mi gynigodd o rwbath i mi un tro ond gwrthod wnes i. Sgin i ddim amser i betha fel'na. Dwi ddim yn siŵr ai dyna oedd tu ôl i'r ffrwgwd gafodd o noson y parti, diwedd y tymor dwytha. Do'n i ddim yno fy hun, ond mi ddigwyddodd rwbath yn y bar ar ôl y cinio. A dros gyffuriau oedd hynny ... neu dyna 'di'r sôn.'

'Pwy oedd wrthi?'

'Gerry ac un o'r hogia lleol am wn i, ond chlywais i ddim mwy na hynny. Dach chi'n gweld, fydda i ddim yn mynd draw i'r clwb mor aml y tu allan i'r tymor chwarae.'

'Mae gan y Gerry 'ma dipyn o enw felly,' meddai Jeff, yn chwilio am ychwaneg o wybodaeth. Chafodd o mo'i siomi.

'Oes wir. Mae o'n dechrau straeon cas, yn un peth.' cynigodd Terry.

'Fel ...?'

'Bod Norman Jones, y rheolwr, wedi bod yn cam-drin rhai o'r bechgyn ifanc. Ganddo fo, Gerry, glywais i'r stori gynta, jyst cyn diwedd y tymor dwytha, ac yn fuan ar ôl hynny roedd yr hanes yn dew o gwmpas y lle. Doedd neb i weld yn ochri efo Norman, druan. Sicr i chi mai Gerry ddechreuodd yr holl beth. Mae gen i feddwl mawr o Norman, a dydi o ddim yn haeddu be sy 'di digwydd iddo fo.'

'Pam fysa fo'n deud y fath beth am Norman?' gofynnodd Jeff.

'Am fod Norman wedi cornelu dau o'r chwaraewyr oedd yn cymryd y cyffuriau, ac wedi bygwth uffar o stid iddyn nhw am wneud peth mor wirion. Mi oedd o isio gwybod enw pwy bynnag oedd yn rhannu'r stwff. Ddaru nhw ddim deud pwy oedd yn ei rannu, er eu bod nhw'n agos iawn at wneud hynny.'

'A dechrau'r sibrydion oedd ffordd Gerry o gael gwared ar Norman.'

'Ia,' cytunodd Terry. 'Mi oedd Higgs yn siŵr o glywed cyn hir, a dim ond esgus oedd hwnnw ei angen i gael gwared â Norman. Doedd y ddau ddyn ddim yn cyd-dynnu o gwbl.'

'Dwi'n synnu dim,' meddai Jeff. 'Ond gad i mi fynd yn ôl rŵan i noson y ddamwain. Pa mor agos oedd Gerry i Wil a Brian yn noson honno?' Gwelodd Jeff fod Terry Polyn Lein yn meddwl yn ofalus.

'Pam?' gofynnodd.

'Am fod gen i amheuaeth i rywun roi'r cyffur i Wil a Brian heb yn wybod iddyn nhw.

Syllodd Terry Polyn Lein allan o ffenestr y car, a dechreuodd ei lygaid lenwi.

Roedd y dyn ifanc o'i flaen yn gweithio mewn byd gweddol arw, ystyriodd Jeff, lle byddai disgwyl iddo fod yr un mor galed â'i gyd-weithwyr. Ond roedd o erbyn hyn yn beichio crio fel plentyn, ei law fawr yn gorchuddio'i ddwy lygad a marciau budron lle roedd y dagrau wedi cymysgu â'r llwch ar ei wyneb. Rhoddodd Jeff funud neu ddau iddo ddod ato'i hun.

'Peidiwch â deud mai mewn potel o Diet Coke oedd y cyffur,' meddai.

Oedodd Jeff cyn ateb. 'Mae hynny'n bosib,' atebodd yn bwyllog ymhen sbel. 'Dyna ydi fy marn i – ond fedra i ddim profi hynny ar hyn o bryd,' ychwanegodd.

'Fi roddodd y botel honno i Brian,' meddai'n dorcalonnus. 'Mi oedd pawb yn y clwb mor falch o weld Wil Morgan yno y noson honno efo Brian. Dau o'n hogia ni, fyddai'n debygol o fod yn chwarae yn adrannau uchaf Lloegr mewn blwyddyn neu ddwy. Mi allwch fentro pa mor uchel oedd ysbryd yr hogia i gyd, a phawb isio prynu peint i'r ddau. Gwrthod ddaru nhw, wrth gwrs, ac mi aeth hi'n dipyn o jôc bod dau hogyn mor ifanc yn gwrthod peint o gwrw am ddim. Dywedodd Brian mai'r peth agosa at beint o gwrw fysa fo'n 'i yfed fysa Diet Coke. Ymhen dim, fel yr oedd y ddau yn gadael, roedd 'na botel o Diet Coke ar y bar iddo fo a gwelltyn ynddi hi. Gerry basiodd hi i mi, a deud mai i Brian oedd hi. Mi rois i'r botel i Brian, heb feddwl dim am y peth. Pam fyswn i?'

'Oedd 'na ddigon o amser i Gerry fod wedi medru rhoi cyffur yn y botel?' gofynnodd Jeff.

'Wedi meddwl, Sarjant – ac wedi siarad efo chi rŵan – dwi'n sylweddoli mai dyna be wnaeth o. Mi welais i o drwy gornel fy llygad yn troi ei gefn at bawb, dim ond am chydig eiliadau, a phan drodd o'n ôl i fy wynebu roedd o'n chwarae efo'r gwelltyn yn y botel cyn ei rhoi hi i mi. Mi gymerodd Brian y botel o fy llaw i a gweiddi "iechyd da" i gyfeiriad pawb oedd wedi bod yn tynnu arnyn nhw. Wn i ddim be ddigwyddodd tu allan ... ond fi, yn ôl pob golwg, oedd yn gyfrifol am roi'r cyffur iddyn nhw.'

Gwyddai Jeff yn union beth oedd wedi digwydd y tu

allan i'r clwb. Roedd Geraint wedi dweud wrtho fod Brian wedi cymryd llymaid o'r ddiod a Wil wedi llowcio'r gweddill mwy neu lai ar ei ben. Roedd y cyffur wedi teithio drwy ei gorff yn gyflym wedi hynny.

Roedd Jeff mor sicr ag y gallai fod bod Terry Polyn Lein wedi dweud y gwir wrtho. Fo oedd wedi sylweddoli arwyddocâd y botel Coke, a hynny heb wybod mai efo Brian yr oedd Gerry wedi cwffio yn y parti. Ai dos o gocên a strycnin oedd cosb Brian am lorio Gerry o flaen pawb? Yna Wil Morgan, yn anfwriadol, wedi cymryd y cyfan, bron â bod?

Aeth Jeff â Terry adref, gan bwysleisio nad oedd o i sôn am eu sgwrs wrth neb. Gwyddai fod bywyd y bachgen wedi newid am byth yn dilyn ei sylweddoliad, felly treuliodd Jeff beth amser yn esbonio'r cyfan i'w rieni yn Hen Golwyn. Roedd hi'n tynnu am wyth o'r gloch cyn iddo adael eu cartref.

Gyrrodd adref yn araf ar hyd yr arfordir. Roedd y cwestiwn pwysicaf yn dal i'w boeni: pam roedd o wedi cael y nodyn ar lan y môr ym Mae Troulos? Pam teithio mor bell i'w fygwth pan oedd popeth perthnasol yn digwydd yng Nglan Morfa?

Roedd yn edrych ymlaen tm noson dawel gan fod digwyddiadau'r dyddiau diwethaf a'r oriau hir yn dechrau dweud arno. Ond drylliwyd ei gynlluniau gan alwad ffôn: roedd Audi Quattro gwyn, rhif MT63 SMR wedi cael ei stopio ar yr A55 nid nepell o Abergwyngregyn. Rhoddodd ei droed ar y sbardun.

Pennod 25

Roedd Jeff wedi cyrraedd Abergwyngregyn ymhen dim. Gwelodd ddau gar patrôl traffig yr heddlu ar ochr chwith y ffordd ddeuol, yng ngheg y troad a oedd yn arwain i'r pentref, a'u goleuadau glas yn fflachio. Roedd car gwyn arall rhwng y ddau: yr Audi gwyn oedd hwnnw. Parciodd Jeff ei gar ei hun tu ôl i'r car patrôl agosaf. Gwelodd fod gŵr ifanc yn eistedd yn sedd y gyrrwr, yr unig berson yn y car, a bod plismon arall, un o dri, yn sefyll wrth ei ochr. Daeth un o'r heddweision traffig ato fel yr oedd o'n cerdded tuag atynt.

'Sut ma' hi, Sarj? Dallt bod ganddoch chi ddiddordeb yn y car yma, a'r gyrrwr,' meddai.

'Oes wir,' atebodd Jeff. 'Be 'di'r hanes hyd yn hyn?'

'Dim llawer,' atebodd. 'Yr unig reswm i'w stopio oedd eich cais chi. Roedd yn ddigon amlwg nad oedd o isio stopio pan rois i'r golau glas ymlaen yng nghyffiniau Bae Colwyn. Rhoddodd ei droed i lawr – gyrru fel ffŵl yn gwneud dros gant – ac mi fu'n rhaid i mi ofyn am bac-up gan gar arall oedd yn y cyffiniau. Rhyngddon, mi lwyddon ni i'w stopio fo yn y fan hyn. Diawl bach anghwrtais ydi o hefyd. Gwybod ei hawliau, ac isio twrna a ballu cyn ateb cwestiynau. Ceidwad y car ydi Albert Challenor ond mae'r gyrrwr yn rhoi ei enw fel Jimmy Barlow o Salford.'

'O? Oes ganddo fo fodd o gadarnhau hynny?'

'Tydan ni ddim wedi dechrau ei holi fo eto, Sarj.

Meddwl y bysa'n well i ni ddisgwyl nes i rywun sy'n gwybod mwy am yr achos gyrraedd.'

'Digon teg,' atebodd Jeff, a cherddodd yn araf i gyfeiriad drws gyrrwr yr Audi.

Bachgen yn ei ddauddegau cynnar oedd yn eistedd yno, yn gwisgo cap lledr du. Ond wrth nesáu ato, sylweddolodd Jeff nad Gerry the Pacemaker, y dyn a werthodd y cocên i Nansi'r Nos, oedd hwn. Roedd ei ddwylo'n gorffwys ar y llyw o'i flaen a sigarét wedi'i thanio rhwng dau fys, y ddwy law yn symud i rhythm miwsig uchel o amryw uchelseinyddion y car. Sylwodd Jeff ar nifer o datŵs amaturaidd, blêr ar ei fysedd a'i freichiau noeth – gwelodd amryw o datŵs tebyg yn ystod ei yrfa ac mewn carchardai y bydden nhw'n cael eu harlunio fel arfer.

Trodd y gyrrwr ei ben tuag at Jeff.

'O, mae'r Gestapo wedi cyrraedd, ydi? Ella ga i dipyn o synnwyr rŵan ynglŷn â pham mae'r pennau rwdan 'ma wedi fy stopio fi.'

'Allan o'r car, a dwy law ar y to,' gorchymynnodd Jeff.

'O, dominyddwr, ia?' meddai'n sarhaus mewn llais merchetaidd.

Gwisgai grys T coch, jîns glas blêr oedd yn datgelu top ei ben-ôl a phâr o esgidiau ymarfer a fu unwaith yn wyn. Roedd golwg eithriadol o flêr arno, a doedd ei agwedd tuag at awdurdod yn gwneud dim i wella ei sefyllfa.

Yn wynebu'r car ac yn pwyso yn ei erbyn, dechreuodd Jeff chwilio'i gorff yn drwyadl, o'i ben i'w esgidiau heb fethu unman.

'Peidiwch â chosi,' meddai, yn dal i fod mor amharchus ag y gallai. 'Gobeithio eich bod chi'n cael cymaint o bleser â fi,' ychwanegodd.

Roedd Jeff wedi cael hen ddigon. Bu'n ddiwrnod hir ac yn ôl pob golwg doedd o ddim yn agos at gael mynd adref. Gafaelodd ym mreichiau'r dyn a'u rhoi tu ôl i'w gefn, er mwyn rhoi gefynnau llaw amdanynt. Datganodd ei fod yn arestio'r dyn ar amheuaeth o gyflenwi cyffuriau yng Nglan Morfa, a rhoddodd y rhybudd swyddogol iddo.

'Cyffuriau? Does gen ti ddim byd arna i, y cont,' oedd ei unig ateb.

Doedd dim byd o ddiddordeb wedi'i guddio yn unman ar ei gorff. Rhoddwyd y carcharor yng nghefn un o'r ceir patrôl a'i gludo i orsaf yr heddlu yng Nghaernarfon, a gyrrwyd yr Audi ar ei ôl gan un o'r heddweision eraill, er mwyn ei archwilio'n drwyadl.

Yn y fan honno, wedi iddo fynnu mai Jimmy Barlow oedd ei enw cywir – ac ar ôl cadarnhau hynny – dechreuodd Jeff esbonio wrth sarjant y ddalfa pam ei fod wedi'i arestio. Gwyddai'r ditectif yn iawn nad oedd digon o dystiolaeth iddo fod wedi gwneud hynny. Mewn gwirionedd, doedd ganddo ddim. Yr unig gyfiawnhad dros ei gaethiwo oedd y cudd-wybodaeth ynglŷn â'r Audi ac Albert Challenor, ac agwedd sarhaus y gŵr ifanc ei hun.

Er nad Albert Challenor oedd yn gyrru'r car, roedd Jeff yn sicr bod rhyw gysylltiad rhyngddynt, a llwyddodd i ddarbwyllo'r sarjant fod y carchariad yn un cyfreithlon. Tra oedd Jeff yn esbonio'r cysylltiad â'r holl gyffuriau drwg yng Nglan Morfa, ochneidiodd Barlow yn barhaus ac ysgwyd ei ben er mwyn arwyddo ei anghytundeb. Dysgodd Jeff fod gan James Barlow nifer o euogfarnau i'w enw, y cyntaf pan oedd yn ddeuddeg oed, a'i fod wedi treulio mwy nag un cyfnod yn y carchar. Roedd yr euogfarnau yn cynnwys dwyn, lladrata ac ymosodiadau, ac un am feddiannu cyffuriau, er bod hynny bedair blynedd yn ôl. Dyna'r arwydd cyntaf i Jeff ei fod ar y trywydd iawn, er mai arwydd gwan iawn oedd o. Wedi i'r carcharor wneud un alwad ffôn i gysylltu â'i fam, rhoddwyd ef mewn cell i ddisgwyl am y cyfreithiwr y gofynnodd amdano. Aeth Jeff allan i chwilio'r Audi yn fanwl.

Cymerodd ddwy awr dda i wneud hynny, a daeth yn amlwg nad oedd dim byd anghyfreithlon y tu mewn i'r car. Dim byd wedi'i guddio dan y matiau, dan y seddi nac ynddynt, dim yn un o'r blychau nac o dan fonet yr injan. Roedd chwilio'r bŵt yn fwy cymhleth gan ei fod yn llawn o focsys plastig yn cynnwys rhyw fath o baent, tua dwsin i gyd. Ystyriodd Jeff eu hagor i gyd rhag ofn bod cyffuriau wedi'u cuddio oddi mewn, ond buan y newidiodd ei feddwl gan fod pob un wedi'i selio ac yn amlwg yn newydd. Paent gwyn ym mhob man oedd y peth diwethaf roedd Jeff ei angen ar fin nos fel heno. Wedi'u tynnu allan o'r bŵt, parhaodd Jeff i chwilio pob twll a chornel yn fanwl, hyd yn oed y tu mewn i'r olwyn sbâr. Suddodd ei galon.

Roedd hi bron yn ddeg o'r gloch cyn i Jeff ddechrau holi Barlow ym mhresenoldeb gŵr o'r enw Kendal Guile, cyn-blismon a oedd erbyn hyn yn gweithio'n asiant i nifer o gyfreithwyr i fod yn bresennol yn ystod holi eu cleientiaid. Yn dal i wisgo'i gap lledr du, eisteddodd Barlow yn flêr yn ei gadair, ei ddwy law ym mhocedi ei jîns ac yn cnoi tamaid o gwm fel buwch yn cnoi'i chil.

Er syndod i Jeff, dechreuodd Barlow ateb ei gwestiynau'n rhwydd – roedd yn sicr na fyddai gan yr heddlu unrhyw dystiolaeth yn ei erbyn, mae'n rhaid. Petai'r gwrthwyneb yn wir, fyddai o, mwy na thebyg, ddim wedi dweud yr un gair.

Eglurodd y carcharor ei fod wedi prynu'r Audi gan ei frawd yng nghyfraith, Al Challenor, bythefnos ynghynt ac nad oedd y gwaith papur wedi cael ei yrru i Abertawe eto. Ceisiodd ddarbwyllo Jeff nad oedd ganddo fawr o gysylltiad â Challenor – nid bod Jeff yn credu hynny am funud. Gofynnodd iddo beth oedd ei gysylltiad â Glan Morfa, ac esboniodd Barlow ei fod yn adnabod Wil Morgan drwy ei waith yn dirmon yng nghlwb pêl-droed Manchester United; yn gweithio yng nghanolfan hyfforddiant ac ymarfer y clwb, y Trafford Training Centre, Carrington. Synnodd Jeff fod dyn ifanc gyda record mor faith wedi cael ei gyflogi mewn lle o'r fath. Parhaodd Barlow i egluro ei fod wedi cynnig lifft adref i Wil i Lan Morfa unwaith, cyn i Wil gael car ei hun, a bu'n ymweld â'r dref fwy nag unwaith ers hynny, a chlwb pêl-droed y dref hefyd. Gwadodd ei fod yn gwybod am y cyffuriau yno, a phan ofynnwyd iddo pam ei fod yn y clwb pêl-droed bedwar diwrnod ynghynt, newidiodd ei agwedd yn syth. Gwrthododd ateb unrhyw gwestiynau pellach.

'Be sy'n bod, Jimmy? Pam nad wyt ti'n ateb?' gofynnodd Jeff, yn amau bod gan y dyn ifanc rywbeth i'w guddio.

'Dim sylw,' atebodd.

'Mi welais i chdi'n dod allan o'r clwb, a siarad efo Dave Ashton.'

'Dim sylw,' meddai eto.

'Pwy arall welaist ti yno?'

'Dim sylw.'

'Ylwch,' meddai Kendal Guile, yn ymyrryd am y tro cyntaf. 'Mae ganddo berffaith hawl i wrthod ateb os mynno, a dwi'n ei gynghori i barhau i wneud hynny os mai dyna ydi'i ddewis. Hoffwn gael sgwrs breifat efo fy nghlient, os gwelwch yn dda.'

Clôdd Jeff y cyfweliad i ganiatáu hynny, ac aeth allan i dderbynfa'r ddalfa. Yno, cafodd wybod bod rhywun yn mynnu cael gair ag ef.

Cerddodd Jeff trwodd i'r ystafell aros ac i'w syndod gwelodd Dave Ashton yn eistedd yno. Cododd hwnnw ar ei draed yn syth a chamodd i gyfeiriad Jeff, ei agwedd yn amlwg yn danllyd.

'A! Chi sy tu ôl i hyn i gyd, ia? Ro'n i'n meddwl 'mod i wedi gwneud fy hun yn hollol glir – peidiwch â dod yn agos i'r academi 'cw, ac mae hynny'n cynnwys aelodau fy staff i hefyd,' oedd geiriau cyntaf Ashton. Camodd Jeff ymlaen nes bod ei drwyn yn wyneb y gŵr o Fanceinion. 'Well bod 'na reswm da dros hyn i gyd, neu mi fydd 'na uffar o le.'

Cawsai Jeff ddigon ar agwedd y dyn yma. Roedd o wedi bod yn ddigon bodlon i anwybyddu ei ymddygiad y tro cyntaf, tu allan i dŷ Mr a Mrs Morgan, ond roedd yn prysur golli'i limpyn. Er nad oedd unrhyw dystiolaeth hyd yma fod Barlow yn gwerthu cyffuriau budr i bobl Glan Morfa, roedd ei brofiad a'i reddf yn dweud fod rhywbeth o'i le.

Rhoddodd Jeff ei law ar frest Ashton, a hynny'n ddigon cadarn iddo ddeall pwy oedd y bòs. 'Steddwch,' meddai'n bwyllog mewn llais isel. 'A chadwch eich llais i lawr, neu yn y gell fyddwch chitha hefyd.'

Parhaodd Ashton i edrych yn herfeiddiol i lygaid Jeff, ond ddywedodd o 'run gair.

'Rŵan ta,' parhaodd Jeff. 'Mae 'na reswm da fod Jimmy yma,' meddai, gan geisio gwneud i'w gelwydd swnio fel y gwir, 'ac os ydych chi, Mr Ashton, yn ymddwyn yn ddigon parchus, mi esbonia i'r rheswm yn fy amser fy hun. Rŵan

’ta, fel deudis i, steddwch i lawr ac mi drïwn ni eto i siarad yn gall efo’n gilydd.’

Yn amharod, ufuddhaodd Ashton.

‘Mater o rannu cyffuriau a gwenwyn ynddyn nhw sy gen i dan sylw. Y cyffur a laddodd Wil Morgan. Mae’r Audi sy’n cael ei yrru gan Jimmy yn cael ei ddefnyddio ar gyfer gweithredoedd anghyfreithlon, sy’n cynnwys rhannu cyffuriau,’ dywedodd, er y gwyddai na allai brofi fod Barlow yn gysylltiedig â hynny. ‘Dwi’n gweld o’i record nad ydi Jimmy yn un o’r dynion ifanc mwyaf gonest ym Manceinion. Dwi’n synnu, a deud y gwir, fod dyn fel fo yn cael ei gyflogi yng nghanolfan hyfforddi ac ymarfer y clwb, yn enwedig yng nghwmni hogia ifanc. Mae diogelwch yn hynod o bwysig i chi, fel dwi’n dallt.’

Rhoddodd Ashton ei ddau benelin ar ei liniau a’i ben i lawr ac ochneidiodd yn uchel.

‘Fi gafodd y swydd yno iddo fo, ac mi wyddwn i bryd hynny y byddai’r penderfyniad hwnnw yn dod yn ôl ryw dro i ’mrathu i. Dach chi’n gweld, mab i fy nghyfnither ydi o, a gwneud ffafr â hi o’n i pan ddaeth Jimmy allan o’r carchar y tro dwytha, a rhoi job iddo fo. Mi addawodd i mi y bysa fo’n bihafio, ond Duw a ŵyr ...’

‘Ac ydach chi’n adnabod Albert Challenor hefyd felly?’

‘Erioed wedi clywed sôn amdano.’

‘Mi wn i pam roeddach chi yng Nglan Morfa y diwrnod o’r blaen. Pam oedd Jimmy yno?’

‘Sgin i ddim syniad, a dyna’r gwir i chi. Ar ôl bod yn gweld Mr a Mrs Morgan, a disgwyl i chi ddod allan, mi es i i’r clwb pêl-droed gan feddwl gweld Norman Jones, ond doedd o ddim yno. Ges i sioc pan ddois i ar draws Jimmy.’

‘Be oedd o’n neud yno?’

'Ddeudodd o ddim mwy na'i fod o'n teimlo dros Wil ac yn chwilio am rai o fêts yr hogyn druan, ond wn i ddim os oedd hynny'n wir neu beidio.'

'Be'n union ydi ei waith o yn y ganolfan hyfforddi, Dave?' Defnyddiodd Jeff ei enw cyntaf yn y gobaith y byddai Ashton yn rhannu mwy o wybodaeth.

'Dim byd pwysig iawn, a deud y gwir. Gwaith reit ddibwys ydi o i gymharu â'r tri chant arall sy'n gweithio ar y safle bob dydd.'

'Ydi o'n ennill cyflog go lew acw?'

'Dim peryg. Rwbath i'w gadw fo allan o drybini ydi'r job, dim mwy.'

Myfyriodd Jeff sut felly roedd o'n berchen ar gar mor ddrud. Oedd ganddo incwm arall? Os felly, un cyfreithlon ynteu anghyfreithlon?

'Be mae o'n wneud acw?'

'Mae 'na ddeunaw o gaeau chwarae, un ar bymtheg ar gyfer yr academi a'r ail dîm, a dau ar gyfer y tîm cyntaf. Ei waith o ydi twtio o gwmpas y caeau a helpu i sicrhau eu bod nhw'n ffit i chwarae arnyn nhw bob dydd. Goeliwch chi fod 'na ddeng milltir o linellau gwyn i'w paentio? Mae'r gwaith hwnnw'n ddiddiwedd, ac yn cymryd tua phum mil o litrau o baent i'w wneud. Mae o wedi dechrau cael ei hyfforddi i wneud hynny yn ddiweddar ... sut i ddefnyddio'r paent a'r peiriannau a ballu.'

Cododd aeliau Jeff bron cymaint â'i ddiddordeb yn y frawddeg olaf. 'Sut fath o baent maen nhw'n 'i ddefnyddio?' gofynnodd.

'Stwff arbennig iawn sy'n cael ei wneud gan bobl o'r enw Bowcom, yn bwrpasol ar gyfer leinio caeau chwarae – a tydi o ddim yn stwff rhad chwaith.'

Gwyddai Jeff erbyn hyn pam roedd Jimmy Barlow yn gyndyn o stopio i'r hogia traffig yn gynharach. 'Dowch efo fi, os gwelwch yn dda, Dave,' meddai.

Arweiniodd Jeff y Sais i gefn yr adeilad ac agorodd fŵt yr Audi gwyn. Edrychodd Ashton ar y cynhwysyddion plastig ynddo, a'r enw Bowcam Atomic ar bob un, ac ysgydwodd ei ben yn araf o un ochr i'r llall.

'Does dim rhaid gofyn o ble ddaeth y rhain,' meddai.

'A does dim rhaid gofyn i ble'r oedden nhw'n mynd chwaith,' atebodd Jeff.

'Be fydd canlyniad hyn felly?' gofynnodd Ashton.

'Os ydi o wedi eu dwyn nhw, mae'n rhaid ei gyhuddo fo, a phwy bynnag arall sy'n gysylltiedig â'r achos hefyd.'

'Dyna o'n i'n ofni,' atebodd Ashton. 'Wel, does 'na ddim pwrpas i mi aros yma bellach,' parhaodd. 'Dod yma ar ôl cael galwad gan ei fam o wnes i, i wneud yn siŵr nad oedd o'n cael bai ar gam. Dwi'n teimlo'n euog rŵan am ei argymell i'r swydd. Mi gewch chi ei gadw fo yma a lluchio'r goriad i ffwrdd o'm rhan i.'

'Un cwestiwn arall, cyn i chi fynd, Dave. Oes ganddoch chi unrhyw amheuaeth fod Jimmy wedi bod yn defnyddio neu yn rhannu cyffuriau caled?'

'Fyswn i ddim yn synnu os ydi o'n smocio rhywfaint o bot o dro i dro, Sarjant, ond dim mwy na hynny cyn belled ag y gwn i.'

'Digon teg,' atebodd Jeff.

Ysgydwodd y ddau ddwylo'i gilydd cyn gwahanu. Yn sicr, roedd diwedd eu cyfarfod yn dipyn mwy positif na'i ddechrau.

Cyn ailgyfweld Jimmy Barlow, ffoniodd Jeff orsaf heddlu Glan Morfa a threfnu i blismyn chwilio adeiladau clwb pêl-droed Glan Morfa am unrhyw eiddo a oedd yn debygol o fod yn perthyn i glwb Manchester United. Trefnodd hefyd i gartref Barlow ym Manceinion gael ei chwilio'n fanwl.

Rhoddwyd y ffeithiau i gyd gerbron Jimmy Barlow, a chyn hir cyfaddefodd i ddwyn y paent o safle hyfforddi Manchester United a'i werthu i Sydney Higgs am y nesa peth i ddim. Roedd hwnnw'n siŵr o fod yn ymwybodol o ble daeth yr eiddo, ac nad oedd wedi gadael Manceinion yn gyfreithlon. Penderfynodd Jeff gadw Barlow yn y ddalfa dros nos cyn trosglwyddo'r achos i'r heddlu ym Manceinion, gan mai yno y cyflawnwyd y drosedd.

Ar y ffordd adref, galwodd Jeff yng ngorsaf heddlu Glan Morfa. Deallodd fod Sydney Higgs yn y ddalfa a bod peiriant marcio llinellau Beamrider wedi ei ddarganfod mewn sied yng nghefn cartref Higgs. Roedd y teclyn gordechnegol yn un llawer gwell nag oedd ei angen ar glwb o safon Glan Morfa. Pam oedd o wedi'i guddio yn y sied, tybed, yn hytrach nag yn y clwb? Arwydd o euogrwydd, tybiodd Jeff.

Pan gyrhaeddodd adref am chwarter i ddau y bore canlynol, myfyriodd Jeff dros y digwyddiadau. Heb os nac oni bai, roedd arestiad Barlow wedi'i gyfiawnhau, ond doedd o ddim callach a oedd y gŵr ifanc yn gysylltiedig â chyffuriau, ym Manceinion nac yng nghyffiniau Glan Morfa. Pa mor agos oedd Jimmy Barlow i Albert Challenor tybed? Sut oedd gan Jimmy Barlow gar mor ddrud ac yntau ar gyflog mor fychan? Dechreuodd ystyried ai Challenor oedd yn gyfrifol am ddod â'r cocên i'r ardal, ond ni allai ddychmygu pam y byddai Challoner yn ei ystyried yn elyn, gan nad oedden nhw erioed wedi dod ar draws ei gilydd cyn yr wythnos hon. Doedd o ddim yn ffyddiog ei fod fymryn yn nes at y gwir.

Pennod 26

Disgwyliodd Jeff nes i'r gynhadledd orffen y bore canlynol cyn mynd i weld y Ditectif Uwch Arolygydd Lowri Davies. Wedi'r cyfan, roedd wedi gwneud addewid iddi y buasai'n rhannu unrhyw wybodaeth berthnasol â hi'n ddyddiol. Drwy wneud hynny, byddai'n cadw at ei ran o o'r fargen a pharhau i dderbyn y rhyddid yr oedd o'i angen i barhau â'i ymchwiliad bach ei hun ochr yn ochr â'i phrif ymchwiliad hi.

Ond roedd digwyddiadau'r noson cynt wedi cymhlethu pethau. Bu Sydney Higgs yn y ddalfa dros nos ar ôl cael ei gyhuddo o dderbyn eiddo wedi'i ddwyn, yn cynnwys y peiriant i wneud llinellau gwyn yn ogystal â phaent. Canfuwyd nifer o eitemau eraill yn ei shed hefyd, yn cynnwys rhwydi gôl a nifer o fagiau o wrtaith. Roedd heddlu Manceinion ar eu ffordd i fynd â Jimmy Barlow yn ôl i'r ddinas honno ar gyfer ei holi ynglŷn â mwy o droseddau a gyflawnwyd yn y ddinas, ond trefnwyd i un o blismyn ifanc Glan Morfa ddelio efo'r achosion yn erbyn Higgs. Roedd gan Jeff faterion pwysicach ar ei feddwl.

Erbyn i'r ddau orffen dweud eu dweud, gwyddai Jeff ei fod o a Lowri Davies yn deall ei gilydd ynglŷn ag achos Barlow a Challenor, a'r ymdrech i ddarganfod llofrudd Trefor Hudson.

'Mae mwy o wybodaeth yn dod i'r fei bob dydd ynglŷn â'r gwaith yr oedd Trefor Hudson yn ei wneud fel ditectif preifat – y rhan fwya'n deillio o'r co' bach 'na bostiodd o i chi. Pa mor arwyddocaol ydi'r busnes gwerthu gwin 'ma, yn eich barn chi, Jeff?' Roedd ffordd Lowri o reoli wedi dadmer tipyn go lew ers iddynt gyfarfod dros flwyddyn ynghynt. Bryd hynny, prin y byddai hi'n gwrando arno, heb sôn am ofyn am ei gyngor.

'Pwysig iawn, fyswn i'n deud,' atebodd Jeff.

'Pam eich bod chi'n rhoi cymaint o bwyslais ar achos y gwin, allan o'r holl waith ymchwil roedd Hudson yn ei wneud ar yr un pryd?' gofynnodd.

'Roedd manylion y gwerthiant wedi'i gadw mewn ffeil o'r enw "Bri Bach" yn un peth,' atebodd. 'Mae'r cwmni brynodd y gwin yn gwmni Ewropeaidd ... ac mae'r boi Gerry 'ma sy'n gwerthu cyffuriau yn dod o un o wledydd tir mawr Ewrop hefyd, yn ôl ei acen. Mae 'na gysylltiad rhwng Gerry a busnes arlwyo Marc Mathias hefyd, cofiwch. Fo sy'n cyflogi Gerry a fo ffeindiodd brynwr i'r gwin. Rhaid bod 'na gysylltiad yn rhywle. Hefyd, mae amheuaeth o dwyll ynglŷn â gwerthiant y gwin, a hwnnw'n dwyll reit sylweddol, 'swn i'n deud, o ystyried faint o arian wnaeth newid dwylo. Duw a ŵyr be ddarganfu Trefor ynglŷn â hynny. Ella byswn i wedi cael gwybod taswn i wedi'i gyfarfod o'r noson honno yn lle disgwyl tan y bore wedyn.'

'O, peidiwch â gweld bai arnoch chi'ch hun, Jeff. Cofiwch eich bod chi awr dda oddi yma pan ddaru chi'ch dau siarad ar y ffôn – byddai Trefor Hudson mwy na thebyg wedi cael ei saethu cyn i chi gyrraedd beth bynnag. Ond dwi'n tueddu i gytuno â chi bod angen ymchwiliad brys i fater gwerthiant y gwin, ond fedra i ddim yn fy myw â gweld bod cysylltiad cryf â'r busnes arall, y cyffuriau.'

'Wel, D.B.A., mae pob dim, hyd yn oed y teimlad yng ngwaelod fy mol i, yn deud wrtha i bod 'na un. Fedra i ddim dweud mwy na hynna ... ond gawn ni weld, 'te?'

'Be ydi'r cam nesa felly?' gofynnodd Lowri.

Edrychodd Jeff arni, yn dal i bendroni dros y sefyllfa. Gwyddai na fyddai'n ddoeth gofyn am ormod o'i ffordd ei hun – ond ar y llaw arall, *fo* gafodd y llythyr cyntaf, y bygythiad, a *fo* oedd ar fin cael y bai am yr holl drafferthion oedd wedi bod yn plagio'r dref petai'r wasg yn cyhoeddi'r hyn roedden nhw'n ei ddal yn ôl ar hyn o bryd. *Fo* oedd yr un oedd â'r mwyaf i golli, heb gynnwys Wil, Brian a Trefor, wrth gwrs – ac roedd yn benderfynol mai *fo* oedd yr un i wneud yr ymholiadau pwysig nesaf, waeth beth oedd ditectifs eraill yr ymchwiliad yn ei feddwl. Gobeithiai y byddai Lowri yn cytuno. Dim ond pedwar diwrnod o'i wyliau oedd ar ôl, a phan ddeuai'n ôl i'w waith yn swyddogol fyddai ganddo ddim dewis ond dilyn ei chyfarwyddiadau hi. Hwn oedd ei unig gyfle i ddarganfod awdur y llythyron a'i gymhelliad.

'Fy ngham nesaf,' mentrodd, gan awgrymu fod y penderfyniad wedi'i wneud yn barod, 'ydi holi gohebydd y *Wine Spectator* er mwyn ceisio darganfod be mae o'n ei wybod; a chael gair bach arall efo Norman Jones i ofyn iddo ymhelaethu ar y rhybudd roddodd o i'r ddau bêl-droediwr oedd yn defnyddio cyffuriau. Dwi isio gweld faint o wir sy yn yr hyn ddeudodd Terry Polyn Lein wrtha i. Mi dria i ymchwilio i'r cwmni brynodd y gwin hefyd – mae'n siŵr bydd gan Marc Mathias rywfaint o wybodaeth amdanyn nhw, ac am Gerry the Pacemaker hefyd. Mae'n amser i hwnnw ffendio sut le sydd yn un o'r celloedd i lawr y grisiau dwi'n amau. A phan ddaw yr amser hwnnw, ella y ca' i ofyn am dipyn o'ch cymorth chi?'

'Iawn, Jeff,' meddai Lowri Davies yn bendant. 'Dim ond

i chi gofio cysylltu bob dydd, ac yn amlach na hynny os oes angen, a bod canlyniadau'ch holl ymholiadau yn cael eu rhoi ar y system ar unwaith. Iawn?'

'Dim problem,' atebodd, gan godi a throi i adael yr ystafell.

'O, un peth arall,' meddai Lowri wrth iddo gyrraedd y drws. 'Mi fu Dr Prydderch ar y ffôn gynna, isio gadael i chi wybod bod mwy a mwy o gleifion yn cyrraedd meddygfeydd doctoriaid y dref bob dydd. Rhai yn dioddef o effaith gwenwyn strycnin, a rhai o glefydau gwenerol. Mae'r sefyllfa mor ddifrifol, medda fo, fel bod meddygon teulu'r dref i gyd wedi cyfarfod neithiwr er mwyn ceisio penderfynu ar strategaeth i ddelio â'r epidemig. Tydyn nhw ddim wedi gweld sefyllfa fel hon erioed o'r blaen.'

'Wel, mi gawn ni weld be ddaw i'r fei ar ôl i mi gael gair efo Mr Pacemaker,' atebodd Jeff.

'A beth am y clefydau gwenerol?' gofynnodd Lowri. 'Sut medrwch chi ymchwilio i hynny?'

'Bydd ... mi fydd rhaid i mi edrych ar hynny hefyd. Dydw i ddim yn siŵr sut eto, ond gawn ni weld sut eith hi. Mae 'na gampyr-fan o gwmpas y lle maen nhw'n ei galw yn "drol ddyrnu" – mi fasa fanno cystal lle â 'run i ganolbwyntio arno fo.'

'Bydda'n ofalus, Jeff, yn enw'r Tad. Mae'n amlwg bod 'na rywun hynod o fedrus tu ôl i hyn i gyd ... a chreulon hefyd.'

Gwenodd wrth gau'r drws ar ei ôl. Roedd o wedi cael ei ffordd ei hun.

Defnyddiodd y ffôn yn ei swyddfa i gysylltu â chylchgrawn *The Wine Spectator*, ac ar ôl egluro pwy oedd o, cafodd rif ffôn symudol Charles Wyndthorpe, y gohebydd yr oedd Elen Thomas wedi siarad ag o. Gweithio'n llawrydd i'r cylchgrawn yr oedd Wyndthorpe, ac roedd yn cyfrannu i nifer o gyhoeddiadau wythnosol a misol eraill yn ogystal, y rhan fwyaf yn ymwneud â bwyd a gwin. Cyflwynodd Jeff ei hun ac ar ôl iddo egluro cefndir yr alwad, gofynnodd Wyndthorpe a gâi ei ffonio yn ôl. Cytunodd Jeff, gan roi rhif ei estyniad yng ngorsaf Glan Morfa iddo. Ymhen dau neu dri munud canodd y ffôn ar ei ddesg.

'Fedrwch chi ddim bod rhy ofalus yn y swydd yma, Sarjant Evans,' meddai Wyndthorpe. 'Mae rhywun fel fi yn dysgu trwy ei gamgymeriadau.'

'Dallt yn iawn. Mae'r un peth yn wir yr ochr yma hefyd, weithiau,' atebodd Jeff.

'Be yn union ydi'ch diddordeb chi ym myd gwin?'

'Llofruddiaeth gŵr o'r enw Trefor Hudson.'

Aeth y ffôn yn ddistaw am funud. 'Siaradais i efo fo lai na mis yn ôl, yn gofyn iddo wneud ychydig o ymholiadau yn eich ardal chi i mi ... ro'n i wedi dod ar draws awgrym o dwyll yn ymwneud â gwerthu gwin drud. Be ddigwyddodd iddo fo?'

Ar ôl cadarnhau na fyddai unrhyw wybodaeth berthnasol i'r achos yn cael ei defnyddio ganddo heb ganiatâd, esboniodd Jeff fod cysylltiad rhwng gwerthiant y gwin a'r ymchwiliad i lofruddiaeth Trefor Hudson, gan ddweud cyn lleied â phosib am helyntion eraill y dref.

'Reit, ga' i'ch galw chi'n Jeff? A Charles ydw inna. Tydan ni ddim yn orffurfiol yn y busnes yma.'

Cytunodd Jeff.

'Be wyddoch chi am Château Mouton Rothschild 1942?' gofynnodd Charles.

'Dim ond nad ydi o i'w gael ar silffoedd Tesco, a'i fod o allan o 'nghyrraedd i.'

'Chi, finnau, a'r rhan fwyaf o bobl y byd 'ma – a dyna pam mae twyll fel hwn mor hawdd i'w gyflawni. Mae'r bobl sydd yn y farchnad i'w brynu yn wasgaredig ledled y byd ac mae'n hynod annhebygol y byddan nhw byth yn cyfarfod. A tydi chydig o dan saith mil o bunnau yn ddim ond arian poced i rai ohonyn nhw, coeliwch fi. Ond dewch i mi ddechrau o'r dechrau. Fi ddaru gyhoeddi'r stori yn y lle cyntaf, ddim yn hir ar ôl i gwmni Angst Dede Romāne SRL ddechrau cymryd diddordeb yn y gwin a ganfuwyd yn ardal Glan Morfa. Dyn lleol i chi o'r enw Mathias ddechreuodd wneud ymholiadau am y gwin penodol hwn, a lledodd y stori fel tân gwyllt drwy'r byd gwin rhyngwladol. Mae o'n ddychrynllyd o brin, dach chi'n dallt. Gwin o Ffrainc a botelwyd yn 1942, adeg yr Ail Ryfel Byd, wrth gwrs – ac fel y gallwch chi ddychmygu, chafodd dim llawer o win ei wneud y flwyddyn honno. Diflannodd y rhan helaethaf ohono i'r Almaen y flwyddyn ganlynol, ac mae'n edrych yn debyg bod y deuddeg cês yma wedi'u gadael ar ôl yn rhywle, a'u darganfod gan ein milwyr ni ar ôl D-Day yn 1944.'

'Ac wedi bod yng ngheudyllau Hendre Fawr ers hynny,' meddai Jeff.

'Yn hollol. Stori werth chweil i rywun fel fi,' parhaodd Wyndthorpe. 'Ond mae'n rhaid i bob gwin gael ei ddilysu cyn ei roi ar y farchnad, a fi ddilynodd y stori honno hefyd.'

'Sut mae gwneud hynny?' gofynnodd Jeff.

'Rhaid agor potel a'i brofi. Un botel yn unig, wrth gwrs, a hynny gan arbenigwr. Nid yn unig ar y gwin mae'r profion yn cael eu gwneud, ond ar y corcyn, y label, y botel a'r bocsys pren sy'n dal pob potel. Cymerwyd un botel allan o ges ym manc Mrs Elen Thomas, ac mi aeth yr arbenigwr i'r banc yn bersonol i wneud profion DNA ar y pren a ddefnyddiwyd i wneud y bocs.'

'Ac mi ddigwyddodd hyn cyn i gwmni Angst Dede Române SRL eu prynu, felly?'

'Do,' atebodd Charles.

'Sut glywsoch chi am y gwin cyn iddo ddod ar y farchnad?'

'Sibrydion, Jeff, sibrydion, Mae gen innau fy hysbyswyr, yn union fel sydd ganddoch chi, dwi'n siŵr. Ro'n i'n ymwybodol bod rhywbeth arbennig wedi cael ei ddarganfod unwaith y dechreuodd Mathias wneud ymholiadau ynglŷn â'r farchnad.'

'A be ddigwyddodd wedyn?'

'Ar ôl i'r cwmni Angst Dede Române SRL ei brynu, aeth popeth yn ddistaw am fisoedd, ac yna, tua blwyddyn yn ddiweddarach, dechreuodd y cwmni roi'r gwin ar y farchnad fesul potel, neu ddwy neu dair. Roedd yr hysbysebion yn brolio ffynhonnell y gwin, gan nodi ei fod wedi dod o Hendre Fawr. Wrth gwrs, roedd y rhai oedd â diddordeb ynddo yn gyfarwydd â'r hanes ac wedi bod yn disgwyl yn eiddgar i'w brynu. Doedd dim o'i le ar hynny, nes i mi glywed si bod y rhan fwyaf o'r gwin gwreiddiol wedi'i werthu i ddau gwsmer yn unig ychydig ar ôl i Mrs Thomas ei werthu i Angst Dede Române SRL.'

'A phwy brynodd o?'

'Roedd un cwsmer yn Rwsia a'r llall yn yr United Arab Emirates. Dau gwsmer yn unig. Un ces oedd ar ôl – a chofiwch mai un ar ddeg o boteli yn unig oedd yn hwnnw, am fod un wedi'i defnyddio ar gyfer gwneud y profion.'

'Ond os mai gwin ffug sydd yn y poteli sy'n cael eu

gwerthu, sut nad ydi rhywun wedi darganfod y twyll? Mi fysa'n amlwg wrth eu hagor, siŵr gen i?'

'Anaml y bydd pobl yn agor y fath boteli, Jeff. Buddsoddiad ydyn nhw. Ond os fysa potel yn cael ei hagor, y tebygrwydd ydi y bysa hi'n llawn gwin da, drud ... ond nid cystal â'r 1942, wrth gwrs. Gwin gwerth hanner canpunt y botel, efallai, neu hyd yn oed ganpunt – cyn belled â'i fod o'n dod o'r un ardal ac wedi'i wneud gan ddefnyddio'r un grawnwin, does 'na ddim llawer o bobl, heblaw'r arbenigwyr gorau, fysa'n gallu deud y gwahaniaeth.'

'Be am y poteli, y cyrc a'r labeli?' gofynnodd Jeff.

'Cwestiwn da, ac mae hynny dipyn yn fwy cymhleth. Mae'r poteli a ddefnyddir, y labeli, y cyrc a'r ffordd maen nhw'n cael eu cau a'u selio, yn union yn yr un dull â'r rhai gwreiddiol.'

'Ond sut all y labeli ffug fod yn ddigon da i ddarbwyllo arbenigwyr eu bod yn dyddio'n ôl i 1942?'

'Mae'n bosib gwneud peth felly, Jeff, ond mae hi'n job ddrud iawn. Meddyliwch am y paentiadau enwog sydd wedi cael eu ffugio ar hyd y canrifoedd. Yr un egwyddor yn union sydd wedi cael ei ddefnyddio yn y fan honno. Gwaith cymhleth, ond os ydi o'n werth ei wneud, wel dyna chi. Mae rhywun wedi mynd i lot fawr o drafferth – hyd yn oed wedi canfod papur o'r un cyfnod, efallai. Ac os ydi'r prynwr yn dechrau cael amheuon, ac yn gwneud ei brofion ei hun ar y botel – wel, mae'r arian a dalwyd am y gwin ym mhoced rhywun yng nghanolbarth Ewrop, a does neb yn gwybod, i sicrwydd, pwy ydyn nhw.'

'Sut mae'r gwin yn cael ei hysbysebu? Oes 'na rif ffôn neu rwbath?'

'Dim peryg,' chwarddodd Charles. 'Yr unig beth gewch

chi ydi cyfeiriad e-bost mewn cylchgrawn tebyg i *The Wine Spectator*. Maen nhw wedi stopio hysbysebu'r gwin bellach gan eu bod am warchod eu henw da, ond mae hyn yn boen mawr iddyn nhw, wrth reswm. Er hynny, mae'r gwin yn dal i gael ei werthu ar y we.'

'A phobl ar draws y byd yn talu bron i saith mil am botel gwerth hanner canpunt. Twyll bach digon del,' rhyfeddodd Jeff.

'Digon o dwyll i orfod cau ceg pwy bynnag oedd ar fin darganfod y gwir?' cynigiodd Charles.

'Ia, efo bwled yn ei ben,' atebodd Jeff. 'Ddaeth Trefor Hudson yn ôl atoch chi efo rhywfaint o wybodaeth?'

'Naddo. Disgwyl am alwad ganddo oeddwn i pan ges i'ch galwad ffôn chi.'

Gofynnodd Charles Wyndthorpe un cwestiwn arall cyn ffarwelio.

'Efallai y gwelwch chi, Jeff, 'mod innau yn teimlo chydig o embaras o ganlyniad i hyn, gan 'mod i fy hun wedi hysbysebu'r gwin wrth gyhoeddi'r stori. Mae gen innau f'enw da i'w warchod hefyd. Os, neu pan, fyddwch chi'n darganfod pwy sydd y tu ôl i hyn i gyd, wnewch chi adael i mi wybod, os gwelwch yn dda? Wna i ddim sgwennu unrhyw stori cyn cael eich caniatâd chi.'

'Siŵr iawn, Charles,' atebodd Jeff. Ac os fyddwch chi yn yr ardal yma ryw dro, dowch â photel o Château Mouton Rothschild 1942 efo chi, i ni gael rhoi'r byd yn ei le.'

Chwarddodd y ddau.

Pennod 27

Ystyriodd Jeff pa mor hawdd fu cyflawni'r twyll. Faint o'r gwir oedd Trefor Hudson wedi'i ddarganfod, tybed? Un peth na allai Jeff ei ddeall oedd pam fod yr wybodaeth a gasglodd Hudson mewn ffeil o'r enw 'Bri Bach' yng nghrombil ei gyfrifiadur. Roedd Trefor wedi bod yn dditectif gwerth chweil, yn ddyn gofalus – gorfanwl hyd yn oed – ac ni fyddai dyn o'i brofiad o yn rhoi'r wybodaeth yn y ffeil anghywir drwy ddamwain. Oedd o'n ceisio cuddio'r gwaith ymchwil rhag rhywun drwy enwi'r ffeil ar ôl ei ŵyr? Biti na chafodd Jeff y cyfle i holi'r dyn ei hun.

Treuliodd yr awr nesaf yn paratoi adroddiad ynglŷn â busnes gwerthiant y gwin a'i lwytho ar y system swyddogol, yn union fel yr addawodd i Lowri Davies. Wedi iddo orffen, mentrodd Jeff fynd i weld Norman Jones unwaith yn rhagor. Roedd wedi ei ffonio ymlaen llaw y tro hwn, ac roedd cyn-hyfforddwr a rheolwr tîm pêl-droed Glan Morfa yn ei ddisgwyl.

'Dewch i mewn, Ditectif Sarjant,' meddai. 'Dwi yma fy hun.'

'Jeff,' meddai, wrth gerdded trwy'r drws ar ei ôl. 'Llai o'r Ditectif Sarjant 'na – gormod o lond ceg.'

Trodd Norman Jones i'w wynebu a gwenodd. 'Paned, Jeff? Mae'r tegell newydd ferwi.'

'Coffi, plis, Norman. Du heb siwgr.'

Ymhen dim daeth Norman trwodd i'r lolfa yn cario dau

fẁg, a rhoddodd un ar fwrdd bychan wrth ochr Jeff. 'Mae'n boeth,' rhybuddiodd.

'Mae un neu ddau o bethau wedi codi ers i ni gyfarfod ddwytha,' meddai Jeff. 'Mi sonioch chi am ddau neu dri o'r pêl-droedwyr roeddech chi'n eu hamau o gymryd cyffuriau ... deud eich bod chi wedi cael sgwrs efo nhw.'

'Do,' atebodd.

'Aeth pethau chydig pellach na hynny, felly dwi'n dallt, yn do?'

'Peidiwch â deud eich bod chi am fy ngwneud i am ymosod arnyn nhw, Jeff, ar f'enaid i?'

'Dyna'r peth dwytha ar fy meddwl i, Norman,' cadarnhaodd. 'Ond mi fyswn i'n licio cael yr holl stori ganddoch chi. Mae 'na reswm da am hyn, dwi'n addo.'

Meddyliodd y cyn-bêl-droediwr am funud cyn ateb. 'Ma' hi'n amlwg bod rhywun wedi bod yn siarad,' meddai. 'Do, mi rois i dipyn o slap i'r tri ohonyn nhw am wneud peth mor wirion, ond dim mwy nag yr oeddan nhw'n ei haeddu. Trio cnocio rhyw fath o synnwyr i mewn i'w pennau nhw o'n i – a thrio cael gwybod ganddyn nhw pwy oedd yn cyflenwi'r chwaraewyr efo cyffuriau. Mae gen i feddwl mawr o'r tîm, fyth ers i mi gyrraedd yma i weithio efo nhw. Mi wnaethon nhw mor dda tan y tymor dwytha, a dwi mor sicr ac y galla i fod mai cyffuriau sy tu ôl i'r llithriad yn eu perfformiad. Bron i mi gael yr ateb gan un ohonyn nhw, ond mi drodd y ddau arall arno fo ... deud pa mor ddrwg fysa hi ar y tri ohonyn nhw tasa'r cyflenwr yn cael gwybod. Mi ddeudis i na fyddai'r un ohonyn nhw'n chwarae i'r tîm eto nes y bysan nhw'n rhoi gorau i'r cyffuriau a dangos ychydig mwy o barch i weddill y tîm.'

'Faint o slap roesoch chi iddyn nhw?'

'O, dim llawer, Jeff. Digon i ddangos dipyn o glais, dyna'r cwbwl. Ro'n i wedi hanner gobeithio y bysa'r un oedd ar fin agor ei geg yn dod i 'ngweld i ryw dro wedyn i enwi'r diawl, ond wnaeth o ddim, yn anffodus.'

'Ddigwyddodd 'na rwbath arall ar ôl hynny?'

'Dim i mi fod yn cofio,' atebodd. 'Fel be?'

'Faint o amser ar ôl hynny ddechreuodd y si anghynnes 'na eich bod chi'n cam-drin hogia ifanc?'

Gwelodd Jeff y geiniog yn disgyn, yr wybodaeth yn ei daro fel injan trên.

'O fewn dyddiau,' meddai. 'Y bastads iddyn nhw, mi ladda i'r tri ohonyn nhw.'

'Na wnewch chi wir. Camgymeriad fysa hynny, Norman,' meddai Jeff yn bendant. 'Dach chi'n gweld, nid nhw oedd yn gyfrifol, nid yn fy marn i, beth bynnag. Yr un sy'n gwerthu'r cyffuriau oedd yn gyfrifol am wneud hynny ... ei ffordd o o hel straeon fysa'n arwain at eich diswyddo chi.'

'Pwy ydi o?' gofynnodd Norman, ar flaen ei sedd a'i ddyrnau wedi'u cau mor dynn nes bod ei figyrnau'n wyn.

'Maddeuwch i mi, Norman, ond wna i ddim deud. Ac o ran parch i chi, mi ddyweda i pam. Mae 'na lawer iawn mwy yn mynd ymlaen yma, ac efallai bod 'na gysylltiad â llofruddiaeth dyn o'r enw Trefor Hudson. Dydw i ddim eisiau difetha fy ymchwiliad cyn i mi gael cyfle i ddod â phopeth at ei gilydd. Mi gewch chi wybod y cwbl ymhen amser. Dwi'n addo. Ydi hynny'n ddigon da, am rŵan?'

'Wel, Jeff ... ydi, mae hynny'n ddigon da i mi. A diolch am ddod i ddeud wrtha i.'

'Cyn i mi fynd,' ychwanegodd Jeff. 'Mae 'na un neu ddau o faterion eraill wedi codi hefyd, Norman. Dave

Ashton. Dwi'n dallt eich bod chi'n ei nabod o.'

'Ydw, tad. Ers blynyddoedd. Roeddan ni'n chwarae efo'n gilydd yn y dyddiau cynnar. Mae o wedi gwneud yn dda iawn iddo fo'i hun ers iddo orffen chwarae. Gwell na fi, mae hynny'n sicr.' Chwarddodd.

'Ddaru ni gyfarfod yn ddiweddar 'ma, a doeddan ni ddim ar yr un donfedd, ddeudwn ni, i ddechrau. Efallai mai fi oedd ar fai yn ceisio cysylltu academi Manchester United efo'r cyffuriau a laddodd Wil. Ond roedd hwnnw'n drywydd roedd yn rhaid i mi ei ddilyn.'

Nodiodd Norman Jones ei ben, yn datgan ei ddealltwriaeth o'r sefyllfa. Gwenodd ar Jeff.

'Peidiwch â chamddeall Dave Ashton,' meddai. 'Mae o'n un o'r rhai gorau, ac mi fydda i'n ei weld o gwmpas 'ma o dro i dro.'

'Pam mae o'n dod yma?'

'Dod i weld hogia ifanc yr ardal sy'n dangos digon o addewid i gyrraedd y brig yn adrannau uchaf y gêm. Mae o'n cymryd y cyfrifoldeb hwnnw o ddifri, ac unwaith mae hogia ifanc yn cael eu derbyn i'r academi, mae o'n edrych ar eu holau nhw fel ei blant ei hun. A fiw i neb ymyrryd efo nhw am unrhyw reswm tra maen nhw dan ei ofal o.'

'Mae hynny'n esbonio felly pam nad oedd o isio i mi fynd yn agos at hogia'r academi.'

Chwarddodd Norman Jones. 'Mi fysai'n haws i chi gerdded ar y lleuad na mynd atyn nhw heibio iddo fo.'

'Beth am Jimmy Barlow? Ydi'r enw hwnnw'n gyfarwydd?'

Meddyliodd Norman am ennyd. 'Na, dwi ddim yn meddwl,' atebodd.

'Hogyn ifanc o Fanceinion sy'n gwisgo cap a phig arno,

ac yn meddwl dipyn ohono'i hun,' ychwanegodd Jeff.

'Arhoswch am funud. Boi bach blêr, cegog? Dwi wedi'i weld o o gwmpas, ond dim ond unwaith neu ddwy. Mae o'n gwneud dipyn efo Higgs, os dwi'n cofio'n iawn. 'Swn i ddim yn trystio'r boi cyn belled ag y medrwn i ei daflu fo. Be ydi'r cysylltiad efo hwnnw? Rwbath i wneud â'r cyffuriau, debyg?'

'Efallai,' atebodd Jeff. 'Wn i ddim eto, ond tydi o ddim yn un o'r bobol fwyaf gonest i gerdded y byd 'ma.'

Gadawodd Jeff gartref Norman ar delerau da, a diolchodd am hynny. Roedd eu sgwrs wedi ei alluogi i glymu'r holl wybodaeth a gafodd gan Terry Polyn Lein at ei gilydd. Y bygythiad a roddodd Norman Jones i'r pêl-droedwyr oedd yn defnyddio'r cyffuriau, felly, oedd y rheswm dros y cyhuddiadau anwir yn ei erbyn, a hynny a arweiniodd, yn y pen draw, at ei ddiswyddiad.

Roedd yn amlwg bod Gerry the Pacemaker yn fodlon gwneud unrhyw beth, nid yn unig i gyflenwi ei gyffuriau ond i sicrhau nad oedd neb yn mynd i'w rwystro rhag gwneud hynny. Beth arall oedd o'n fodlon ei wneud, tybed?

Pennod 28

Ffoniodd Jeff gartref ei rieni yng nghyfraith yn Ffestiniog y noson honno ar ôl cyrraedd adref. Roedd yn dal i boeni am ddiogelwch Meira a'r plant – roedd yn gas ganddo fod ar wahân iddyn nhw tra byddai unrhyw awgrym o fygythiad yn eu herbyn. Ond wedi dweud hynny, bu pethau'n dawel ers dyddiau bellach, ac roedd o wedi teimlo fwy nag unwaith ei fod o'n gorymateb, yn mynd yn paranoid. Ond dyna fo, gwell belt a bresys na fel arall. Yn ystod yr alwad, cafodd ei sicrhau fod popeth fel y dylai fod, a Twm bach a Mairwen yn cael eu sbwylio yn rhacs gan eu nain a'u taid. Er hynny, adref ddylen nhw fod, y pedwar efo'i gilydd yn deulu bach.

Doedd o ddim llawer callach pwy oedd y tu ôl i'r holl firi, hyd yn oed ar ôl dyddiau, dros wythnos erbyn hyn, o chwilio. Roedd sawl trywydd wedi agor o'i flaen, ond allai o ddim yn ei fyw gysylltu holl ddarnau'r jigsô.

Roedd ei fol yn cnoi ers meitin a chofiodd am weddillion y *bolognese* yn yr oergell. Rhoddodd y saws mewn powlen gan roi llond llaw o bys o'r rhewgell drosto. Yna berwodd chydig o datws a'u stwnsio efo menyn a llefrith. Taenodd y tatws dros ben y cig a'r pys yn dwt, gratio tipyn o gaws ar ei ben a'i roi o yn y popty am ugain munud. Gwyddai na fyddai'r pryd yn ennill unrhyw glod ar *Masterchef*, ond gwnâi'r tro am heno. Agorodd botel o win – gwin coch Ffrengig, ond doedd o ddim yn yr un cae â'r Château Mouton Rothschild 1942 chwaith. Chwarddodd wrth feddwl am botel o win gwerth saith mil o bunnau yn cael ei hyfed efo pryd mor wladaidd.

Tra oedd y bwyd yn cynhesu, tarodd y cyfrifiadur ymlaen a gwnaeth chwiliad ar y we am enw'r gwin a'r flwyddyn. Gwelodd gyfeiriad tuag at un botel a oedd ar werth yn Hong Kong am bron i bedair mil o bunnau, ond dyna'r oll. Doedd dim posib dweud os oedd hi wedi dod o Hendre Fawr ai peidio, felly parhaodd i chwilio – ond yn ofer. Rhoddodd y gorau iddi pan glywodd sŵn cloch y popty yn arwyddo fod ei fwyd yn barod. Tywalltodd wydryn o'i Mouton ei hun, Mouton Cadét, a chan ddefnyddio maneg bopty, rhoddodd y bowlen yn cynnwys ei swper yn syth o'r popty ar hambwrdd. Byddai defnyddio plât yn creu mwy o waith golchi llestri diangen iddo.

Wedi iddo orffen ei fwyd a hanner y gwin, aeth yn ôl at y cyfrifiadur gan adael gweddill y botel yn y gegin. Gwyddai fod ei arferiad o yfed gwin bob nos yn dechrau mynd dros ben llestri, ond roedd mor hawdd disgyn i'r rhigol, yn enwedig ag yntau wedi arfer gwneud hynny ar ei wyliau. Doedd byw ar ei ben ei hun ddim yn help, chwaith.

Roedd hi'n tynnu am naw o'r gloch pan aeth yn ôl at y cyfrifiadur i ailddechrau chwilio. Gofynnodd i Google chwilio am 'Angst Dede Române SRL'. Ymddangosodd nifer o fanylion y cwmni a gofrestrwyd yn Rwmania ar y sgrin o'i flaen, ond doedd dim byd yn awgrymu pwy oedd y tu ôl iddo. Cyn belled ag y gwyddai Jeff, gallai unrhyw un, unrhywle yn y byd, sefydlu cwmni yn Rwmania heb fod yn trigo yn y wlad – ac ar ôl chwiliad pellach, cadarnhawyd bod hynny'n broses eithaf hawdd.

Chwiliodd Google eto – am wlad Rwmania yn gyffredinol

y tro hwn, a gwelodd nifer o gyfeiriadau at ei hanes, ei henwogion, cyrchfannau gwyliau'r wlad ac yn y blaen. Cliciodd ar y cofnod ar gyfer gwefan Wikipedia a daeth y dudalen i fyny o'i flaen. Ni allai gredu'r hyn a welodd. Ar ochr dde'r ddogfen gwelodd ddelwedd o faner y wlad yn ei thri lliw o las, melyn a choch, ond yr hyn a ddaliodd ei sylw yn fwy na dim oedd arfbais y wlad wrth ochr y faner: eryr aur yn cario croes yn ei phig, cleddyf yn ei grafanc dde a theyrnwialen yn yr un chwith. Rhewodd Jeff. Ai darluniau amrwd o ddarnau'r arfbais hon oedd ar y llythyrau bygythiol yr oedd o ac eraill wedi eu derbyn? Wedi iddo ddod ato'i hun, cliciodd ar y ddelwedd i'w gwneud yn fwy, er mwyn iddo gael ei harchwilio'n iawn. Ar frest yr aderyn roedd tarian mewn pum rhan i gynrychioli gwahanol rannau'r wlad, ond nid oedd y rhain gymaint o ddiddordeb iddo â'r aderyn ei hun – a'r hyn roedd yr eryr yn ei gario yn ei big a'i grafangau. Yr unig wahaniaeth a welodd oedd bod yr eryr yma'n gwisgo coron ar ei ben, rhywbeth a oedd yn absennol yn y sgetsh ar y llythyr cyntaf a dderbyniodd ym Mae Troulos. Chwiliodd 'Arfbais Rwmania' ar Wikipedia, ac ar unwaith ymddangosodd tudalen yn dangos yr un ddelwedd. Edrychodd Jeff ar fanylion hanesyddol yr arfbais a gwelodd fod yr un a ddefnyddiwyd rhwng 1992 a 2016 yn un wahanol. Doedd dim coron goch ar ben yr eryr hwn ... yn union fel yn y darlun ar y llythyr cyntaf. Argraffodd gopi caled o'r ddelwedd.

Daeth pob math o bethau i'w feddwl, a doedd 'run ohonynt yn bositif. Curodd ei galon yn gyflymach. Diffoddodd y cyfrifiadur a cherdded i'r ystafell haul gyda'r papur yn ei law, a'i roi ar y bwrdd. Yna chwiliodd am y copïau o'r tri llythyr a'u rhoi hwythau hefyd ar y bwrdd.

Doedd dim amheuaeth. Lluniau amrwd o'r arfbais oedd ar y tri.

Bu Jeff yn eistedd yno am hir, yn syllu bob yn ail ar y papurau a thrwy'r ffenest at y gorwel, ac yn meddwl. Roedd hi'n nosi erbyn iddo godi, a'r haul yn machlud fel pob min nos arall. Ond i Jeff, roedd hon yn bell o fod yn noson gyffredin. Aeth i'r gegin ac estynnodd am weddill y botel win a'r gwydryn. Yna, ailfeddyliodd a rhoddodd y corcyn yn ôl yn ei le. Rhoddodd ddyrnaid o rew mewn tymbler a'i lenwi â mesur anferth o wisgi The Balvenie ac aeth yn ei ôl i'r ystafell haul. Yr unig beth a aflonyddai ar y distawrwydd oedd sŵn cyfarwydd y rhew yn cracio yn y gwydr.

Roedd pob syniad ym mhen Jeff yn troelli'n gymysg â'i gilydd, a doedd hynny'n dda i ddim. Ceisiodd roi trefn ar ei feddyliau a'r digwyddiadau perthnasol. Roedd hi'n glir iddo erbyn hyn fod gwreiddyn yr holl helynt yn Rwmania. Y bygythiad a ddechreuodd y cyfan, yr ail nodyn a dderbyniodd y meddyg, a'r olaf, oedd yn cysylltu llofruddiaeth Trefor Hudson â'r cwbl. Roedd yr awdur wedi ei arwain yn ara deg bach at yr ateb – yn ei amser ei hun, er mwyn pwysleisio mai fo oedd yn rhedeg y sioe.

Pam defnyddio arfbais y wlad? Byddai'r faner yn amlycach ... ond cofiodd Jeff ei wersi hanes ers talwm: crëwyd arfbeisiau yn yr oesoedd ffiwdalaidd pan oedd marchogion yn ymladd yn erbyn eu gelynion. Adlais o'r nodyn cyntaf ym Mae Troulos bod ei elyn yn meddwl amdano'n gyson, efallai? Symbol hanesyddol oedd arfbais, a nawr roedd yn amlwg mai i'r gorffennol y dylai yntau edrych am yr atebion.

Ystyriodd honiad y cynllwyniwr mai fo oedd yn gyfrifol am ddod â phob afiechyd a thrafferth i'r ardal, a dechreuodd ddeall y cefndir. Roedd o wedi gwylltio neu bechu yn erbyn rhywun i'r fath raddau nes ei fod wedi paratoi'r ymgyrch ddychrynllyd hon yn ei erbyn yn ofalus. Pwy, tybed? Rhywun â'r gallu i fod mor greulon tuag at gymaint o bobl ddiniwed heb feddwl ddwywaith. Rhywun â chyswllt â Rwmania. Doedd dim rhaid iddo feddwl yn hir.

Yr unig enw ar flaen ei dafod oedd Valeriu Barbu. Daeth Jeff ar ei draws saith mlynedd a mwy ynghynt, er na fu i'r ddau ddyn erioed gyfarfod. Un o droseddwyr mwyaf peryglus Rwmania oedd Valeriu Barbu, oedd ar y pryd wedi ehangu ei rwydwaith droseddol ar hyd a lled Ewrop. Bu'n masnachu pobl ifanc yn erbyn eu hewyllys, a'u cludo o wledydd tlotaf Ewrop i Brydain i weithio fel caethweision iddo – a hynny ar ôl addo bywyd braf iddynt. Cofiodd Jeff fod puteinio a chyffuriau yn rhan o'r busnes hefyd. Roedd y cyfan yn werth miliynau o bunnau i Barbu, a phenododd ei gyfaill pennaf i redeg ei weithredoedd ym Mhrydain. Cymro o'r enw Gwyndaf Parry oedd hwnnw, ac fe'i lladdwyd ar ddiwedd ymgyrch Jeff i ddod â'r creulondeb hwnnw i ben.

Daeth Gwyndaf Parry a Valeriu Barbu yn ffrindiau oes wedi i'r Cymro achub bywyd y gŵr o Rwmania tra oedd y ddau dan glo yng Ngharchar Gherla yn Transylvania ddegawdau yn ôl. Rhoddodd Barbu le blaenllaw i Gwyndaf Parry yn ei ymerodraeth ddieflig yn ddiolch iddo, ac roedd y Cymro'n fwy na bodlon gweithredu yn null treisgar ei ffrind newydd. Pan roddodd Jeff ei drwyn i mewn i'w gweithgareddau yng Nghymru collodd Barbu ei afael ar yr is-fyd ym Mhrydain, ei barch yn y byd hwnnw ledled Ewrop, a'r dyn fu wrth ei ochr am flynyddoedd maith. Roedd Valeriu Barbu yn ddyn peryglus iawn, ac os oedd wedi bod yn dal dig am farwolaeth Gwyndaf Parry am saith mlynedd, byddai'n siŵr o fod yn fwy peryglus fyth erbyn hyn, ystyriodd Jeff.

Fyddai o'n ddigon creulon i gymysgu strycnin efo cocên er mwyn achosi cymaint o niwed â phosib ar batshyn Jeff? Fyddai o'n ddigon cynllwyngar i ddod â merched wedi'u heintio â chlefydau gwenerol i'r ardal er mwyn heintio dynion yn bwrpasol? Gwyddai Jeff fod Barbu yn fwy nag abl i wneud y cyfan. Ond sut roedd o wedi llwyddo i wneud hynny ar raddfa mor eang? Roedd y cyfan yn anhygoel ... ond yn bell o fod yn amhosib, yn enwedig i ddyn fel Barbu. Ond yr hyn na allai Jeff ei ddeall oedd pam rŵan? Pam aros saith mlynedd i ddial ar Jeff am farwolaeth ei gyfaill?

Roedd hi'n dywyll yn yr ystafell haul erbyn hyn a gwydr Jeff yn wag, ond doedd dim angen golau arno i weld y ddelwedd o'r eryr ar y bwrdd wrth ei ochr.

Dechreuodd feddwl pa gysylltiadau lleol fyddai gan Barbu. Anghofiodd am Barlow a Challenor a throi ei sylw at Gerry the Pacemaker. Gwyddai fod ganddo acen dramor, ac edrychai'n debyg mai acen Rwmania oedd hi. Oedd o'n gweithio i Valeriu Barbu yn ogystal â Marc Mathias?

Erbyn hyn, gwyddai Jeff nad oedd y busnes annifyr hwn yn mynd i stopio ar chwarae bach. Beth oedd gêm Barbu? Hyd yn hyn roedd o wedi trin Jeff fel pyped ar damaid o gortyn heb ddangos math o ofn y byddai'n cael ei ddal. Yn sicr, fyddai o ddim yn gollwng ei afael ar y cortyn hwnnw nes y byddai wedi dryllio enw da Jeff – ond a oedd ei fywyd yn ogystal â'i enw da yn y fantol? Os felly, byddai'n rhaid achub y blaen ar y dyn o Rwmania.

Tynnodd ei ffôn symudol o'i boced a phwysodd y sgrin i ddeialu.

'Be ti'n wneud yn ffonio'r adeg yma o'r nos?' gofynnodd Meira. 'Ti'n lwcus 'mod i'n effro. Ydi bob dim yn iawn? Yn mynd i 'ngwely o'n i.'

'Dim ond isio rhannu un peth bach efo chdi,' meddai. 'Ti'n cofio'r busnes 'na ar ffarm dy ewythr ... chydig ar ôl i ni gyfarfod oedd hi.'

'Ydw. Busnes y masnachu mewn pobl.'

'A ti'n cofio'r boi 'na o Rwmania oedd y tu ôl i'r holl gynllwyn – Valeriu Barbu?'

'Wna i ddim anghofio hwnnw.'

'Wel, dwi'n amau'n gryf mai fo sydd tu ôl i hyn i gyd rŵan.' Dywedodd Jeff ddigon o'r hanes er mwyn ei darbwyllo.

'Pam bod rhaid fy ffonio fi'r adeg yma o'r nos i ddeud?' meddai Meira.

'Achos 'mod i'n gwybod dyn mor beryglus ydi o, Meira bach, a dwi isio i ti fod yn saff nes y bydda i wedi rhoi'r diawl a'i holl giang yn lle maen nhw i fod.'

'Ti'm yn meddwl dy fod ti braidd yn paranoid, Jeff?'

'Ella wir, ond well gen i fod felly os ydi hynny'n golygu dy fod ti a'r plant yn saff. Bydda'n wyliadwrus, Meira.'

'Mi fydda i, 'nghariad i. Paid â phoeni. Nos da.'

Roedd Jeff yn rhy flinedig i ddechrau cynllunio'i ymateb i fygythiadau Barbu, ond cyn mynd i'w wely aeth allan i'r ardd a cherdded o amgylch y tŷ yn y tywyllwch, yn araf, gan wrando'n astud ar y noson ddistaw. Nid paranoia oedd hyn, gwyddai gymaint â hynny.

Cysgodd yn syth er gwaetha'r ffaith fod ei feddwl ar ras. Efallai mai effaith y gwin a'r Balvenie oedd hynny.

Pennod 29

Llifodd dŵr cynnes y gawod dros gorff Jeff yn fuan fore trannoeth. Diolchodd ei fod wedi cysgu fel top trwy'r nos – o ganlyniad i hynny roedd yn siarp ac yn barod am waith. Un peth oedd ar ei feddwl, a gwthio'r cwch i'r dŵr hefo Valeriu Barbu oedd hwnnw – a bwriadai wneud tipyn o sblash. Roedd mor sicr ag erioed bellach fod pob un o'r digwyddiadau'n gysylltiedig â'i gilydd: y llythyrau bygythiol a'r sgetshis, y cyffuriau, y puteinio a hyd yn oed llofruddiaeth Trefor Hudson.

Cofiodd y rhyddid a roddwyd iddo gan Lowri Davies – a'r amodau. Roedd am gadw'r hawl i weithio'n annibynnol i ddilyn trywydd y bygythiadau yn ei erbyn, felly penderfynodd y byddai'n well iddo adael i Lowri Davies wybod beth yr oedd wedi'i ddarganfod y noson cynt, a beth roedd o'n bwriadu ei wneud am y peth.

Fel yr oedd yn gwisgo, canodd ei ffôn symudol. Edrychodd ar ei oriawr – hanner awr wedi saith.

'Jeff? Emyr Huws o'r *Daily Post* sy 'ma. Mae'n ddrwg gen i ffonio mor gynnar, ond rhaid i ni siarad. Mae petha wedi newid, a dwn i ddim os fedra i gadw f'addewid o beidio â chyhoeddi'r stori.'

Suddodd calon Jeff.

'Be sy wedi newid, felly?' gofynnodd, heb hyd yn oed gyfarch y newyddiadurwr.

'Y golygydd sydd wedi cael llythyr. Ddoe oedd hynny,

a'r un ddelwedd o'r grafanc arno yn dal cleddyf. Mae'r llythyr yn tynnu ei sylw at y ffaith 'mod i wedi cael llythyr eisoes, ac mae'r golygydd rŵan yn gofyn pam nad ydi stori gystal wedi landio ar ei ddesg o bellach. Mi ddeudis i'r hanes wrtho fo, i gyd, a'r ffaith ein bod ni wedi dod i ddealltwriaeth, ac mi aeth o'i go' yn lân ... deud nad oedd gen i hawl i gytuno i'r fath beth. O ganlyniad, dydi petha ddim yn dda yma, ac mae o isio'r stori i gyd ar gyfer y papur bore fory.'

'Hmm.' Ceisiodd Jeff feddwl yn sydyn am ymateb. 'Wel, diolch i ti, Emyr, am adael i mi wybod, a dwi'n ddiolchgar iawn i ti am gadw'r cwbwl yn ddistaw cyhyd. Ond gwranda, fel ma' hi'n digwydd bod, mae petha wedi symud yn gyflym yn ystod y pedair awr ar hugain ddwytha. Ella bod gen i stori i ti wedi'r cyfan. Mi gei di'r cwbl gen i, ond paid â threfnu i gyhoeddi dim nes byddi di wedi clywed gen i yn ddiweddarach heddiw. Ti'n meddwl y bydd hynny'n dderbyniol i dy olygydd di?'

'I fod yn berffaith onest, Jeff, fedra i ddim ateb dy gwestiwn di heb glywed be sy gen ti i'w ddeud.'

'Reit,' atebodd. Byddai'n rhaid iddo addasu ychydig ar ei gynlluniau. 'Y ddelwedd o'r grafanc yn dal y cleddyf – rhan o arfbais Rwmania ydi hwnna, ac mae gen i reswm i feddwl mai rhywun o Rwmania sydd tu ôl i hyn i gyd.'

'I gyd? Be, y cwbl lot?'

'Ia, y cyffuriau llygredig, y puteinio a hyd yn oed llofruddiaeth Trefor Hudson.'

'Rargian!'

Dechreuodd Jeff adrodd ei amheuon i'r newyddiadurwr ... yr hyn roedd o eisiau i'r papur ei gyhoeddi'n syth, yn ogystal â'r hyn nad oeddynt i'w gyhoeddi nes i Jeff gysylltu i gadarnhau hynny yn hwyrach y diwrnod hwnnw.

'Pryd fyddi di angen cael gwybod ar gyfer y dedlein, Emyr?' gofynnodd.

'Cyn gynted â phosib, ond cyn wyth heno fan bella.'

'Mi dria i 'ngorau, ond os na chlywi di gen i, mi wyddost ti be i'w ddal yn ôl.'

Cytunodd Emyr Huws.

Doedd Jeff erioed wedi ymddiried yn y wasg yn y gorffennol, a doedd o ddim yn hapus ei fod wedi gorfod datgelu cymaint i'r newyddiadurwr. Ond roedd Emyr Huws wedi cadw ei ochr o o'r fargen hyd yma, ac wedi'r cyfan, roedd yn rhaid cymryd ambell risg bob hyn a hyn.

Llyncodd Jeff damaid o dost a chwpanaid o de yn gyflym ac am ddeng munud wedi wyth deialodd rif ffôn symudol Lowri Davies.

'Ddrwg gen i ffonio mor fuan,' meddai.

'Mae'n iawn,' atebodd hithau. 'Newydd gyrraedd y swyddfa ydw i. Be sy ar eich meddwl chi mor gynnar, Jeff, a chithau yn dal ar eich gwyliau o hyd?'

'Gwyliau o ddiawl,' atebodd, cyn dweud wrthi beth roedd o wedi'i sylweddoli y noson cynt, a'i gynllun am weddill y diwrnod.

'Mi fydd yn rhaid i chi gael rhywfaint o gefnogaeth, Jeff,' awgrymodd Lowri.

'Bydd, siŵr,' atebodd, 'yn enwedig i archwilio adeiladau lle mae cyffuriau'n debygol o fod yn cael eu cadw. Ond gadewch i mi fynd i mewn ar fy mhen fy hun, yn ara deg i gychwyn, achos wn i ddim ar hyn o bryd pa gyfeiriadau y byddwn ni angen eu chwilio.'

'Digon teg. Mi fydd 'na dimau archwilio yn y fan yma yn disgwyl am eich gair chi,' cadarnhaodd Lowri. 'A byddwch yn ofalus. Cofiwch fod 'na lofrudd proffesiynol yn llechu yn rhywle, ac mae ganddo fo wn.'

Roedd Jeff wedi anghofio am y gwn.

Ymhen ychydig funudau roedd o'n eistedd yn ei gar tu allan i swyddfeydd Blas Bendigedig Cyf. Doedd dim golwg o gar Mathias yn unman, felly penderfynodd Jeff y byddai'n disgwyl amdano. Doedd dim rhaid iddo aros yn hir. Gwelodd y Discovery Sport yn cael ei yrru at lecyn parcio personol Mathias, a neidiodd y dyn ei hun allan ohono a cherdded i mewn i'r adeilad. Wedi iddo ddiflannu drwy'r drws, disgwyliodd Jeff am ychydig eiliadau ac yna aeth i mewn ar ei ôl, gan ddiolch nad oedd y drws ar glo.

Doedd neb y tu ôl i'r ddesg yn y dderbynfa. Grêt, meddyliodd, gan gerdded i lawr y coridor tuag at swyddfa bersonol Mathias. Agorodd y drws heb gnocio a brasgamodd i mewn. Nid oedd Mathias wedi cael amser i eistedd tu ôl i'w ddesg, hyd yn oed, ac roedd yr edrychiad ar ei wyneb pan drodd a gweld y ditectif sarjant o'i flaen yn dweud cyfrolau.

'Be dach chi ...?' gofynnodd. 'Pwy roddodd yr hawl ...?'

'Steddwch i lawr, Mr Mathias,' gorchymynnodd Jeff heb adael iddo orffen ei frawddeg. 'Mi ddaw popeth yn eglur ymhen munud.'

'Allan,' gwaeddodd Mathias, ei wyneb yn biws. 'Does ganddoch chi ddim awdurdod i gerdded i mewn i fama fel y mynnoch chi. Allan, rŵan!'

'Dim peryg,' atebodd Jeff yn gadarn. 'Chi oedd un o'r rhai cyntaf i ddechrau codi'ch llais yn gyhoeddus i ddweud cyn lleied mae'r heddlu yn ei wneud ynglŷn â thrafferthion y dref 'ma, ac mae gen i reswm da i gredu eich bod chi, Mr

Mathias, yng ngwraidd yr holl boen mae pobol yr ardal 'ma yn gorfod ei ddioddef ar hyn o bryd. Dydw i ddim wedi penderfynu eto ydach chi'n bersonol yn rhan o'r trais, neu os mai cau eich llygaid i'r hyn sy'n digwydd dan eich trwyn chi ydach chi. Rŵan ta, er mwyn i mi allu dallt y sefyllfa'n well, mi gewch chi ateb un neu ddau o gwestiynau i mi, yn barchus yn y fan hon, neu ar f'enaid i, mi a' i â chi i'r ddalfa'r munud yma, a gofyn yr un cwestiynau i chi mewn stafell fach dywyll – a'r cwbwl yn cael ei recordio. Dallt? A dwi'n addo i chi y bydd pawb yn y dref 'ma'n ymwybodol o'ch ymweliad chi â gorsaf yr heddlu cyn iddi nosi heno. Dwi'n gobeithio 'mod i'n gwneud fy hun yn berffaith glir.'

Gwelodd Jeff yr olwynion yn troi. O'r diwedd, eisteddodd Mathias i lawr a gwnaeth Jeff yr un peth.

'Dyna welliant,' meddai Jeff. 'I ddechrau, dwi isio i chi ddeud wrtha i faint o bobl o Rwmania rydach chi'n eu cyflogi.' Gwelodd ar unwaith fod Mathias yn gegrwth, a cheisiodd ddychmygu beth yn union roedd y dyn busnes yn debygol o fod ynghlwm â fo.

'Mwy nag un, Sarjant Evans,' atebodd, 'ond mater i mi ydi hynny. Mi fedra i'ch sicrhau chi fod pob un wan jac o'r bobol dwi'n eu cyflogi yn gweithio ym Mhrydain yn gyfreithlon – a does 'na ddim rheswm i mi orfod rhannu eu manylion nhw efo chi.'

Roedd yn amlwg nad oedd y dyn am gynnig unrhyw wybodaeth o'i wirfodd, felly dewisodd Jeff newid ongl yr holi.

'Ond wrth gwrs, nid dyna'ch unig gysylltiad chi â gwlad Rwmania, nage?'

Nid atebodd Mathias. Eisteddodd yn fud gan wybod y byddai'r ditectif yn siŵr o ymhelaethu.

'Gwerthiant y gwin ddaeth o Hendre Fawr. Y Château Mouton Rothschild 1942. I'r cwmni Angst Dede Românе SRL, cwmni o Rwmania, y gwerthoch chi o, yntê?' Gwelodd Jeff fod Mathias yn dechrau gwelwi wrth ddychmygu beth roedd o wedi'i ddarganfod.

'Cael hyd i brynwr ar ran cleient oedd fy unig ran i yng ngwerthiant y gwin, Sarjant Evans, ac mae hynny wedi digwydd ers talwm iawn. A beth bynnag, mater cyfrinachol oedd o. Does gen i mo'r awdurdod i ddatgelu dim o'r manylion i chi.'

Penderfynodd Jeff ofyn y cwestiwn nesaf heb sail yn y byd, ond gwyddai y byddai'r ateb, beth bynnag fyddai o, yn ddiddorol.

'Ddaru chi ddatgelu rhywfaint o wybodaeth am y gwerthiant i Trefor Hudson?' gofynnodd. Cwestiwn digon syml oedd o, ond gallai'r ateb awgrymu llu o bosibiliadau.

'Naddo, am yr un rheswm na alla i ddeud wrthach chi,' atebodd Mathias, heb oedi o gwbl.

Ateb didwyll, meddyliodd y ditectif profiadol – doedd Mathias ddim wedi gwneud y cyswllt rhwng y gwin a llofruddiaeth Trefor Hudson.

'Pryd fu Mr Hudson yma?'

'Rhyw bythefnos yn ôl. Roedd o'n ymchwilio i ryw dwyll ynglŷn â gwerthiant y gwin – ond roedd y twyll ymhell ar ôl i 'nghleient i ei werthu.'

'Ac mae'n sefyll i reswm eich bod chi'n ymwybodol o lofruddiaeth Mr Hudson.'

'Ydw siŵr, fel pawb arall yn y dre 'ma.'

'Ac ar ôl iddo gael ei ladd, ddaru chi ddim meddwl dweud wrth yr heddlu ei fod o wedi bod yma yn eich holi chi am dwyll sy'n gysylltiedig â'r gwin a werthoch chi ar ran

Mrs Elen Thomas ... eich cleient, fel rydach chi'n ei galw hi.'

'Wyddwn i ddim bod 'na gysylltiad, Sarjant. Ond does gen i ddim byd i'w guddio, coeliwch chi fi.'

'Pwy arall welodd Mr Hudson yma, a phwy arall oedd yn gwybod ei fod o'n holi am y gwin?'

'Neb hyd y gwn i. Neb heblaw'r ysgrifenyddes yn y dderbynfa.'

Newidiodd Jeff gyfeiriad yr holi eto.

'Mi ddeudoch chi y tro dwytha i ni gyfarfod y bysach chi'n gwneud ymholiadau pellach ynglŷn â'r cwffio rhwng un o'ch staff chi ac un o'r pêl-droedwyr ifanc yng nghinio'r clwb pêl-droed ar ddiwedd y tymor.'

'Wel, ches i ddim amser. Dwi'n ddyn prysur, a doedd 'run gŵyn wedi'i gwneud gan neb fel ro'n i'n dallt.'

'Rydan ni'n ymwybodol erbyn hyn mai Gerry fu'n rhan o'r digwyddiad ... ac wrth gwrs, un o Rwmania ydi o, yntê?'

'Wel ia, dwi'n meddwl. Dwi ddim yn ei nabod o'n dda, ac nid fi sy'n ei gyflogi o, fel mae'n digwydd bod. Un o hogia Pete, y prif reolwr ydi o. Pam?'

'Be ydi'i waith o yma?' gofynnodd Jeff, gan anwybyddu ei gwestiwn.

'Rheolwr arlwyo allanol. Gweithiwr da ydi o hefyd, medda Pete.'

'Lle mae o'n byw?'

'Wn i ddim. Weithiau mae o'n rhoi ei ben i lawr yn y fflat sydd gen i uwchben y caffi, ond sgin i ddim syniad lle mae o ar adegau eraill.'

'Sut fyddwch chi'n cysylltu efo fo?'

'Fydda i ddim yn gwneud yn aml. Fel ddeudis i, un o ddynion Pete ydi o. Mae ganddo fo ffôn symudol fel pawb arall, ac mi fydd o'n ei hateb hi'n syth fel arfer, ond pur anaml y bydd angen i mi ei ffonio fo fy hun.'

'Lle mae o heddiw?'

'O gwmpas 'ma yn rwla, ma' siŵr.'

'Ewch â fi ato fo, wnewch chi, Mr Mathias?'

Ni allai pethau fod wedi datblygu'n well petai Jeff wedi'u cynllunio ei hun. Dilynodd Jeff Mathias allan o'i swyddfa ac i'r dderbynfa. Roedd y ferch ifanc a welodd yno ddyddiau ynghynt wedi cyrraedd ei gwaith erbyn hyn, ac yn eistedd ar ben y ddesg wrth ei hochr roedd y gŵr a werthodd y cocên i Nansi'r Nos. Y gŵr a basiodd y botel Diet Coke i Terry Polyn Lein y noson honno ... y gŵr yr oedd y pêl-droedwyr yn ei alw'n Gerry the Pacemaker. Edrychai'r ddau yn gyfeillgar iawn.

Safodd Gerry ar ei draed o flaen Jeff, ac roedd yn amlwg nad oedd o'n adnabod y plismon. Roedd yn ddyn tal, dipyn talach na Jeff, ac yn gwisgo'r un dillad yn union ag oedd amdano pan dynnodd Jeff ei lun dridiau ynghynt. Rhoddodd Jeff ei gerdyn swyddogol o dan ei drwyn a chyflwyno'i hun iddo. Ar yr un gwynt, eglurodd Jeff wrtho ei fod yn cael ei arestio am gyflenwi cyffuriau yn yr ardal dros gyfnod o amser, a rhoddodd y rhybudd swyddogol iddo yn bwyllog ac yn ddistaw. Roedd golwg o sioc ar wyneb Mathias, ond ni ddangosodd Gerry unrhyw arwydd o emosiwn. Safodd yr eneth ar ei thraed y tu ôl i'w desg gan godi ei llaw dros ei cheg – allan o'r tri o'i flaen, ystyriodd Jeff, roedd hi'n ymddangos mai hon oedd wedi cael yr ysgytwad mwyaf.

Gwyddai Jeff y gallai'r sefyllfa droi'n flêr petai Gerry'n dechrau tynnu'n groes, felly cyn iddo gael y cyfle i ystyried gwneud hynny gafaelodd Jeff yn ei ddwy fraich a'u rhoi tu ôl i gefn y carcharor, a rhoi gefyn llaw o amgylch ei arddyrnau.

'Chewch chi ddim gwneud hyn!' gwaeddodd Mathias.

'Rhy hwyr rŵan, Mr Mathias, dwi wedi'i wneud o,' meddai Jeff.

Edrychodd Gerry i lygaid Mathias. 'Petre. Rŵan,' cyfarthodd.

Ni wyddai'r ferch ifanc tu ôl i'r ddesg lle i droi. Dim bob dydd roedd rhywun yn cael ei arestio o'i blaen. A Gerry o bawb, y dyn golygus roedd hi'n meddwl cymaint ohono.

Cerddodd Jeff i'w gar gan afael ym mraich Gerry ag un llaw a'i ffôn symudol â'r llall. Galwodd am gymorth brys i archwilio swyddfeydd Blas Bendigedig Cyf. a'r fflat uwchben caffi Mathias yn y dref.

Wrth iddo agor drws y car, gwelodd Jeff ddyn arall yn agosáu. Hwn oedd y dyn mawr, anghwrtais a welodd Jeff pan aeth i swyddfa Mathias am y tro cyntaf – yr un a wthiodd Jeff o'r ffordd wrth iddo gerdded allan. Cofiodd mai Pete roedd Mathias wedi'i alw o, ac mai fo oedd y prif reolwr. Pete oedd Petre felly, yr un roedd Gerry wedi gofyn amdano ychydig funudau ynghynt wrth gael ei arestio. Gŵr arall o Rwmania yn ôl pob golwg, a chyflogwr Gerry.

Brasgamodd Petre yn ymosodol yr olwg ar draws y maes parcio tuag at Jeff, a safai wrth ochr ei gar. Roedd eisoes wedi rhoi Gerry i eistedd yn y sedd gefn. Paratôdd Jeff ei hun am y ffrwgwd oedd yn siŵr o ddod. Aeth ias oer drwyddo – a oedd gan y dyn mawr wn yn ei feddiant, tybed? Rhoddodd ochenaid o ryddhad pan welodd dri o gerbydau'r heddlu'n gwibio rownd y gornel, yn llawn o blismyn mewn iwnifform. Diolchodd am gefnogaeth Lowri Davies a oedd wedi cadw at ei gair.

Stopiodd Petre yn stond pan glywodd sŵn y seirenau. Trodd Jeff i edrych ar y ceir am ennyd, ac erbyn iddo droi yn ei ôl roedd Petre wedi diflannu. Diddorol, meddyliodd, gan sylweddoli mai dim ond pum munud oedd wedi mynd heibio ers i Gerry roi ei enw yn orchymyn i Mathias. Roedd Petre wrth law felly, ond yn bwysicach na hynny, roedd Jeff wedi gweld bod Mathias yn ufuddhau yn syth a digwestiwn i'r dynion o Rwmania. Pwy ydi rheolwr pwy, tybed, gofynnodd Jeff iddo'i hun.

Gwyddai Jeff ym mêr ei esgyrn y byddai'n cyfarfod â Petre eto yn y dyfodol agos.

Pennod 30

Yr enw a roddodd Gerry the Pacemaker i Sarjant Rob Taylor pan aed â fo i'r ddalfa y bore hwnnw oedd Gheorghe Iorgovan. Rhwbiodd Gheorghe ei arddyrnau pan dynnwyd y gefynnau oddi arnynt – doedden nhw mo'r pethau mwyaf cyfforddus i'w gwisgo, yn enwedig y tu ôl i gefn rhywun mewn car. Esboniodd Jeff i Rob ei fod wedi'i arestio ar amheuaeth o gyflenwi cocên yn yr ardal, a rhoddodd y carcharor ei ddyddiad geni a chyfeiriad yn Rwmania, gan nad oedd ganddo – medda fo – gyfeiriad lleol parhaol. Hyd yn oed petai ganddo gartref sefydlog yng Nglan Morfa, doedd Jeff ddim yn ffyddiog y byddai wedi'i ddatgelu. Archwiliwyd ei ddillad a'i gorff yn fanwl ond ni ddarganfuwyd unrhyw olion o gocên na'r un cyffur arall. Gwrthododd ddweud gair heb gael cyfreithiwr.

Dan yr amgylchiadau, roedd Gheorghe Iorgovan yn rhyfeddol o ddigyffro. Wnaeth o ddim dangos unrhyw arwydd o gyffro na phryder – yn wahanol i'r rhan fwyaf o'r carcharorion a âi drwy ddwylo Rob yn y ddalfa. Doedd y profiad ddim yn ymddangos yn newydd iddo, ystyriodd Jeff – tybed pa gyfrinachau oedd yn llechu yn ei orffennol? Safai yn hyderus o flaen Rob, gan edrych yn syth i'w lygaid, pan ofynnwyd iddo ateb y cwestiynau ffurfiol arferol. Syllai'n fygythiol ar Jeff o dro i dro.

'Pwy ydi'r cyfreithiwr ar ddyletswydd heddiw?' gofynnodd Jeff.

'Mi gei di anghofio am y cyfreithiwr ar ddyletswydd,' atebodd Rob. 'Mae 'na ddynes newydd ffonio ar ran cyfreithiwr o Rwmania sydd â swyddfa yn Lerpwl – dyn o'r enw Ionel Alexandresu. Mi ges i orchymyn nad oes neb i holi hwn nes y bydd y cyfreithiwr wedi cyrraedd.'

'Rargian, pryd fydd hynny?' gofynnodd Jeff.

'Mewn llai na dwyawr, sŵn i'n meddwl,' atebodd Rob. 'Mae o wedi cychwyn ers ugain munud dda yn ôl ei ysgrifenyddes.'

Roedd rhywun wedi ffonio'r cyfreithiwr funudau yn unig ar ôl i'r carcharor gael ei arestio, felly – Petre, mae'n debyg, tybiodd Jeff. Rhoddwyd Gheorghe Iorgovan mewn cell i ddisgwyl amdano, a cherddodd y carcharor yno yn hamddenol hyderus. Beth oedd hwn yn ei wybod, gofynnodd Jeff iddo'i hun, a phwy oedd yn ei warchod?

Mae'n rhaid bod rhywun dylanwadol a chefnog iawn yn cadw cefn Iorgovan, i'r cyfreithiwr ollwng popeth a theithio bron i gan milltir i'w gynrychioli. Rhywun fel Valeriu Barbu, oedd â mintai o'i amgylch i ufuddhau i'w holl orchmynion. Ac os oedd hynny'n wir, edrychai'n debyg bod Iorgovan yn bwysig i Barbu a'i gynlluniau.

Pan oedd Jeff a Rob ar eu pennau eu hunain wrth ddesg y ddalfa, gofynnodd Rob, 'Be ydi'r dystiolaeth sgin ti arno fo, Jeff?'

'Dwi'n gwbod i sicrwydd mai fo sy'n gwerthu cyffuriau yn yr ardal 'ma, Rob. Neu mae o'n un o'r cyflenwyr, o leia. A lle gwell i wneud hynny na thrwy fusnes arlwyo Mathias yn y safle adeiladu, neu yng nghanol llanciau ifanc yn y clwb pêl-droed? Ond yn anffodus, fedra i ddim defnyddio'r dystiolaeth sydd gen i. Mi fysa gwneud hynny'n peryglu bywyd fy hysbyswr, a dyna ydi'r peth dwytha dwi isio. Dwi wedi darganfod mai fo roddodd botel o Diet Coke i Brian Owen noson y ddamwain – y botel roedd o a Wil Morgan yn yfed ohoni – ond yn anffodus, dydi canlyniadau'r profion fforensig ddim yn ôl o'r lab eto. Nes y cawn ni'r rheiny does gen i ddim ffordd o brofi mai yn y botel honno roedd y cocên a'r strycnin. Mi fydd 'na olion bysedd ar y botel, rhai Wil, rhai Brian a rhai sy'n sicr o fod yn perthyn i fachgen arall, un o'r chwaraewyr maen nhw'n 'i alw'n Terry Polyn Lein. Mi afaelodd y tri yn y botel ar ôl Iorgovan, felly mae'n annhebygol iawn y cawn ni ei olion bysedd o arni hefyd.'

'Fyddwn ni ddim gwaeth na thrio,' awgrymodd Rob, 'ond os nad oes digon o dystiolaeth i'w gyhuddo ar ôl i ti orffen ei holi a gwneud pa bynnag ymholiadau eraill sydd gen ti ar y gweill heddiw, allwn ni ddim ei orfodi i roi ei olion bysedd i ni.'

'Gwir,' cytunodd Jeff. 'Fy ngobaith ydi y byddwn ni'n dod ar draws y cyffuriau, a'n bod ni'n gallu ei gysylltu o efo nhw. Heb hynny, tydi petha ddim yn edrych yn dda – ond mae'n rhaid i mi ddechrau ysgwyd y caetsh, er mwyn gweld be ddisgynnith allan. Mi fyswn i'n licio cael ei olion bysedd a'i DNA o, hyd yn oed os ydi o'n gwrthod eu rhoi nhw. Ydi'r hen gwpan dun 'na heb handlen arni yn dal i fod o gwmpas?'

Gwenodd Rob. 'Uffar drwg wyt ti, Jeff Evans,' meddai. Roedd y tric yma'n hen ffefryn.

Ymhen ugain munud roedd Iorgovan yn yfed te allan o gwpan dun heb handlen arni a oedd, funudau ynghynt, yn berffaith lân. Cafodd ei rhoi iddo ar hambwrdd gan blismon ifanc a gafodd gyfarwyddiadau manwl i beidio â chyffwrdd ynddi. Buan y byddai olion bysedd a DNA y gŵr o Rwmania ym meddiant Jeff, yn gam neu'n gymwys.

Tra oedd o'n disgwyl am y cyfreithiwr, Ionel Alexandresu, gwnaeth Jeff rai ymholiadau. Darganfu fod gan Iorgovan hawl, fel dinesydd Ewropeaidd, i weithio ym Mhrydain, ac nad oedd hanes iddo fod wedi troseddu erioed, ym Mhrydain nac yn Rwmania. Ffoniodd Jeff un neu ddau o dditectifs Heddlu Glannau Merswy hefyd i holi am y cyfreithiwr, ond doedd neb yno wedi clywed fawr o sôn amdano. Cyfreithiwr busnes oedd o yn fwy na dim, a phrin iawn oedd ei ymddangosiadau yn llysoedd troseddol y ddinas.

Am un ar ddeg o'r gloch, daeth gair gan Rob fod y cyfreithiwr wedi cyrraedd a'i fod yn cael gair efo'i gleient cyn unrhyw gyfweliad swyddogol.

Daeth Lowri Davies i swyddfa Jeff.

'Sut ma' hi'n mynd?' gofynnodd y Ditectif Brif Arolygydd.

'Ddim yn rhy dda ar hyn o bryd,' atebodd Jeff. 'Dwi wedi clywed gan y tîm sy wedi bod yn chwilio'r fflat uwchben caffi Mathias, a does 'na ddim olion o gyffuriau yn y fan honno. A hyd yn hyn, does 'na ddim wedi dod i'r fei yn swyddfeydd Blas Bendigedig Cyf. chwaith – nid 'mod i wedi disgwyl darganfod dim yn y fan honno.'

'Anffodus,' meddai Lowri Davies.

'Peidiwch â phoeni,' atebodd Jeff. 'Megis dechrau ydw i.' Gwenodd arni. 'Mae rwbath yn siŵr o landio ar fy nglin i cyn diwedd y dydd ... gobeithio,' ychwanegodd efo gwên.

'Gadewch i mi wybod popeth,' meddai hithau. 'Cofiwch chi hynny.'

Pan aeth Jeff yn ôl i lawr i'r ddalfa, roedd y cyfreithiwr, Ionel Alexandresu, yn disgwyl amdano. Safai wrth ochr y cownter yn gwisgo siwt lwyd tywyll. Roedd yn ddyn smart, yn agos i'w hanner cant a'i wallt tywyll yn dechrau moeli a britho, ond edrychai'n ffit o'i oed. Cafodd Jeff yr argraff, o'i lygaid yn arbennig, ei fod yn gwenu'n aml.

'Ditectif Sarjant Jeff Evans,' meddai Rob Taylor, yn cyflwyno'r ddau i'w gilydd.

Estynnodd Ionel Alexandresu ei law allan a gwenodd yn gynnes ar Jeff. 'Mae'n bleser gen i'ch cyfarfod chi, Sarjant Evans,' meddai.

Ysgydwodd y ddau ddwylo'i gilydd. Ni wyddai pam, ond doedd Jeff ddim wedi disgwyl y fath gyfarchiad – cyfarchiad a ymddangosai'n ddiffuant, rhywsut. Beth oedd cyfreithiwr fel hwn, heb fawr o brofiad o achosion troseddol, yn ei wneud yn cynrychioli dyn fel Iorgovan? Mae'n rhaid mai eu mamwlad oedd y cysylltiad.

'Faint o waith troseddol fyddwch chi'n ei wneud, Mr Alexandresu?' gofynnodd Jeff.

'Dipyn, bob hyn a hyn,' atebodd. 'Well gen i fyd busnes fy hun. Mi synnech chi faint o fasnachu sydd rhwng Prydain a Rwmania y dyddiau hyn ... wel, ar hyn o bryd o leiaf. Cawn weld be ddaw yn ystod y blynyddoedd nesaf.'

Ymhen deng munud, ar ôl rhoi'r recordydd ymlaen ac adrodd y rhaglith arferol, dechreuodd Jeff holi Gheorghe Iorgovan.

'Ydach chi'n dallt pam eich bod chi wedi cael eich arestio y bore 'ma, ac ydi'ch dealltwriaeth chi o'r iaith yn ddigon da i mi barhau heb gyfieithydd?'

Gwelodd Jeff fod y cyfreithiwr yn nodio i gyfeiriad ei gleient.

'Ydw, ac ydi,' atebodd Iorgovan.

'Pryd ddaethoch chi i'r ardal yma gynta?'

Nid atebodd Iorgovan. Syllodd yn fud i lygaid Jeff.

'Pwy sydd yn eich cyflogi chi?'

Dim ateb.

'Lle fyddwch chi'n aros tra byddwch chi yng Nglan Morfa?'

Mwy o ddistawrwydd.

'Ditectif Sarjant,' meddai Mr Alexandresu, 'fi sydd wedi cynghori Mr Iorgovan i beidio dweud yr un gair yn ateb i'ch cwestiynau. Fel y gwyddoch chi, mae ganddo berffaith hawl i wneud hynny, ac o dan yr amgylchiadau dyna ydi'r cyngor gorau y medra i ei roi iddo. Os oes tystiolaeth i'w gyhuddo, mae'n siŵr gen i y gwnewch chi ei ddefnyddio i wneud hynny.'

Dyma'n union roedd Jeff wedi'i ofni. Petai carcharor yn siarad, hyd yn oed os nad oedd o'n meddwl ei fod yn dweud unrhyw beth o bwys, byddai modd i Jeff ddefnyddio'r ychydig wybodaeth honno i ymchwilio ymhellach. Os nad oedd rhywun yn agor ei geg, doedd dim gobaith o ddarganfod yr un tamaid o wybodaeth ychwanegol.

Parhaodd Jeff i'w holi am y digwyddiadau yn y clwb pêl-droed a'r digwyddiad rhyngddo a Brian ar noson y cinio. Gofynnodd pam roedd o'n loetran o gwmpas ieuenctid y clwb, a gofynnodd am y botel Diet Coke a roddwyd i Wil Morgan a Brian. Ai gwenwyno Brian Owen oedd ffordd Iorgovan o'i gosbi am i'r bachgen ei daro noson y cinio? Holodd hefyd a oedd o'n cyflenwi cocên oedd wedi'i lygru â strycnin i bobl yr ardal.

Roedd Jeff wedi penderfynu o flaen llaw nad oedd o am ofyn unrhyw gwestiwn ynglŷn â Petre, ac yn sicr ddim am Valeriu Barbu. Y peth olaf roedd o eisiau oedd iddyn nhw sylweddoli fod Jeff wedi gwneud y cysylltiad.

Ni ddywedodd Iorgovan air, er bod ei gyfreithiwr yn gwneud nodiadau cynhwysfawr yn dilyn pob cwestiwn.

Trodd Jeff i wynebu Mr Alexandresu. 'Mae 'na gysylltiad rhwng hyn i gyd a llofruddiaeth dyn o'r enw Trefor Hudson, a saethwyd yn ei ben ychydig ddyddiau'n ôl. Nid y llofruddiaeth honno ydi'r rheswm am arestio eich cleient, ond gan ei fod o yma, a chan fod cysylltiad rhwng y llofruddiaeth a phroblem y cyffuriau, hoffwn wybod lle roedd o pan saethwyd Mr Hudson.' Rhoddodd Jeff fanylion y dyddiad a'r amseroedd perthnasol i'r cyfreithiwr.

Gofynnwyd am ohiriad er mwyn i'r ddau allu trafod y mater yn breifat, a phan ailddechreuwyd yr holi, eglurodd y cyfreithiwr fod ei gleient yn gweithio'r noson honno o chwech tan wedi hanner nos, yn arlwyo mewn cinio ar gyfer y maer, cynghorwyr y dref a phrif swyddogion y gwaith adeiladu. Ni chymerwyd mwy na hanner awr i gadarnhau fod hynny'n wir. Siomedigaeth arall. Yn y cyfamser hefyd, daeth yr wybodaeth fod swyddfa Iorgovan ym mhencadlys Blas Bendigedig Cyf. yn glir o gyffuriau. Trwy Mr Alexandresu, gwrthododd y carcharor roi ei olion bysedd na'i DNA, ond nid oedd Jeff wedi disgwyl dim arall.

Ar ôl i Jeff orffen yr holi, dechreuodd Mr Alexandresu ofyn cwestiynau – rhai annisgwyl, oedd yn ôl pob golwg yn tarddu o'r sgyrsiau preifat rhwng Iorgovan ac yntau ar ôl iddo gyrraedd gorsaf heddlu Glan Morfa.

'Yn ystod eich cyfweliad chi efo fy nghlient heddiw, Ditectif Sarjant Evans, ni chlywais unrhyw dystiolaeth gadarn fod fy nghlient wedi bod â chocên yn ei feddiant.' Ddywedodd Jeff yr un gair. 'Ac eto,' parhaodd y cyfreithiwr, 'mae Mr Iorgovan wedi cael ei arestio dan amheuaeth o werthu neu rannu'r cyffur yn y dref hon, ac yn y clwb pêl-droed.'

'Cywir,' atebodd Jeff. Roedd ganddo syniad go dda i ba gyfeiriad yr oedd yr holi'n mynd.

'Amheuon ydan ni wedi'u clywed ganddoch chi yn ystod y cyfweliad hwn, Sarjant, nid tystiolaeth. Mi sonioch am botel o Diet Coke, ond does dim tystiolaeth fod y botel honno wedi cynnwys unrhyw gyffur. A pheth arall, pa wybodaeth ychwanegol sydd yn eich meddiant nad ydach chi'n barod i'w ddatgelu i ni?'

'Mae'r cwbl ro'n i isio'i ofyn wedi'i ofyn,' meddai Jeff.

'Dyma'r math o amgylchiadau sy'n awgrymu i mi fod hysbyswr ynghlwm â'r achos.'

Dechreuodd Jeff sylweddoli fod y cyfreithiwr yn brofiadol ym myd cyfraith droseddol wedi'r cyfan, ond doedd ganddo ddim syniad beth oedd Iorgovan wedi'i ddysgu am y digwyddiadau a arweiniodd at ei arestio ... os oedd o wedi darganfod unrhyw beth o gwbl. Un cwestiwn pwysig oedd ar feddwl Jeff yr ennyd hwnnw. Oedd Iorgovan wedi cysylltu ei arestiad ag unrhyw ddigwyddiad diweddar arall? Ni allai ddirnad sut y gallai hynny fod wedi digwydd, ond efallai, myfyriodd Jeff, mai fo oedd wedi cyrraedd y casgliad anghywir. Gobeithiai i'r nefoedd mai dyna oedd yr ateb. Doedd ganddo ddim bwriad o gwbl o gyfaddef fod hysbyswr yn agos i'r honiadau.

'Mater i mi ydi penderfynu gwerth yr wybodaeth sy'n dod i law,' atebodd. 'A phenderfynu sut i'w ddefnyddio, wrth gwrs.'

Daeth Jeff â'r cyfweliad i ben a chododd ar ei draed, gan sylwi fod y ddau ddyn arall yn yr ystafell yn edrych ar ei gilydd fel petaent yn rhannu cyfrinach. Roedd un peth yn sicr, doedd dim digon o dystiolaeth i gyhuddo Iorgovan, neu Gerry the Pacemaker fel y'i gelwid, heddiw.

Ychydig cyn iddo ryddhau Iorgovan, daeth gair i glust Jeff fod dyn amheus mewn car nid nepell o orsaf yr heddlu. Aeth allan i gael golwg – Petre oedd o. Ystyriodd Jeff fynd ag yntau i'r ddalfa hefyd, ond i ba bwrpas? Doedd ganddo ddim tystiolaeth gadarn ar gyfer ei holi, a byddai'r un cyfreithiwr yn sicr o'i gynghori i ddweud dim. Ond, ta waeth, daeth syniad gwell i'w feddwl.

Gyda chymorth Lowri Davies, rhyddhawyd un o geir cudd yr heddlu i ddilyn car Petre ar ôl i Iorgovan gael ei ryddhau. Roedd yn rhaid cael gwybod lle'r oedd Iorgovan yn byw o un diwrnod i'r llall. Efallai mai yn y fan honno roedd y cyffuriau'n cael eu cuddio. Rhaid eu bod yn rhywle.

Rhyddhawyd Iorgovan ar fechnïaeth i ailymddangos yng ngorsaf heddlu Glan Morfa ymhen y mis. Erbyn hynny, gobeithiai Jeff y byddai canlyniad yr ymchwiliad fforensig ar y botel Diet Coke wedi dod yn ôl, a chanlyniad unrhyw olion bysedd a oedd arni hefyd.

O ffenest ei swyddfa ar y llawr cyntaf, edrychodd Jeff i lawr i gyfeiriad y ffordd fawr o flaen gorsaf yr heddlu. Gwelodd Iorgovan yn dod allan o'r drws ffrynt yng nghwmni Ionel Alexandresu, a daeth Petre allan o'i gar atyn nhw. Ar ôl sgwrs o funud neu ddau ysgydwodd y tri ddwylo'i gilydd a cherddodd y cyfreithiwr i gyfeiriad ei gar. Aeth y ddau arall i mewn i gar Petre. Byddai Jeff wedi rhoi cyflog mis i gael gwybod beth oedd cynnwys y sgwrs honno. Dechreuodd y car symud, a gwelodd Jeff un o geir cudd yr heddlu yn ei ddilyn o bell.

Roedd hi'n tynnu am chwech o'r gloch erbyn hyn.

Cododd Jeff ei ffôn i siarad ag Emyr Huws o'r *Daily Post*, gan roi gwybod iddo pa stori i'w chyhoeddi. Os mai bwriad pwy bynnag oedd y tu ôl i hyn i gyd oedd defnyddio'r wasg i geisio'i faeddu, gallai yntau wneud hynny llawn cystal â nhw.

Awr yn ddiweddarach, roedd Jeff yn dal i bendroni faint callach oedd o ar ôl digwyddiadau'r diwrnod. Dim llawer, ond erbyn hyn, mi wyddai Iorgovan, Petre, Valeriu Barbu a phwy bynnag arall, ei fod ar eu trywydd. Mi fydden nhw'n gwybod llawer mwy y bore trannoeth, meddyliodd Jeff, yn enwedig os oedden nhw'n darllen y *Daily Post*.

Er ei fod yn hyderus y byddai cynnwys y papur yn cynhyrfu'r dyfroedd y diwrnod wedyn, doedd Jeff ddim yn fodlon ar ddigwyddiadau'r dydd. Cafodd siom arall pan ddarganfu fod car yr heddlu wedi llwyddo i golli car Petre. Er bod y swyddog a oedd yn gyrru yn arbenigwr yn y maes, edrychai'n debyg fod y gŵr o Rwmania wedi cael y gorau arno. Gyrrodd Petre o amgylch y dref nifer o weithiau gan orfodi car yr heddlu i ddal yn ôl. Aeth car Petre rownd un gornel, allan o olwg yr heddwas, a phan ailymddangosodd dim ond y gyrrwr oedd ynddo. Parhaodd yr heddwas i'w ddilyn, er bod yr ymgyrch bellach wedi methu. Diwedd taith Petre oedd pencadlys Blas Bendigedig Cyf., ac yno, cerddodd allan o'r car ac i mewn i'r adeilad ar ei ben ei hun.

Pennod 31

Am wyth o'r gloch y bore canlynol roedd Jeff wrthi'n bwyta llond powlen o uwd pan ganodd y ffôn yn ei gartref. Rob Taylor oedd yno.

'Galwad sydyn,' meddai. 'Dwi ar fy ffordd allan am ddiwrnod o hyfforddiant saethu.'

'Chwarae cowbois eto, ia, yn lle plismona?'

'Cau dy geg.' Chwarddodd y ddau. 'Mae'r coc oen Mathias 'na wedi bod ar y ffôn sawl gwaith yn barod bore 'ma, isio gair efo chdi. Ac mae gen i syniad reit dda be sy ar ei feddwl o hefyd.'

'O, be felly?'

'Wyt ti wedi gweld y *Daily Post* bore 'ma?'

'Naddo wir, dim eto, ond dwi'n edrych ymlaen i'w ddarllen o.'

'Well i ti wneud cyn i ti ei ffonio fo.'

'Wel, mi geith ddisgwyl i mi orffen fy mrecwast, mae hynny'n saff i ti. Fydda i lawr 'cw wedyn.'

'Gyda llaw,' ychwanegodd Rob. 'Y busnes 'na efo Sydney Higgs. Mae'r hogia wedi gwneud job dda iawn. Mae o wedi derbyn dwn ni ddim faint o stwff sydd wedi'i ddwyn o ganolfan hyfforddi Manchester United gan Jimmy Barlow, ac mae Higgs yn cyfaddef ei fod o'n ymwybodol ei fod o wedi'i ddwyn.'

'Da iawn. Rho glod iddyn nhw drosta i wnei di.'

'Siŵr iawn. O, ac un peth arall hefyd,' ychwanegodd.

'Mi ddaeth rhywun ar draws merch Higgs, Rachel, yng nghefn tafarn y Rhwydwr yn hwyr neithiwr – wedi cael uffar o stid. Ma' hi'n dod ati'i hun yn weddol, ond yn gyndyn o ddeud dim am y digwyddiad. Tydi hi ddim wedi gwneud cwyn yn erbyn neb chwaith. Yr unig beth wyddon ni ydi ei bod hi wedi bod yn hel ei thin yn gynharach neithiwr, ac mae'n edrych yn debyg bod chwarae wedi troi'n chwerw.'

'Wnaiff yr hogan 'na byth ddysgu.'

Ymhen hanner awr roedd Jeff wedi prynu copi o'r papur newydd ac wedi darllen y penawdau a'r brif erthygl, oedd yn sôn am drafferthion tref Glan Morfa: y cyffuriau wedi'u llygru â strycnin a'u heffaith ar bobl ifanc y dref a gweithwyr y safle adeiladu. Tynnwyd sylw at y cysylltiad rhwng hynny a marwolaeth Wil Morgan a'r niwed i Brian Owen, ac at y puteinio digywilydd ar hyd a lled y dref. Soniwyd bod mwy nag erioed o ddynion yn cael eu heintio â chlefydau gwenerol bob dydd – i'r fath raddau fel bod yn rhaid i feddygon y dref gyfarfod i drafod a chydlynu eu hymateb i'r broblem. Ar ben hynny, edrychai'n debyg bod llofruddiaeth Trefor Hudson yn waith llofrudd proffesiynol. Sut oedd modd i bobl barchus y dref fyw yn ddi-ofn bellach, gofynnwyd?

Datgelwyd bod gwybodaeth wedi cael ei yrru i'r papur, at un o feddygon y dref, ac at yr heddlu oedd yn awgrymu'n gryf mai rhywun o Rwmania oedd yn gyfrifol am y cyffuriau budur a'r puteinio. Ymhellach ymlaen yn yr erthygl, nodwyd bod cwmni Blas Bendigedig Cyf. yn y dref yn cyflogi nifer o weithwyr Rwmanaidd. Roedd y papur wedi gofyn am sylw gan berchennog y cwmni, Mr Marc Mathias, ynglŷn â'r honiadau, ond gwrthododd hwnnw ymateb.

Eisteddodd Jeff yn ôl yn ei gadair a gwenodd yn fodlon. Dyma'r math o sblash roedd o wedi gobeithio amdano. Edrychai'n debyg bod ei gyfaill newydd, Emyr Huws, wedi gwneud gwaith ardderchog. Dim rhyfedd bod Mathias eisiau gair â fo.

Gobeithiai fod awdur y llythyrau yntau wedi cael ail wrth sylweddoli ei fod o, hefyd, yn fwy nag abl i ddefnyddio'r wasg i'w ddibenion ei hun. Ond nid troi'r drol oedd unig ddiben cynllun Jeff. Dyma'i gyfle i weld be fyddai cam nesaf y dyn oedd yn ei alw'n elyn.

Daeth Lowri Davies i'w swyddfa.

'Dwi'n cymryd mai chi sy tu ôl i gynnwys y *Daily Post* bore 'ma,' meddai. Roedd Jeff yn ei hadnabod yn ddigon da erbyn hyn i sylwi ar y difrifoldeb yn ei llais.

'Ia a naci,' atebodd. 'Mi sylwch nad oes dim gwybodaeth yn yr adroddiad nad ydi'r wasg yn ymwybodol ohono yn barod, ac ers sawl diwrnod hefyd. Fel y gwnaeth y meddyg, mi dderbynion nhw'r nodyn yn deud mai fi sy'n gyfrifol am yr holl boen sy'n cael ei achosi i bobol y dre 'ma. Mi ofynnais iddyn nhw ddal y stori yn ôl nes bod 'na rywbeth gwell i'w gyhoeddi ... a dyma chi'r canlyniad.'

'Fydd o, Mathias, ddim yn hapus – ac mae ganddo fo ddigon o bethau drwg i'w dweud am yr heddlu fel ma' hi.'

'Gawn ni weld. Mae o wedi bod yn trio cael gafael arna i bore 'ma yn barod.'

'Dwi'n gobeithio'ch bod chi'n gwybod be dach chi'n wneud, Ditectif Sarjant Evans,' meddai, gan bwysleisio'i enw a'i reng yn bwrpasol.

'Mi ydw inna'n gobeithio hynny hefyd, Ditectif Brif Arolygydd Davies,' atebodd, a gwên lydan ar ei wyneb.

Trodd Lowri Davies i adael, gan ysgwyd ei phen yn araf mewn arwydd o anobaith.

Heb fwy o oedi, ffoniodd Jeff swyddfa Mathias. Meddyliodd am frawddeg olaf Lowri Davies, ond doedd ganddo ddim syniad sut yn union roedd o am lywio'r sgwrs, na beth fyddai ymateb Mathias.

'Clywed eich bod wedi bod yn chwilio amdana i,' meddai Jeff, heb gyfarch y dyn busnes.

'Rhaid i mi siarad efo chi, Sarjant Evans, ar unwaith – ond dim ar y ffôn.' Roedd ei lais yn ansicr, a doedd o'n swnio'n ddim byd tebyg i'r dyn hyderus yr oedd Jeff wedi'i weld y bore cynt.

'Cewch, tad, Mr Mathias. Ddo' i draw i'ch swyddfa chi rŵan,' atebodd Jeff yn hwyliog.

'Na, na, na,' rhuthrodd Mathias. 'Mi ddo' i draw i'ch gweld chi. Dydw i mo'ch isio chi, nac unrhyw blisman arall, ar gyfyl y lle yma ... bob parch i chi a'ch swydd, wrth gwrs ... ddim ar ôl yr holl helbul 'na bore ddoe.'

Bob parch, wir, meddyliodd Jeff, ond o leia roedd o'n gwybod erbyn hyn i ba ffordd roedd y gwynt yn chwythu.

'Ar bob cyfrif,' atebodd. 'Gadewch i mi edrych ar y dyddiadur 'ma, i mi gael gweld pryd ydi'r amser gorau,' meddai, gan wneud sŵn siffrwd papur wrth y ffôn.

'Cynta'n y byd, gora'n y byd plis, Sarjant Evans.'

Gwnaeth Jeff fwy o sŵn papur. 'Ia, dowch rŵan, os liciwch chi.' Y gwir oedd ei fod yn ysu i glywed beth oedd gan Mathias i'w ddweud.

Ymhen ugain munud cafodd Jeff alwad i ddweud wrtho fod Mathias yn aros amdano yn yr ystafell gyfweld drws nesaf i'r dderbynfa. Disgwyliodd ddeng munud cyn mynd i lawr ato – wnâi o ddim drwg iddo ddisgwyl am sbel.

Cerddodd i mewn yn ei amser ei hun, a chododd Mathias ar ei draed yn syth.

'Mae'n ddrwg gen i. Ma' hi fel ffair yma heddiw,' meddai Jeff wrtho. 'Steddwch i lawr.'

'Welsoch chi'r *Daily Post* bore 'ma?' gofynnodd Mathias.

'Yyy ... wel, do,' atebodd Jeff.

'Oes ganddyn nhw hawl i ddeud y fath betha? Mi fydd fy musnes i wedi'i ddinistrio.'

'Wel fedra i ddim gweld bod 'na ddim byd o'i le ar gyhoeddi'r gwir, Mr Mathias. Mae 'na gysylltiad rhwng Rwmania a'r trafferthion yn y dref 'ma, dach chi'n gweld. Mae pwy bynnag sydd y tu ôl i'r holl helynt wedi bod yn brolio'u rhan yn y fenter droseddol i mi, i'r wasg ac i un o feddygon y dref. Ac mi wyddon ni'n dau fod 'na nifer o Rwmaniaid yn gweithio i chi. Ac yn amlwg, mae newyddiadurwyr y *Daily Post* yn gwybod hynny hefyd.'

'O, Dduw annwyl, wn i ddim be i wneud, wir. Dwi bron â drysu. Wnes i erioed feddwl y bysa hi'n dod i hyn, wir. Dwi'n gwybod o brofiad sut beth ydi methu ym myd busnes, a ... mi fydd hi'n edrych yn ddrwg arna i eto ar ôl hyn, gewch chi weld.' Yn sicr roedd Mathias yn dangos y straen.

'Wel mi ddeuda i wrthach chi be i wneud, Mr Mathias: deudwch y cwbl wrtha i. Dechrau o'r dechrau. Bob dim i'w wneud â'r bobl 'ma o Rwmania.'

Rhoddodd Mathias ei benelinoedd ar y bwrdd a rhoi ei ben yn ei ddwylo. Rhwbiodd ei fysedd trwy ei wallt yn wyllt. Oedodd am ennyd cyn codi ei ben ac edrych yn syth i lygaid Jeff.

'Y gwin oedd dechra petha. Gwerthiant y gwin,'

dechreuodd. ''Sa'n well o'r hanner tasa Elen erioed wedi dod ata i – nid 'mod i'n gweld bai arni hi, wrth gwrs. Mae gen i gysylltiadau yn y byd hwnnw, dach chi'n gweld, ac mi oedd hithau'n gwybod hynny. Wnes i ddim hysbysebu'r gwin yn swyddogol ... ro'n i'n gwybod yn syth pa mor werthfawr oedd o, ac yn y byd gwin, does dim rhaid gwneud llawer mwy na rhoi un gair yn y lle iawn.'

'Lle oedd hynny?' gofynnodd Jeff.

'Does dim rhaid i chi wybod hynny, Sarjant. Person parchus sy'n gwybod popeth sydd i'w wybod am win, a dim byd am yr hyn ddigwyddodd wedi i ni ei werthu o. Coeliwch fi – does ganddo fo ddim byd i wneud â'r mater. Y cwbwl ddeuda i ydi ei fod o yn y wlad hon, ac mai o ganlyniad i hynny y ces i e-bost gan gwmni o Rwmania yn cynnig swm sylweddol am y cwbl ... dipyn mwy nag oedd neb arall yn fodlon ei gynnig ar y pryd.'

'Angst Dede Române SRL,' cynigodd Jeff.

'Ia, dyna chi. A dyna oedd y cysylltiad cyntaf erioed rhyngdda i a rhywun o Rwmania. Ond yna, wrth i ni ddechrau trefnu'r cytundeb, dechreuodd pobl Angst Dede Române SRL roi amodau.'

'Amodau?'

'Ia, dim byd amheus o gwbl. Petha fyddai o fantais i mi a 'musnes. Roedd pobl Angst Dede Române SRL yn awyddus i ehangu neu ddatblygu ym Mhrydain, ac mi ddeudon nhw y bysan nhw'n fodlon talu'r pris yr oedden nhw'n ei gynnig am y gwin ar yr amod eu bod nhw'n cael ymuno â rhan o 'musnes i dros dro. Do'n i ddim yn mynd i golli allan o gwbl – i'r gwrthwyneb. Roedd y trefniant yn mynd i fy siwtio fi gymaint â nhw: mi fyddai drysau yn agor iddyn nhw yn y byd arlwyo ym Mhrydain a drysau yn agor i mi i allu prynu bwydydd Ewropeaidd. Cyn belled ag y gwelwn i, roedd y trefniant yn fanteisiol i bawb.'

'Efo pwy oeddach chi'n delio yn y cwmni?' gofynnodd Jeff yn awyddus, gan ddisgwyl clywed yr hen enw cyfarwydd. Ond cafodd ei siomi.

'Yn ystod yr wythnosau cyntaf, dim ond enw'r cwmni oedd yn cael ei ddefnyddio, ond unwaith daeth amser y gwerthiant, cefais e-bost gan Pete ar ran y cwmni, yn deud ei fod o isio dod draw i 'ngweld i, er mwyn dod â'r trefniant i ben cyn i'r gwin newid dwylo.'

'Yr un Pete a dwi wedi'i weld o gwmpas eich swyddfeydd chi?'

'Ia. Petre Radu ydi ei enw iawn o, a fo sy'n rhedeg adain Ewropeaidd y busnes.'

'Adain Ewropeaidd? Dwi ddim yn dallt.'

'Mae 'na nifer fawr o weithwyr o Ewrop sy'n gweithio ar safle adeiladu'r pwerdy, ac mae'r rheiny lawer iawn hapusach eu byd os ydyn nhw'n cael bwyta bwydydd cyfarwydd, sydd wedi'u coginio yn y ffordd draddodiadol.'

'A faint o bobl o Ewrop – o Rwmania a gwledydd eraill y cyfandir – ydach chi'n eu cyflogi?'

'Neb, fel ro'n i'n trio deud ddoe. Petre Radu sy'n eu cyflogi nhw ei hun. Nid fi. Dyna pam nad ydw i'n gwybod fawr am Gerry na neb arall sy'n perthyn i'w fusnes o.'

'Ers faint mae Petre Radu a Gerry yma yng Nghymru?'

'Bron i flwyddyn bellach.'

'A lle maen nhw'n byw?'

'Dim syniad.' Gwelodd Mathias lygaid Jeff yn culhau. 'Na, na, wir, rŵan,' mynnodd. 'Dwi'n gwybod ei fod o'n beth rhyfedd i mi ei ddeud, ond does gen i ddim syniad. Ydi, mae Gerry yn defnyddio fy hen fflat i uwchben y caffi o dro i dro, fel dwi'n dallt, ond dim yn aml. Ond ma' hi'n amlwg bod gan y ddau rywle arall i fynd hefyd.'

'A'r lleill maen nhw'n eu cyflogi?'

'Mewn carafannau yn rwla ... dyna glywis i. Does gen i ddim mwy o syniad na hynny. Pete neu Gerry fydd yn dod â nhw acw bob dydd ar gyfer eu shifftiau, ac yn mynd â nhw adra wedyn. Ond dim ond coginio a gweini maen nhw'n wneud. Maen nhw'n bobol ifanc sy'n gweithio'n galed i drio gwella'u hunain, chwara teg iddyn nhw.'

Gwyddai Jeff gryn dipyn am y bobl ifanc y bu i Valeriu Barbu eu darbwyllo i ddod i Brydain am fywyd gwell rai blynyddoedd ynghynt, a doedd honno ddim yn stori bleserus o gwbl i wrando arni. Edrychodd yn amheus ar Mathias.

'Rhaid i mi gyfaddef, Mr Mathias, fod y trefniant hwn, yn enwedig y ffaith nad ydach chi'n gwybod dim amdanyn nhw, yn swnio'n od.'

'Ella 'i fod o i chi, Sarjant Evans, ond dyn busnes ydw i, ac o safbwynt busnes, mae popeth wedi gweithio allan yn eithriadol o dda, a Pete yn gwneud gwaith arbennig. Dyna o'n i'n feddwl tan bore 'ma beth bynnag, pan welais i'r papur newydd.'

'Pwy ydi pennaeth y cwmni yn Rwmania, bòs Pete, hynny ydi?'

'Wn i ddim.'

'Reit. Meddyliwch yn galed cyn rhoi ateb i mi rŵan: ydach chi'n ymwybodol eu bod nhw'n cyflenwi cyffuriau yn lleol, neu oes ganddoch chi unrhyw amheuaeth bod hynny'n digwydd? Neu eu bod nhw'n rhedeg busnes puteinio yn yr ardal?'

Atebodd Mathias rhy gyflym i fod wedi meddwl yn galed am ei ateb.

‘Rargian, na. Ydych chi’n meddwl y byswn i wedi agor fy ngheg mor gyhoeddus am drafferthion y dre ’ma tasa gen i unrhyw syniad o gwbl? Os ydi hyn i gyd yn wir, sut fedra i ddangos fy wyneb yng Nglan Morfa byth eto? Mi fydd hi wedi gorffen arna i. Wn i ddim be i wneud.’

‘Be dwi isio i chi wneud, Mr Mathias, ydi cario ’mlaen fel arfer. Fel tasa ’na ddim byd o’i le o gwbl, a gadewch i mi wneud y gweddill. Gyda llaw, wyddoch chi fod ’na amheuaeth bod nifer fawr o boteli o’r gwin gafwyd yn Hendre Fawr yn cael eu gwerthu erbyn hyn? Mwy o lawer na’r hyn gafodd eu gwerthu i Angst Dede Române SRL gan Elen Thomas efo’ch cymorth chi.’

‘Ro’n i wedi clywed. Mi wnes i dipyn o ymholiadau fy hun ar ôl i Trefor Hudson ddod i ’ngweld i – roedd yn amlwg bod rwbath o’i le os oedd o’n dechrau holi.’

‘A be oedd canlyniad eich ymholiadau chi, Mr Mathias?’

‘Dim ond bod rhywun o gylchgrawn *The Wine Spectator* yn s’nwyro o gwmpas y lle. Y cwbwl o’n i’n obeithio oedd y bysa neb yn llusgo f’enw fi i unrhyw fath o dwyll. Wedi’r cwbwl, dim ond darganfod y prynwr oedd fy rhan i yn y peth. A dyna’r peth gwaetha wnes i erioed.’

Ailadroddodd Jeff ei orchymyn i Mathias i beidio â gadael i Petre Radu, Gheorghe Iorgovan nac unrhyw un arall wybod eu bod wedi siarad y bore hwnnw, ac i barhau i gydweithio efo nhw, am y tro. Gadawodd Mathias orsaf yr heddlu yn teimlo fel petai pwysau mawr wedi codi oddi ar ei ysgwyddau, ond ni theimlai Jeff yr un rhyddhad. Dim eto, ond teimlai ei fod ar y trywydd iawn o’r diwedd.

Yn ôl yn ei swyddfa, eisteddodd Jeff i lawr a dechrau ystyried yr wybodaeth ddiweddaraf. Yn sicr, gwerthiant y gwin ddaeth â'r Rwmaniaid i'r ardal. Ond pam? Neu, yn bwysicach efallai, beth fyddai eu cam nesaf? Roedd o wedi gwthio'r cwch i'r dŵr ac wedi cael canlyniad gwerth chweil, ond roedd ganddo deimlad bod mwy i ddod.

Dechreuodd feddwl am y sefyllfa fel gêm o wyddbwyll. Yr unig wahaniaeth oedd nad oedd o'n gwybod pa ddarnau oedd gan ei wrthwynebwr i'w defnyddio, na thro pwy oedd hi i symud.

Penderfynodd fod yn rhaid iddo fo gymryd y cam nesaf. Dyna, wedi'r cyfan, sut roedd o'n hoffi gweithio. Roedd yn rhaid iddo ddarganfod lle oedd Radu a Iorgovan – a phwy bynnag arall oedd yn chwarae'r gêm.

Daeth ar draws Lowri Davies fel yr oedd o'n gadael y cantîn. Cymerodd ddeng munud i drafod ei gyfarfod efo Mathias â hi.

'Ydach chi'n ei drystio fo i gadw'n ddistaw, Jeff?' gofynnodd Lowri.

'Ydw, tad. Efallai mai fo ydi dyn busnes mwya'r dre 'ma, ond ar hyn o bryd mae Mr Marc Mathias yn bwyta allan o'm llaw i.'

'Be ydi'ch bwriad chi, Jeff?'

'Dwi'n mynd allan i chwilio am hwren heno.'

'Cofiwch wisgo condom.'

Pennod 32

Condom, wir. Gobeithiai Jeff nad oedd Lowri wedi camddeall y sefyllfa.

Roedd yn eitha bodlon ei fod wedi ymchwilio cymaint ag y gallai i fenter gyffuriau'r gelyn o Rwmania, ond beth am y puteinio? Cynlluniwyd yr ymgyrch honno yn bwrpasol er mwyn heintio cymaint o ddynion yr ardal â phosib â chlefydau gwenerol. Roedd yn sefyll i reswm mai'r un gelyn oedd yn gyfrifol am hynny hefyd. Neu, o leiaf, doedd gan Jeff ddim rheswm da i ystyried nad oedd cysylltiad, gan mai achosi cymaint o niwed â phosib i drigolion yr ardal oedd bwriad y ddau gynllwyn.

Ond cyn iddo fynd allan i chwilio am butain y noson honno roedd yn rhaid i Jeff wario tipyn o arian ... dipyn mwy na chost 'pecyn o dri'. Gyrrodd i Tesco i brynu ffôn symudol newydd gyda cherdyn SIM talu wrth alw ynddo. Doedd dim rhaid iddo fod yn un drud iawn ond roedd yn rhaid iddo fod yn ffôn clyfar, un a allai gysylltu â'r rhyngrwyd. Rhoddodd werth deg punt ar hugain o gredyd ynddo. Gwell bod yn saff, meddyliodd.

Ystyriodd yr hyn ddywedodd Dr Prydderch wrtho am y gŵr a dwyllwyd i gael rhyw heb ddefnyddio condom. Ar y ffordd allan o'r archfarchnad aeth i mewn i doiled y dynion a diolchodd i'r nefoedd fod y lle yn wag. Rhoddodd ddarnau arian yng nghrombil y peiriant ar y wal a throi'r nobyn nes y disgynnodd pecyn condomau i'r twll bach. Gwell iddo gael y props i gyd wrth law ... rhag ofn. Chwarddodd wrth geisio cofio'r tro diwethaf iddo brynu'r fath bethau – a'r gwahaniaeth yn y pris ers hynny!

Brysiodd adref er mwyn gwefru'r ffôn newydd, ac ar ôl cysylltu'r ffôn â'r cyflenwad trydan aeth at ei gyfrifiadur i chwilota ar y we. Daeth ar draws manylion ap o'r enw SpyStealth Premium – yr union beth yr oedd o'i angen. Roedd wedi clywed am gyflogwyr yn rhoi ap tebyg ar ffonau eu gweithwyr er mwyn olrhain eu symudiadau yn ystod y dydd. Yn ôl disgrifiad yr ap, ni fyddai modd i bwy bynnag a oedd yn defnyddio'r ffôn ddarganfod bod yr ap arno. Synnodd Jeff pa mor hawdd oedd y cyfan.

Wedi iddo lawrlwytho'r ap ar ei ffôn personol a'r ffôn newydd, anelodd Jeff am y clwb cymdeithasol ar wersyll gweithwyr safle adeiladu'r pwerdy.

Gan mai canol y pnawn oedd hi, dim ond llond llaw o ddynion oedd yno – yn wahanol iawn i'r sefyllfa gyda'r nosau, tybiodd, wrth sylwi ar yr arwyddion o ymladd meddw o gwmpas y lle. Aeth yn syth i doiledau'r dynion a gwelodd yn union beth roedd o'n chwilio amdano. Ar y waliau a'r drysau roedd nifer o gardiau busnes yn hysbysebu puteiniaid, a rhifau ffôn symudol arnynt i gysylltu â'r merched. Gwnaeth nodyn o'r rhifau. Ar y ffordd allan o'r clwb gwelodd gardiau tebyg ar hysbysfwrdd yn y cyntedd, y mwyafrif yn dangos yr un rhifau a welodd yn y toiled, ynghyd ag un neu ddau ychwanegol. Gwnaeth nodyn o'r rheiny hefyd.

Eisteddodd yn ei gar a thynnodd ei ffôn symudol allan o'i boced. Agorodd yr ap SpyStealth Premium er mwyn gweld a oedd o'n gweithio, a gwelodd fod y ffôn newydd yn rhoi signal cryf o'i leoliad yng nghegin ei gartref.

Yna, aeth o gwmpas nifer o dafarnau'r dref, gan ganolbwyntio ar y rhai oedd yn boblogaidd ymysg gweithwyr y safle adeiladu. Dechreuodd yn y Rhwydwr, i lawr ar y cei. Yn y toiledau, roedd yr un cardiau ag a welodd yn y clwb cymdeithasol wedi'u sticio ar y drysau. Bingo.

Roedd ar fin gadael y Rhwydwr pan deimlodd law ar ei ysgwydd. Adnabyddodd Jeff arogl y persawr yn syth, a throdd i'w hwynebu. Edrychodd y ddau o'u cwmpas i sicrhau nad oedd neb yn eu gwylio.

'Nansi! Ti'n cymryd risg yn siarad efo fi mewn lle fel hyn.'

'Ma' hi'n ddigon distaw yma – neu coelia fi, 'swn i ddim yn dod ar dy gyfyl di.'

'Be sy, felly?' gofynnodd Jeff.

'Mae'r blydi fan 'na o gwmpas ein stad ni, Jeff ... amser i ti wneud rwbath ynglŷn â'r peth, ar f'enaid i.'

'Be ti'n feddwl? Pa fan?'

'Y blydi fan gampio 'na 'te? Y drol ddyrnu. Diawl, Jeff, mae 'na blant bach o gwmpas y lle 'cw, a tydi o ddim yn iawn fod pobl yn cael secs o flaen eu trwynau nhw. Ma' pawb yn gwbod be sy'n mynd ymlaen ynddi, 'sti, ac mae'r straeon yn cario i'r plantos.'

'Ti'n iawn, Nansi. Tydi o ddim yn dderbyniol o gwbl. Ond mi fydda i wedi gwneud rwbath ynglŷn â'r peth cyn bo hir, dwi'n addo.'

'Cynta'n y byd, gora'n y byd.' meddai Nansi, ei llygaid yn gwibio'n wyliadwrus o amgylch y dafarn.

'Glywist ti fod rhywun wedi rhoi stid i Rachel Higgs tu ôl i'r dafarn 'ma neithiwr, Nansi?' gofynnodd Jeff.

'Naddo,' atebodd Nansi, heb ddangos lawer o syndod. 'Ond be ti'n ddisgwyl o gofio pwy ma' hi'n hongian o gwmpas efo nhw, Jeff? Tydi hi ddim ffit, wir i ti.'

'Jyst bydda'n ofalus, Nansi, wnei di? Bydda di'n ofalus, dyna'r cwbwl.'

'Paid â phoeni amdana i, Jeff Evans. Mi fedra i edrych ar ôl fy hun yn tshampion.'

Edrychodd Nansi o'i chwmpas yn gyflym unwaith eto cyn plannu cusan sydyn ar foch Jeff, ac yna diflannodd yn ôl i gyfeiriad y bar cyn gynted ag yr ymddangosodd. Rhwbiodd Jeff ei law ar hyd ei foch cyn ceisio sychu'r lipstig coch oddi ar ei fysedd. Ysgydwodd ei ben a gwenu iddo'i hun. 'Nansi bach, dwyt tithau ddim ffit chwaith.'

Ar ôl gadael y dafarn, prynodd Jeff bapur newydd lleol. Yr un rhifau oedd yng nghefn hwnnw hefyd, yng nghanol yr hysbysebion am nwyddau ail law. Roedd y dref yn sicr wedi newid, ystyriodd. Ond eto, roedd yn siŵr iddo darllen mai puteinio oedd yr alwedigaeth hynaf yn y byd. Efallai mai dim ond y ffordd o hysbysebu'r gwasanaeth oedd wedi newid.

Trodd am adref, a thros baned o goffi edrychodd drwy'r rhifau ffôn roedd o wedi'u casglu. Anwybyddodd y rhai hynny oedd yn rhoi enw'r ferch a'r rheiny oedd yn addo siaradwr Cymraeg – nid am Gymraes roedd o'n chwilio. Roedd dau rif yn arbennig yn ymddangos ar fwy o'r hysbysebion na'r gweddill – rhain fyddai'r cyntaf ar ei restr, felly.

Erbyn naw o'r gloch roedd batri'r ffôn newydd yn llawn, a diffoddodd Jeff y teclyn. Doedd dim diben mewn gwastraffu'r egni ynddo. Aeth i'w lofft i newid i jîns glas a chrys T cyn cychwyn am y dref gyda'r ddau ffôn symudol. Rhoddodd yr un newydd ym mlwch menig ei gar.

Defnyddiodd ei ffôn ei hun i ddeialu'r rhif ffôn cyntaf.

‘Helô,’ meddai llais merch. ‘Be fedra i wneud i chi heno?’

‘Rhyw,’ atebodd Jeff yn bendant. ‘A dwi isio amser da.’

‘Wel, dach chi wedi dod i’r lle iawn felly,’ daeth yr ateb. ‘Chewch chi ddim amser gwell yn nunlla.’

‘Lle yn union ydi’r ‘lle iawn’ ’ma dach chi’n sôn amdano fo?’ gofynnodd Jeff.

‘Eich tŷ chi, fy nhŷ fi, stafell mewn gwesty ... rwla liciwch chi,’ meddai’r llais yn awgrymog.

‘Na, dim diolch.’ Gorffennodd yr alwad heb air arall. Nid hon oedd merch y drol ddyrnu. Deialodd y rhif nesaf.

‘Noswaith dda, Tamaid Teithiol.’ Llais dynes eto, ond llais isel gydag acen Ewropeaidd rywiol y tro hwn.

Cododd calon Jeff. Roedd enw’r busnes yn swnio’n addawol. ‘Dwi angen dynes,’ meddai. ‘Ond dydw i ddim eisiau cael fy ngweld gan neb. Fedrwch chi wneud rwbath i mi?’ gofynnodd yn awyddus.

‘Dyna, cariad, ydi mantais fy ngwasanaeth i.’

‘A be yn union ydi hynny?’

‘Y rhyw gorau a gewch chi erioed, yn rwla liciwch chi. Mae gen i gerbyd sydd mor gyfforddus fel na does ’na ddim rhaid mynd i unman arall.’

‘Yng Nglan Morfa ydw i.’

‘A finna hefyd,’ meddai’r ferch.

‘Ylwch, mae hyn braidd yn ...’

‘Tro cynta, ia?’ gofynnodd y ferch.

‘Wel, ia. Faint ydach chi’n godi, a be ydw i’n gael am fy mhres?’

‘Wyth deg pum punt am hanner awr. Pum punt ar hugain yn ecstra am wasanaeth mwy arbenigol ... os mai dyna ydach chi isio.’

'Dwi lawr wrth yr harbwr. Pryd fedrwch chi ddod?'
'Chwarter wedi deg.'

Pennod 33

Safai Jeff ar y cei ger pentwr o raffau a chewyll cimychiaid am chwarter wedi deg, ar ôl gadael ei gar o'r golwg rownd y gornel. Gwelodd gampyr-fan fawr gyda'r enw Chausson wedi'i ysgrifennu ar y to uwchben sedd y gyrrwr, yn teithio'n araf i'w gyfarfod. Doedd dim amheuaeth – hon oedd y drol ddyrnu, fel yr oedd Nansi wedi'i galw. Dechreuodd deimlo'n reit nerfus – wedi'r cyfan, roedd tro cyntaf i bopeth, doedd? Yng ngwyll y min nos, a chyda goleuadau'r strydoedd yn y pellter, cerddodd i'w chyfeiriad. Sylwodd ar unwaith mai dyn oedd yn ei gyrru ond, yn anffodus, ni chafodd olwg da arno. Y peth diwethaf roedd o eisiau ei wneud oedd gwneud sioe o graffu'n rhy fanwl i gaban y fan. Y bownsar oedd hwn, mae'n rhaid. Daeth y fan gampio i stop, a dyna pryd y gwelodd Jeff fod y ffenestri cefn i gyd wedi'u gorchuddio â llenni tywyll.

Pan agorwyd y drws ochr, gwelodd amlinell merch siapus iawn yn erbyn golau cynnes tu mewn y fan.

'Chi ffoniodd?' gofynnodd y ferch.

'Ia,' atebodd, ei geg yn sych grimp.

'Well i chi ddod i mewn felly.' Camodd y ferch yn ei hôl i wneud lle iddo.

Curodd ei galon wrth gamu i fyny'r stepen. Buan y daeth ei lygaid i arfer â'r golau, ac o'i flaen gwelodd ferch bryd tywyll eithriadol o brydferth yn ei dauddegau hwyr. Roedd ei llygaid yn dywyll, ei gwefusau yn llawn a'i cholur wedi'i roi yn gelfydd i bwysleisio'i harddwch. Dim ond dillad isaf ansylweddol iawn roedd hi'n wisgo, rhai coch tywyll, i dynnu sylw at ei gwasg fain a'i bronnau llawn.

Gorfododd Jeff ei hun i dynnu ei lygaid oddi arni er mwyn edrych o'i gwmpas yn gyflym. Roedd hon yn glamp o gampyr-fan foethus, sylwodd, a gallai arogli rhyw fath o bersawr yn yr aer – i hudo dynion, efallai, neu i guddio rhyw arogl arall?

Roedd ei stumog yn dechrau troi, ond roedd hi'n rhy hwyr i newid ei feddwl. O'i flaen gwelodd sinc a chegin fechan, ond doedd dim arwydd fod y stof nwy fechan erioed wedi cael ei defnyddio. Yn y cefn roedd y gwely, wedi'i wneud yn dwt a chynfas o ddeunydd tebyg i sidan gwyn arno. Daeth delwedd anghynnes i'w feddwl wrth gofio'r hyn a ddywedodd Dr Prydderch wrtho pan welodd rubanau sidan du ym mhen a throed y gwely. Doedd neb yn mynd i'w rwymo fo heno, roedd hynny'n sicr. Tybed a oedd y gwely'n dal yn gynnes ar ôl y cwsmer diwethaf, myfyriodd? Pa mor aml oedd y cynfasau'n cael eu newid? Rhoddodd ei stumog dro arall. Roedd drws yn arwain i ystafell molchi, dyfalodd Jeff, a phartisiwn rhwng y cefn a chaban y gyrrwr. Edrychai'r partisiwn hwnnw fel petai wedi'i roi yno yn arbennig er mwyn i'r cwsmeriaid gael tamed o breifatrwydd. Edrychodd yn ôl i gyfeiriad y ferch hanner noeth, a bu bron iddo ofyn beth oedd merch mor hyfryd yr olwg â hi yn ei wneud yn y fath le, yn gwneud y fath waith.

'Busnes gynta,' meddai'r ferch, gan ddal ei llaw dde allan o'i flaen. 'Rhyw arferol, neu rwbath arbennig?'

'Arferol ... ac mi gawn ni weld be ddigwyddith wedyn, ia? Hanner awr sgin i medda' chi, yntê?' Rhoddodd wyth deg pump punt mewn arian parod yn ei llaw, ynghyd â'r pecyn o gondomau a brynodd yn gynharach hefyd, er mwyn gwneud sioe o fod o ddifrif ynglŷn â'r trefniant.

Rhoddodd y ferch yr arian mewn drôr a dechreuodd agor y pecyn a roddodd Jeff iddi. Datglymodd ei bronglwm a gwelodd Jeff y bronnau trymion yn disgyn wrth iddynt gael eu rhyddhau o'u caethiwed. Cyn iddo sylweddoli beth oedd yn digwydd, rhoddodd y ferch ei llaw rhwng ei goesau.

'Tydach chi ddim i weld fel tasach chi'n barod eto,' meddai, gan wasgu ei afl yn dynnach ond eto'n dyner. 'Oes rhywbeth o'i le?' gofynnodd.

'Dwi'n newydd i'r math yma o beth ... ma' raid i mi fynd i'r lle chwech ...'

Cyn i'r eneth allu ei rwystro, symudodd Jeff yn gyflym heibio iddi ac agorodd y drws y tybiodd oedd yn arwain i stafell molchi.

Sgrechiodd y ferch tu ôl iddo yn uchel wrth geisio ei rwystro. 'Chewch chi ddim mynd i mewn i fanna. Dim i'r cwsmeriaid mae hwnna. Vasile! Vasile!' sgrechiodd eto.

Ond roedd hi rhy hwyr. Roedd Jeff wedi agor y drws. Yn eistedd ar y toiled yn noeth gwelodd Jeff ferch arall. Nid merch brydferth a rhywiol fel y gyntaf oedd hon. Roedd hi'n denau fel 'styllen, ei hesgyrn yn amlwg o dan ei chnawd llwydaidd a'i llygaid fel petaen nhw wedi suddo'n ddwfn i mewn i'w phenglog. Dros ei dwy fraich roedd marciau lle'r oedd myrdd o nodwyddau wedi cael eu gwthio i'w chnawd dros gyfnod maith. Hon, mae'n rhaid, oedd yn heintio dynion y dref. Edrychodd y ferch druenus arno heb ddangos unrhyw ymateb.

Rhewodd Jeff nes iddo deimlo llaw gref yn gafael yn ei war a'i dynnu yn ei ôl, a llaw arall yn gafael yn nhin ei drowsus.

'Hei, hei,' llediodd Jeff. 'Dim ond isio piso o'n i!'

'Ydi o wedi talu?' gofynnodd y gŵr mawr mewn acen Ewropeaidd drom.

'Do,' atebodd yr eneth gyntaf.

Llusgwyd Jeff at y drws yn bendramwnwgl.

'Hei, dwi 'di talu. Dwi isio secs, neu 'mhres yn ôl,' mynnodd, gan weiddi hynny a fedrai.

Heb fawr o ymdrech, lluchiodd y dyn mawr Jeff allan trwy'r drws a glaniodd yn glewt ar y ddaear galed. Pan ddaeth ato'i hun, cododd ar ei draed a rhedeg nerth ei draed oddi yno. Cyn belled ag y gwyddai'r llabwst mawr, rhedeg i ffwrdd oedd o – ac roedd hynny'n siwtio Jeff i'r dim. Erbyn i'r campyr-fan yrru ymaith, roedd Jeff wedi cyrraedd ei gar, ac wrth iddi gyrraedd y fynedfa i'r harbwr roedd Jeff yn ei dilyn o bell, heb roi'r goleuadau ar ei gar ymlaen.

'Llwyddiant,' meddai Jeff wrtho'i hun. Wel, rhan gyntaf y cynllun, o leiaf.

Wrth ymuno â thraffig y dref, rhoddodd Jeff oleuadau ei gar ymlaen a dilynodd y campyr-fan o bell. Parciwyd hi ar lecyn o dir ychydig y tu allan i ganol y dref, a disgwyliodd Jeff hanner canllath i ffwrdd, gan gadw llygad barcud arni. Ni welodd neb yn mynd i mewn nac allan ohoni. Ymhen tipyn llai nag ugain munud, ailgychwynnodd y fan, a gwnaeth Jeff yr un peth. Dilynodd hi allan o'r dref y tro hwn, a chyn bo hir gwelodd hi'n stopio y tu allan i fynedfa clwb cymdeithasol gweithwyr y pwerdy. Daeth gŵr canol oed allan o ddrws y clwb a neidio'n syth i mewn i'r fan trwy'r drws canol. Gyrrwyd y fan i ganol y cerbydau eraill yn y maes parcio anferth tu ôl i'r adeilad. Cwsmer arall, a safle arall i'r 'Tamaid Teithiol'.

Parciodd Jeff ymysg y ceir eraill. Tynnodd ei ffôn symudol newydd allan o flwch menig y car, ynghyd â'r tâp trwchus yr oedd wedi'i brynu yn bwrpasol ar gyfer cyflawni rhan nesaf ei gynllun. Rhedodd rhwng y rhesi o geir cyn dod at y fan fawr yn eu canol. Yn gyflym, aeth o gwmpas ei waith. Gwelodd fod tow-bar ar gefn y fan, a rowliodd o dan y cerbyd yn agos i'r fan honno. Gwelodd le cyfleus. Tynnodd y ffôn newydd o'i boced a'i roi ymlaen. Yna, defnyddiodd y tâp gludiog cryf i'w lapio'n ofalus o amgylch y rhan o'r tow-bar oedd yn ei gysylltu â'r fan, fel na fyddai'n cael ei weld gan unrhyw un heblaw eu bod yn chwilio'n benodol amdano. Doedd y rhwymo a'r gosod ddim yn waith hawdd, nid yn unig oherwydd ei fod mewn lle mor gyfyng, ond hefyd gan fod perfformiad rhywiol y gŵr uwch ei ben yn achosi i'r fan siglo i fyny ac i lawr, bron fel petai daeargryn yn taro'r ardal.

Ond roedd sefyllfa Jeff ar fin gwaethygu. Tra oedd o'n dal i fod o dan y fan, clywodd ddrws y gyrrwr yn cael ei agor. Camodd y cawr o ddyn allan a cherdded tuag at gefn y cerbyd. Rhewodd Jeff ac aeth ias oer i lawr asgwrn ei gefn. Llathen neu ddwy yn unig oddi wrtho, stopiodd pâr anferth o esgidiau anarferol: bŵts wedi'u gwneud allan o groen crocodeil neu rywbeth tebyg. Ni allai Jeff wneud dim ond aros mor llonydd â phosib. Yna daeth y gwlybaniaeth pan ddechreuodd y gŵr basio dŵr – a hynny'n ddigon agos i Jeff allu teimlo'r diferion yn tasgu arno. Caeodd ei lygaid. Roedd y drol ddyrnu yn dal i siglo ac ebychiadau pleserus y dyn uwch ei ben yn cynyddu bob eiliad, a'r diferion yn dal i'w wlychu. Pwy ddiawl fuasai'n dewis bod yn dditectif? Yr eiliad honno, byddai'n well ganddo fod mewn iwnifform yn cyfarwyddo traffig. O'r diwedd daeth y gawod ddrewllyd i ben a dychwelodd y bŵts croen crocodeil i flaen y cerbyd.

Newydd sicrhau fod y ffôn yn ddiogel yn ei le roedd Jeff pan daniwyd injan y fan. Roedd chwarter awr yn weddill gan y cwsmer, yn ôl watsh Jeff. Gan ddefnyddio'i holl egni, rowliodd ymaith cyn gyflymed ag y gallai. Wrth i'r fan yrru ymaith, teimlodd Jeff eiliad o ryddhad cyn i'r amheuon ei daro. Oedd o wedi rhoi'r ffôn ymlaen? Oedd o wedi cysylltu'r ffôn yn ddigon da? Fyddai'r cynllun yn gweithio? Oedd yr holl ymdrech annifyr wedi bod yn wastraff amser? Amser a ddengys, meddyliodd.

Roedd cwestiwn arall yn ei boeni hefyd: pwy oedd y dyn mawr yn y sgidiau croen crocodeil? Vasile, neu rywbeth tebyg i hynny, roedd y ferch yn y fan wedi'i alw. Chafodd Jeff ddim golwg dda arno, ond a oedd 'na bosibilrwydd bod hwnnw wedi ei adnabod o? Nag oedd, mae'n debyg, neu byddai Jeff wedi cael triniaeth tipyn mwy hegar.

Aeth Jeff yn ôl i'w gar ac aeth yn syth adref i newid a chael cawod. Lluchiodd ei ddillad budr, drewllyd i'r peiriant golchi a'i roi ymlaen. Wedi ailwisgo, cododd ei ffôn ac agor yr ap SpyStealth. Gwelodd ei fod yn gweithio'n gampus, a bod y ffôn – a'r campyr-fan hefyd, gobeithio – yn dal i fod yng Nglan Morfa. Gyrrodd yn ôl i lawr i'r dref, a darganfod fod y fan yn yr union le a nodwyd ar yr ap. 'Reit dda,' meddai'n falch.

Roedd hi bron yn dri o'r gloch y bore cyn i'r puteiniaid a'u bownsar orffen eu gwaith anghynnes am y noson. Dangosodd yr ap fod y fan yn gadael y dref ac yn cael ei gyrru i gyfeiriad mynyddoedd Eryri. Dilynodd Jeff hi o bellter, gan nad oedd yn rhaid iddo gadw'n agos ati bellach. Daeth y cerbyd i ben ei thaith awr yn ddiweddarach ger ffermdy anghysbell nid nepell o Ryd-ddu. Parciodd Jeff ar ochr lôn wledig er mwyn gweld a oedd unrhyw oleuadau i'w gweld o gwmpas y ffermdy. Doedd dim, dim hyd yn oed goleuadau'r campyr-fan. Erbyn hyn roedd hi'n dechrau gwawrio, ac roedd Jeff wedi cael hen ddigon am un diwrnod.

Wrth yrru adref yn flinedig ceisiodd ddychmygu goblygiadau'r datblygiadau newydd. Roedd o wedi cael cadarnhad sut roedd y busnes puteinio, neu ran ohono, beth bynnag, yn cael ei redeg, ac o ble. Tybed ai hwn oedd pencadlys yr holl fenter? Tybed ai yn y ffermdy hwn roedd Gheorghe Iorgovan a Petre Radu yn aros ... ac a oedd yna bosibilrwydd bod Valeriu Barbu yno hefyd? Os felly, efallai fod y cyffuriau yno yn ogystal.

Pennod 34

Roedd un peth yn sicr erbyn hyn – doedd gan Jeff mo'r gallu na'r adnoddau i fynd â'i ymchwiliad answyddogol yn llawer pellach ar ei ben ei hun, waeth faint roedd o eisiau gwneud hynny. Bellach, roedd mwy neu lai wedi cadarnhau fod y bygythiad iddo fo'n bersonol yn gysylltiedig â holl drafferthion y dref a llofruddiaeth Trefor Hudson – ac roedd ganddo syniad reit dda lle'r oedd pencadlys yr ymgyrch anghynnes. Gwyddai mai'r cam nesaf naturiol oedd sgwrs iawn efo'r Ditectif Brif Arolygydd Lowri Davies, er mwyn rhoi pob tamaid o wybodaeth iddi. A dweud y gwir, roedd Jeff yn teimlo'r angen erbyn hyn i drafod yr ymchwiliad yn ei gyfanrwydd yn agored, er mwyn cael argraffiadau rhywun arall o'r sefyllfa. Roedd hi ymhell wedi deg y bore cyn iddo gyrraedd gorsaf yr heddlu a chael gafael arni.

'Golwg flinedig arnoch chi'r bore 'ma, Jeff,' meddai Lowri Davies heb godi o'i chadair. Fel arfer, roedd ei thraed i fyny ar y ddesg o'i blaen, ac edrychai fel petai wedi ymlacio yn ei swydd erbyn hyn, er gwaetha'r pwysau oedd arni hithau yn rheoli ymchwiliad mor fawr. Roedd Jeff yn un o'r ychydig bobl a wyddai ei bod yn aelod o grŵp pync yn ei hamser hamdden, a bod canu ar lwyfannau yn help iddi anghofio am faich ei swydd.

'Blinedig? Peidiwch â sôn,' atebodd Jeff. 'Ro'n i allan tan bedwar y bore 'ma, a methu cysgu hyd yn oed wedyn.'

'Wel, dyna be dach chi'n gael am fynd allan i chwilio am buteiniaid, debyg.' Gwenodd Lowri arno, a gallai Jeff ddweud ei bod bron â thorri'i bol eisiau gwybod mwy am ddigwyddiadau'r noson cynt.

Nid oedd Jeff mewn hwyliau i gellwair efo hi ar ôl ei noson ddi-gwsg. Dywedodd yr holl hanes wrthi, ac er iddi drio'i gorau i gadw wyneb syth, ni allai Lowri beidio â gwenu pan ddaeth Jeff i egluro'r amser a dreuliodd o dan y fan.

'Mae gen i fwy o wybodaeth i chi erbyn hyn hefyd,' meddai Lowri. 'Y gwn a ddefnyddiwyd i ladd Trefor Hudson – fel y gwyddoch chi, gwn 9mm oedd o, gwn awtomatig, ac mae cas y fwled a ddefnyddiwyd ganddon ni. Doedd dim olion bysedd ar y cas, roedd o wedi ei lanhau, yn amlwg, cyn ei roi yn y gwn, sy'n arwydd arall ein bod ni'n delio efo llofrudd proffesiynol. Doedd y marciau baril ar y fwled ddim yn cyd-fynd ag unrhyw drosedd arall ym Mhrydain, ond gwnaethpwyd ymholiadau trwy wledydd Ewrop, yn dechrau efo Rwmania ar eich cais chi. Mi ges i ateb y bore 'ma.'

Roedd Jeff ar binnau.

'Cafodd yr un gwn ei ddefnyddio yn Bucharest ddwy flynedd yn ôl, i lofruddio dau ddyn yng nghanol y ddinas. Yn ystod y blynyddoedd diwethaf mae puteinio, cyffuriau, bariau amheus a chlybiau gamblo wedi cynyddu yn fawr iawn yn y ddinas honno. O ganlyniad i hynny, mae penaethiaid is-fyd y ddinas yn gwneud eu gorau i reoli'r busnesau hynny, ac mae petha'n flêr iawn yno o dro i dro. Dyna'r cyd-destun i'r llofruddiaethau.'

'Oes 'na unrhyw amheuaeth pwy oedd yn gyfrifol? Ydi'r enw Valeriu Barbu wedi codi?' gofynnodd Jeff yn awyddus.

Gwenodd Lowri. 'Aelodau o griw gelyn i Barbu gafodd

eu saethu. A choeliwch chi byth mai un fwled yn y pen gafodd y rheiny hefyd, y ddau o fewn mis i'w gilydd. Mae ganddoch chi gysylltiad personol efo Barbu fel dwi'n dallt, Jeff?'

'O fath. Dwi erioed wedi'i gyfarfod o, ond mae'n deg dweud mai fi, yn bersonol, oedd yn gyfrifol am ddinistrio ei ymerodraeth anghyfreithlon o ym Mhrydain rai blynyddoedd yn ôl. Roedd y fenter dreisiol honno – masnachu pobl a chaethwasiaeth ymysg pethau eraill – yn werth miliynau o bunnau iddo hyd yn oed yr adeg honno. Ar ben hynny, lladdwyd dau o'i ddynion, un ohonyn nhw'n gyfaill pennaf iddo, a charcharwyd sawl un arall. Mae rhai yn y carchar hyd heddiw.'

'Dwi'n siŵr nad oedd o'n hapus o gwbl, felly.'

'Nag oedd wir, a dwi naw deg naw y cant yn sicr mai fo sy'n gyfrifol am hyn i gyd rŵan, i ddial arna i.'

'Pam rŵan?' gofynnodd Lowri.

'Yr unig reswm y medra i feddwl amdano ydi mai rŵan mae'r cyfle wedi codi. Yn hollol annisgwyl, daeth ar draws y gwin gwerthfawr a werthwyd gan Elen Thomas a phenderfynu manteisio ar hynny i wthio'i hun i'r ardal – a gwneud llawer iawn o arian drwy ailwerthu'r gwin drud. Ond gwin llawer iawn rhatach sydd yn y poteli mae o'n eu gwerthu erbyn hyn, ac mae'r twyll hwnnw'n dal i barhau hyd heddiw. Mae'n rhaid bod Valeriu Barbu wedi sylweddoli fod y gwin yn cael ei werthu o 'nghymuned i, a bachu ar y cyfle i gysylltu ei hun â Marc Mathias. Mae'n rhaid ei fod o wedi bod yn corddi ers blynyddoedd – ar wahân i bob dim arall, mi wnes i ddryllio'i hunan-barch a'r parch tuag ato yn y gymuned droseddol, sy'n bwysicach na dim byd arall iddo.'

'A pham lladd Trefor Hudson?'

'Dim ond dyfalu ydw i, ond mi wyddon ni fod Trefor Hudson yn dditectif preifat gwerth chweil. Gofynnwyd iddo ymchwilio i dwyll y gwin gan un o golofnwyr y cylchgrawn *The Wine Spectator*. Ar yr un pryd, yn gyd-ddigwyddiad hollol, anafwyd ŵyr Trefor Hudson, sef Brian Owen. Synnwn i ddim ei fod o wedi gwneud cysylltiad ryw ffordd neu'i gilydd, ac wedi gwneud gormod o holi yn y llefydd anghywir. Mi wn i erbyn hyn fod Trefor Hudson wedi cyfweld â Marc Mathias ynglŷn â'r gwin. Mae'n sefyll i reswm bod ysgrifenyddes Mathias, sydd hefyd yn gweithio yn nerbynfa ei bencadlys, yn gwybod pam roedd o'n galw yno. Ac mae hi, yn fy marn i, yn ddigon agos i Gheorghe Iorgovan i fod wedi gadael y gath allan o'r cwd.'

'Un peth arall sy'n berthnasol i lofruddiaeth Mr Hudson y dylech chi wybod amdano, Jeff, ydi bod ganddon ni dyst arall, un newydd, a welodd y gŵr amheus yn agos i safle'r llofruddiaeth y bore wedyn.'

'Hwnnw oedd yn disgwyl am y postman, dach chi'n feddwl?'

'Ia. Mae 'na ddisgrifiad gwell o lawer ohono erbyn hyn. Dyn mawr a chryf yr olwg, yn ei ganol oed. Gwallt cyrliog du yn dechrau gwynnu, reit gwta, yn gwisgo jîns glas a phâr o fŵts brown tywyll wedi'u gwneud allan o ledr anarferol.'

Eisteddodd Jeff yn ôl yn ei gadair ac ochneidiodd yn uchel. 'Esgidiau wedi'u gwneud allan o groen crocodeil 'swn i'n synnu dim. Y diawl hwnnw bisodd arna i neithiwr.'

'I fynd yn ôl at wraidd popeth, Jeff,' parhaodd Lowri. 'Os mai'r dyn yma laddodd Trefor Hudson, ac os mai Valeriu Barbu sydd y tu ôl i hyn i gyd, pam mynd i'r holl drafferth o'ch rhybuddio chi ei fod o ar ei ffordd? Eich paratoi chi am yr holl sefyllfa pan oeddech chi ar eich gwyliau yng ngwlad Groeg?'

'Yr unig reswm y medra i feddwl amdano ydi ei fod o isio cael dipyn o hwyl efo fi gynta. Saith mlynedd yn ôl mi wnaeth y cyfaill iddo a laddwyd, dyn o'r enw Gwyndaf Parry, union yr un peth i ewythr Meira, dyn o'r enw Walter Price. Dydi manylion yr achos hwnnw ddim yn berthnasol, ond treuliodd Parry a Valeriu Barbu flynyddoedd mewn carchar yn Transylfania efo'i gilydd. Synnwn i ddim mai gan Barbu y dysgodd Gwyndaf Parry ei holl driciau creulon yn y lle cyntaf. Mae o isio fy nal i fel pyped ar damaid o gortyn nes y bydd o'n barod i ddelio efo fi.'

'Ond pam niweidio pobol eraill yn y dref 'ma? Mae hynny'n afresymol.'

'Am ei fod o, rywsut neu'i gilydd, am geisio rhoi y bai arna i am hynny i gyd. Mae o wedi trio gwneud hynny yn barod drwy yrru llythyrau i'r wasg, ond Duw a ŵyr be wnaiff o pan fydd o'n penderfynu ei bod hi'n amser dod â hyn i gyd i ben.'

'Rargian, Jeff. Ydi'ch teulu chi'n saff?'

'Ydyn, peidiwch â phoeni. Dydyn nhw ddim yn agos i Lan Morfa.'

'A chitha?'

'Mi edrycha i ar ôl fy hun.'

'Ydach chi angen cario gwn?' gofynnodd Lowri.

'Dwi ddim wedi cael fy hyfforddi gan yr heddlu i ddefnyddio un. Ma' hi'n rhy hwyr i feddwl am beth felly rŵan, beth bynnag. Rob Taylor ydi'r unig un 'swn i'n ei drystio i edrych ar fy ôl i yn y ffodd honno, ond mae ganddo fo ei waith ei hun i'w wneud, felly mi anghofiwn ni am hynny.'

'Wel, rŵan ta,' parhaodd Lowri, 'ers neithiwr, felly, mae

ganddon ni syniad reit dda lle mae'r bobl 'ma yn aros. Be wyddoch chi am y fferm 'ma ger Rhyd-ddu?'

'Dim llawer, ond mi ges i air efo mêt i mi sy'n bostman, Andy Hughes, ar y ffordd i mewn gynna, ac mi addawodd o holi o gwmpas postmyn y patsh hwnnw i mi, heb ddatgelu'r rheswm. Dwi newydd gael neges testun yn ôl ganddo fo rŵan.' Tynnodd Jeff ei ffôn allan a chwiliodd am y neges cyn parhau. 'Yn ôl pob golwg, mi fu'r fferm, Llidiart y Gog ydi'i henw hi, yn wag am sbel hir, ond mae'r perchennog wedi bod yn ei rhentu hi allan i ryw dramorwyr ers bron i flwyddyn.'

'Wel, dyna'ch ateb chi. Pryd ddylen ni symud?'

'Ddim yn rhy fuan,' atebodd Jeff. 'Mi fyswn i'n lecio gwneud yn siŵr fod pawb yn y caets gynta, cyn i mi ei ysgwyd o. Dwi wedi tynnu'n groes i gynlluniau Valeriu Barbu unwaith yn barod, ac edrychwch ar y smonach rydw i ynddo fo o achos hynny. Os na fydd Barbu ei hun yn y rhwyd y tro yma, mi fydda i mewn safle digon tebyg unwaith eto, yn edrych dros fy ysgwydd yn barhaol yn disgwyl iddo ymosod. Na, gadewch i mi fynd i chwilota yn Rhyd-ddu gynta, er mwyn i mi fod yn hollol saff o 'mhethau ... os gwelwch chi'n dda,' ychwanegodd.

Doedd Lowri Davies ddim yn hollol hapus i ganiatáu hynny iddo, ond roedd hi'n deall ei safbwynt a'i resymu. 'Faint o amser ydach chi isio, Jeff? Cofiwch fod iechyd pobol yr ardal yn y fantol, ac mae'n rhaid i ni roi diwedd ar hyn gynted ag y gallwn ni.'

'Ddim yn hir,' atebodd. 'Ddim yn hir o gwbwl.'

Wnaeth Jeff ddim ystyried ar y pryd bod dwy ochr i bob ceiniog.

Pennod 35

Eisteddai ochr arall y geiniog, Valeriu Barbu, ar hen fainc bren y tu allan i ffermdy Llidiart y Gog yn Rhyd-ddu yn gynnar y noson honno, yn ysmygu ac yn yfed coffi wrth fyfyrio dros y digwyddiadau a'i gyrrodd i'r fath le. Roedd yn tynnu am ei hanner cant erbyn hyn ac wedi treulio'i fywyd yn edrych ar ôl ei fuddiannau ei hun, waeth beth fyddai canlyniad hynny i bobl eraill. Yr is-fyd troseddol oedd ei gynefin ers pan oedd yn fachgen amddifad wyth oed ar strydoedd Bucharest – doedd dim dewis arall os oedd o am oroesi. Niweidio eraill cyn iddyn nhw gael cyfle i'w frifo fo. Dyna oedd y wers gyntaf, a'r bwysicaf, a ddysgodd. Drwy ddilyn y canllaw hwnnw, datblygodd i fod yn ddyn ifanc milain a dideimlad, a'r dyn mwyaf brawychus yn is-fyd Bucharest, un o ddinasoedd mwyaf treisgar Ewrop. Dysgodd sut i reoli ei dymer a daeth i ddeall ei bod yn well, weithiau, cymryd ei amser i ddial am gamweddau yn ei erbyn. Bellach, roedd yn ddyn llwyddiannus, hyderus a chyfoethog, a hyd yn oed wedi dechrau ymwneud â gwleidyddiaeth y ddinas gan nad oedd neb yn y byd hwnnw chwaith yn fodlon codi yn ei erbyn.

Pan oedd yn bymtheg oed, dechreuodd ddarparu gwasanaeth diogelwch i nifer o fusnesau yn ei batsh o o'r ddinas am elw cymharol isel. Busnesau bychain a siopau oedd y rhan fwyaf ohonynt, a'r perchnogion yn falch o dalu am ei gymorth i'w hamddiffyn yn erbyn gangiau eraill o'r is-fyd a fyddai'n mynnu mwy o arian am yr un gwasanaeth. Un diwrnod, daeth criw o ardal arall yn y ddinas i darfu ar ei fusnes, gan geisio brawychu'r siopwyr i dalu mwy o arian iddyn nhw am yr un gwasanaeth ag yr oedd Valeriu yn ei ddarparu. Tri brawd caled, llawer hŷn a llawer mwy profiadol na Valeriu, oedd yn rhedeg y fenter honno – dynion a oedd eisoes yn gweithio mewn nifer o ardaloedd mwy llewyrchus o'r ddinas. Yn ystod yr wythnos ganlynol, diflannodd y tri brawd fesul un. Un bore, ymddangosodd eu cyrff ar stepen drws eu mam. Roedd eu gyddfau wedi'u torri â chyllell finiog, a'u ceilliau wedi eu stwffio i'w cegau. O hynny allan, Valeriu Barbu oedd yn berchen ar fenter gwasanaethau diogelwch y tri brawd. Disgynnodd pris y gwasanaeth i berchnogion y busnesau ar ei batsh newydd ar unwaith, ond eto, cynyddodd incwm Valeriu yn sylweddol. Dangoswyd mwy o barch iddo ledled y ddinas wrth i aelodau is-fyd Bucharest ddysgu gwers na fuasen nhw fyth yn ei hanghofio.

Yn ystod y blynyddoedd canlynol, ehangodd ymerodraeth dreisgar Valeriu. Pan oedd yn bedair ar bymtheg oed, cwympodd llywodraeth Nicolae Ceauşescu, gan agor y drysau i bob math o ddatblygiadau masnachol newydd, yn gyfreithlon ac anghyfreithlon. Blaenoriaethodd Valeriu y fasnach mewn cyffuriau, arfau a phobol. Cyn hir roedd ei rwydwaith yn ymestyn dros Ewrop a'r tu hwnt, a chyflogwyd dwsinau ganddo mewn gwahanol ddinasoedd mewn amrywiol wledydd ar draws y cyfandir.

Un camgymeriad wnaeth Valeriu Barbu erioed, a hynny oedd ymosod ar un o'i wrthwynebwyr yn yr is-fyd o flaen gormod o dystion. Bu ymdrech aflwyddiannus i dawelu rhai ohonynt, ond gyrrwyd ef i'r carchar am wyth mlynedd ar ôl cael ei ganfod yn euog o geisio lladd y dyn. Yn ystod y cyfnod hwnnw roedd yn rhaid i'w frawd hynaf, Vasile, reoli ei rwydwaith troseddol, a thra bu dan glo yng ngharchar Gherla yn Transylvania, cyfarfu Valeriu Barbu â Gwyndaf Parry. Fu dim llawer o gyswllt rhwng y ddau ddyn nes i'r Cymro achub bywyd Barbu un diwrnod yn yr ystafell ymolchi, pan ymosododd tri charcharor arall arno.

Ar ôl i'r ddau gael eu rhyddhau, ac ar ôl cryn dipyn o ddathlu yng nghartref moethus y gŵr o Rwmania, dysgodd Valeriu Barbu bopeth i Gwyndaf Parry am ei fusnes tywyll. Sut i lofruddio yn broffesiynol, sut i roi gelyn dan bwysau, a sut i fygwth o bell ... heb ddatgelu pwy oedd y tu ôl i'r bygythiad. Dysgodd i'r Cymro sut i roi gelynion dan bwysau, am gyfnod maith weithiau, cyn eu lladd. O fewn dwy flynedd, roedd Gwyndaf Parry wedi dysgu digon i ddatblygu a rheoli ei rwydwaith droseddol ym Mhrydain – gwlad yr oedd Valeriu yn awyddus i ehangu iddi.

Bu'r bartneriaeth rhyngddo a Parry yn llwyddiannus iawn i Barbu. Roedd pobl ifanc oedd yn ysu am fywyd gwell yn talu'n ddrud iddo i'w cludo i Brydain, heb ddim syniad y byddent yn cael eu carcharu a'u gorfodi i weithio am y nesaf peth i ddim, i buteinio, i werthu cyffuriau a dwyn o siopau.

Yna, daeth eu gweithgareddau i sylw un o dditectifs Heddlu Gogledd Cymru. Llwyddodd hwnnw i roi stop ar yr holl ymgyrch a chollodd Valeriu Barbu ei holl fuddsoddiad ym Mhrydain, oedd yn filiynau o bunnau. Yn waeth na hynny, saethwyd ei gyfaill, Gwyndaf Parry, ac un arall o'i ddynion yn farw, a charcharwyd y gweddill. Roedd blynyddoedd o waith wedi mynd yn ofer – ond yn bwysicach, roedd y parch yr oedd Valeriu wedi ei ennill ar hyd a lled Ewrop wedi'i chwalu yn ulw hefyd. Dechreuodd y cynddaredd gorddi yng nghrombil cyfansoddiad Barbu y diwrnod hwnnw. Ni wyddai sut na phryd y buasai'n dial ar y ditectif ddiawl, ond gwyddai y byddai'n llwyddo i wneud hynny yn y pen draw, ac yn y ffordd mwyaf dieflig posib.

Daeth y cyfle yn annisgwyl. Dysgodd un diwrnod fod nifer o boteli o win gwerthfawr o gyfnod yr Ail Ryfel Byd wedi'u canfod, a gwelodd gyfle i wneud dipyn go lew o arian. Byddai'n prynu'r poteli, penderfynodd, a'u gwerthu ymlaen fesul un am elw. Yn ogystal, byddai'n atgynhyrchu mwy o boteli tebyg a'u llenwi â gwin llawer rhatach – gwyddai mai anaml iawn y byddai prynwyr y fath boteli drud yn eu hyfed, beth bynnag. Sefydlodd gwmni arbennig ar gyfer y pryniant, ac wrth fynd drwy'r dogfennau terfynol sylweddolodd fod y gwerthwr yn dod o'r un rhan o Gymru â Ditectif Jeff Evans, yr un a chwalodd gymaint o'i ymerodraeth fusnes o. Dim ond ychydig o ymholiadau oedd eu hangen i ddarganfod ei fod o'n dal i blismona'r ardal. Hwn oedd ei gyfle, ond roedd angen cynllun.

Tyrchodd yn ddyfnach, a darganfod bod pwerdy newydd yn cael ei adeiladu yn y dref, a channoedd o weithwyr o bob rhan o Ewrop wedi mudo i'r ardal ar gyfer y gwaith adeiladu. Roedd hwn yn gyfle i symud rhai o'i bobl ei hun i'r cyffiniau, meddyliodd. Dysgodd hefyd fod cysylltiad rhwng asiant gwerthwr y gwin a'r cwmni oedd yn rhedeg ceginau'r safle adeiladu. Dyma oedd dechrau ei gysylltiad masnachol â chwmni Marc Mathias. Dewisodd un o'i ddynion gorau, Petre Radu, i gysylltu â Mathias ac i ddatblygu ei gynllun – a phan na allai Mathias fod o fwy o ddefnydd iddo, byddai Petre'n trefnu i berchennog y busnes arlwyo farw mewn damwain anffodus. Erbyn hynny, byddai Petre, ar ei ran, wedi ymdreiddio mor ddwfn i'r busnes fel y gallai sicrhau mai fo fyddai'r dyn gorau i gymryd yr holl fenter drosodd. Ymhen dim, byddai Valeriu Barbu yn ehangu Blas Bendigedig Cyf. drwy Brydain gyfan, nid yn unig i arlwyo bwyd, ond i ddarparu cyffuriau, puteiniaid a beth bynnag arall y gallai feddwl amdano. Gallai gludo mwy fyth o bobl ifanc i'r wlad wedyn, i weithio iddo am y nesaf peth i ddim, ystyriodd. Oedd, roedd ei gynllun am ddatblygu'n berffaith y tro hwn, a buan y byddai mewn gwell sefyllfa nag yr oedd cyn ymyrraeth Evans saith mlynedd yn ôl.

Oedd, roedd casineb Valeriu Barbu wedi cynyddu tuag at Jeff Evans. Erbyn hyn, doedd dienyddio'r ditectif yn unig ddim yn ddigon – roedd yn rhaid ei ladd mewn ffordd fyddai'n sicrhau fod pawb yn ei gofio fel y dyn a oedd yn gyfrifol am ddinistr y dref. Wedi'r cyfan, rhesymodd Barbu, Evans *oedd* yn gyfrifol. Ni fyddai'r cyffuriau na'r puteiniaid wedi dod yn agos at ardal Glan Morfa petai Ditectif Evans heb chwalu ei fenter fusnes a lladd ei ffrind gorau.

Roedd Barbu wedi arfer delio mewn cyffuriau o bob math ers blynyddoedd, a gwyddai'n iawn am beryglon cymysgu strycnin efo cocên. Doedd o ddim yn arferiad newydd. Yr unig beth oedd ei angen oedd cynyddu'r dos, a byddai niwed aruthrol yn cael ei wneud i bwy bynnag fyddai'n ei gymryd cyn i neb sylweddoli beth oedd yn digwydd.

Allai Valeriu Barbu ddim meddwl am well ffordd o droi'r dref ar ei phen i lawr na heintio dynion yr ardal â chlefydau gwenerol – y mwyaf cywilyddus o afiechydon. Roedd gan ei ddynion o fwy na hanner dwsin o ferched i wneud y gwaith budr hwnnw, rhai yn salach nag eraill ond i gyd yn hynod heintus, a chwarddodd wrth feddwl sut y byddai gwragedd y dynion yn cael eu heintio cyn bo hir hefyd.

Roedd gadael i'r wasg wybod mai ar Evans, a neb arall, oedd y bai am y cyfan yn rhan hanfodol o'i gynllun, a byddai'n sicrhau fod hynny ar wefusau pawb erbyn i'r ditectif ei hun gael ei ladd. Roedd y llythyron wedi bod yn ddechrau gwych i'r brawychu – doedd hi ddim yn anodd darganfod bod y ditectif ar ei wyliau, na lle roedd o'n aros. A pha ffordd well o ddangos iddo, o'r cychwyn cyntaf, bod ei fywyd yn cael ei reoli, na tharfu arno a'i deulu yng ngwlad Groeg? Er hynny, rhyfeddodd Barbu nad oedd y wasg leol wedi defnyddio'r wybodaeth a yrrodd iddynt hyd yma. Byddai'n rhaid iddo ymdrechu ymhellach i sicrhau fod hyn yn digwydd.

Anffodus oedd gorfod rhoi'r gorchymyn i ladd y ditectif preifat, Hudson, ar ôl i hwnnw wthio'i drwyn i werthiant y gwin a'r cysylltiad rhyngddo a'r cyffuriau. Unig anfantais y llofruddiaeth oedd bod y digwyddiad wedi tynnu sylw pawb oddi wrth effaith y cyffuriau a'r puteiniaid.

Un peth oedd yn bwysicach i Ditectif Evans na'i gymuned a'i swydd, a'i deulu oedd hwnnw. Y fam ddiniwed a'i phlant bach. Eu tro hwy oedd hi i gael eu dienyddio nesaf, pan fyddai Barbu wedi darganfod eu cuddfan, ac roedd hynny ar droed ganddo ers rhai dyddiau.

Edrychai'n debyg fod y plismon, o'r diwedd, wedi deffro i'r bygythiad yn ei erbyn, ond roedd hynny'n rhan o gynllun Barbu. Doedd dim yn well ganddo na chwarae gêm – yn debyg i wyddbwyll, ond gyda phobl yn hytrach na darnau du a gwyn. Roedd ennill a cholli yn gyfystyr â byw a marw.

Camgymeriad mwyaf Evans hyd yma oedd arestio un

o'i ddynion o, a'r ffordd yr oedd y plismon dwy a dimau wedi mynd o'i chwmpas hi. Ond y cyfan a wnaeth hynny oedd miniogi awydd Barbu i'w ladd yn y modd creulonaf posib – a gwyddai na fyddai ei frawd hŷn, Vasile, yn ei siomi. Wedi'r cyfan, fo oedd y llofrudd proffesiynol gorau, a'r mwyaf profiadol, yn Rwmania.

Pennod 36

Treuliodd Jeff weddill y diwrnod yn gwneud mân ymholiadau ynglŷn â fferm Llidiart y Gog, ond heb lawer o lwyddiant. Ni fentrodd ymhell i lawr y trywydd hwnnw – y peth olaf roedd o'i angen oedd i'w gwestiynau ddod i glyw'r clustiau anghywir. Pentref bach oedd Rhyd-ddu, wedi'r cyfan. Yn ogystal, ysgrifennodd ddiweddariad i'w adroddiad a'i lwytho i system gyfrifiadurol yr ymchwiliad i lofruddiaeth Trefor Hudson. Ddwywaith yn ystod y dydd ceisiodd gael gafael ar Meira ar ei ffôn symudol, gan na chafodd gyfle i siarad â hi'r noson cynt. Doedd dim ateb er bod y ffôn yn canu am hir cyn i lais mecanyddol y peiriant ofyn iddo adael neges. Roedd hynny'n anarferol – ddim yn aml y byddai Meira'n anghofio mynd â'i ffôn allan efo hi. Ceisiodd rif cartref ei rhieni ond doedd dim ateb yn y fan honno chwaith. Byddai'n rhaid iddo drio eto yn nes ymlaen.

Aeth yn ôl at ei gyfrifiadur a'i waith gweinyddol. Allai o mo'i alw'n waith papur mwyach, gan nad oedd darn o bapur yn agos i'w ddesg, ond roedd o'r un mor ddiflas. Ceisio gwastraffu amser oedd o tan ddiwedd y prynhawn, pan oedd yn bwriadu mynd draw i gyfeiriad Rhyd-ddu i gael sbec o gwmpas. Efallai, erbyn iddi dywyllu, y byddai cyfle iddo fusnesa o gwmpas adeiladau'r ffermdy, hyd yn oed.

Aeth adref cyn pump am damaid o fwyd, ac ychydig cyn

chwech cychwynnodd am Ryd-ddu, gan stopio mewn garej ar y ffordd allan o Lan Morfa i lenwi'r Touareg â thanwydd. Cyn ailgychwyn ar ei siwrne tynnodd ei ffôn symudol allan o'i boced er mwyn darganfod ble yn union yr oedd y campyr-fan, neu'r drol ddyrnu, erbyn hyn. Doedd o ddim awydd cyrraedd cyffiniau'r pentref bach mynyddig a dod i'w chyfarfod ar un o lonydd culion yr ardal wrth iddi deithio i Lan Morfa am noson arall o fudreddi. Chwiliodd am yr ap SpyStealth a'i agor, gan obeithio bod digon o egni yn dal i fod ym matri'r ffôn newydd oedd o dan y fan. Gobeithiodd hefyd fod y ffôn yn dal yn ddiogel lle dylai fod.

Disgynnodd calon Jeff fel tamaid o blwm pan welodd leoliad y fan: Ffestiniog, yn agos iawn i dŷ rhieni Meira. Rhewodd. Os oedd o wedi medru cael gafael ar feddalwedd y SpyStealth mor hawdd a'i lawrlwytho mor ddidrafferth ar y ffôn newydd a brynodd ddoe, byddai'r un mor hawdd i rywun fod wedi rhoi'r un ap neu un tebyg ar ffôn Meira.

Gyda chwys yn diferu ar hyd ei gorff, meddyliodd am y noson y bu iddo dderbyn y nodyn cyntaf. Collodd Meira ei ffôn yr un diwrnod cyn i rywun ei ddychwelyd i dderbynfa'r gwesty – hen ddigon o amser i lawrlwytho'r ap arno. Roedd yn rhaid bod un o ddynion Barbu yno i adael y papur newydd ar y traeth ac, wrth gwrs, i roi'r nodyn i'r gweinydd gyda'r nos.

Roedd Jeff wedi bod mor sicr bod ei deulu'n ddiogel yng ngofal Twm a Mair Price. Bu mor naïf. Er ei fod yn teimlo'r cyfog yn codi, tarodd ei droed ar y sbardun a gyrrodd mor gyflym ag y gallai i Ffestiniog. Ar hyd y siwrne ceisiodd ffonio ffôn symudol Meira a ffôn y tŷ bob yn ail. Roedd y ddau ffôn yn canu ond doedd neb yn eu hateb. Curai ei galon yn gyflymach gyda phob milltir a basiai, a phan gyrhaeddodd teimlodd ychydig o ryddhad o weld fod popeth yn edrych yn iawn, er nad oedd Passat Meira i'w weld yn unman. Ni welai'r campyr-fan chwaith. Edrychodd ar yr ap eto – roedd honno bellach yn ei hôl yng nghyffiniau Rhyd-ddu. Oedd 'na bosibilrwydd bod ei deulu wedi'u herwgipio a'u cludo i'r fan honno, tybed?

Edrychodd ar ei watsh: saith o'r gloch. Ni fu yn y fath benbleth erioed o'r blaen. Ceisiodd ei orau i ffrwyno ei emosiynau a meddwl yn ddoeth. Cerddodd yn ofalus o amgylch y tŷ i'r ardd gefn. Doedd dim i awgrymu fod rhywun wedi torri i mewn i'r tŷ. Aeth yn ôl i'r ffrynt a gwelodd symudiad trwy gornel ei lygad, a theimlo pwysau annisgwyl yn rhuthro yn ei erbyn.

'Hwre! Dad! Be dach chi'n neud yma?' bloeddiodd llais Twm bach.

Ocheneidiodd Jeff yn ddyfnach nag erioed o'r blaen. Cododd y bachgen ar ei fraich a rhedodd Mairwen i'w fraich agored arall. Gwelodd fod Meira yn eu dilyn, yn wên o glust i glust, a'i rhieni yn gwagio'r Passat y tu ôl iddi.

'Lle dach chi 'di bod?' gofynnodd Jeff yn awchus.

'Sw Caer,' atebodd y plant efo'i gilydd.

'A be welsoch chi?' gofynnodd Jeff eto, gan wneud ei orau i geisio cuddio'r ffaith fod ei nerfau'n rhacs.

'Camals, llewods, teigars, mwncis a cangarŵs,' atebodd Mairwen.

'Dwi wedi bod yn trio cael gafael arnat ti trwy'r dydd,' meddai Jeff wrth Meira. 'Lle mae dy ffôn di, cariad?'

'O, mae'n ddrwg gen i, Jeff bach,' atebodd. 'Mi adewis i o ar fwrdd y gegin bore 'ma wrth wneud picnic, ac mi oeddan ni ar yr A55 cyn i mi sylweddoli. Rhy hwyr i droi'n ôl.'

Aeth pawb i mewn i'r tŷ, wedi blino'n llwyr – yn enwedig Jeff, ond am reswm hollol wahanol i'r gweddill.

Ymhen dim, roedd y prydau parod roedden nhw wedi'u prynu ar y ffordd adref wedi'u poethi yn y meicro. Roedd digon o fwyd i Jeff hefyd, a mynnodd Mair ei fod yn eistedd wrth y bwrdd efo nhw.

'Dechreuwch chi,' awgrymodd Jeff. 'Mae gen i un peth bach mae'n rhaid i mi 'i wneud yn sydyn. Meira, ty'd â dy ffôn i mi plis.'

Pan gafodd Jeff ei ddwylo ar y teclyn, diffoddodd ef yn syth.

'Be sy, Jeff? Ti'n iawn?' gofynnodd Meira, yn ymwybodol bod ei gŵr yn ymddwyn yn rhyfedd.

'Ydw rŵan, ond rhaid i mi fynd allan am funud. Mi ddeuda i'r holl hanes wrthat ti wedyn.'

Heb air arall, diflannodd drwy'r drws a cherdded ar hyd y lôn tuag at y man lle roedd y campyr-fan wedi'i pharcio yn gynharach y diwrnod hwnnw. Roedd siop fechan gerllaw, ac er bod yr arwydd yn dangos ei bod ar gau, cnociodd Jeff y drws yn uchel. Daeth gwraig oedrannus i'w ateb.

'Ddrwg gen i'ch poeni chi,' meddai Jeff. 'Mab yng nghyfraith Twm a Mair Price ydw i. Dim ond isio holi ydw i a welsoch chi fan fawr yn fama yn gynharach pnawn 'ma.'

'Do wir,' atebodd y ddynes. 'Mi fu bron i mi alw'r heddlu, a deud y gwir wrthach chi. Do'n i ddim yn licio golwg y boi o gwbl.'

'Sut un oedd o?'

'Dyn mawr tal efo gwallt tywyll cyrliog, yn gwisgo côt ledr laes. Peth rhyfedd i'w wisgo yn y tywydd yma – dyna feddylis i ar y pryd. Mi alwodd i mewn i brynu sigaréts fel roedd o'n gadael. Acen ryfedd ganddo fo hefyd, ac mi sbiodd o reit trwydda i.'

'Am faint oedd o yma?'

'Awr dda, ac mi adawodd y fan yn fama am sbel a cherdded i rwla. Welis i ddim lle'r aeth o ...'

'Diolch yn fawr i chi,' meddai Jeff, ond cyn gadael gofynnodd un cwestiwn arall. 'Ddaru chi ddigwydd sylwi sut fath o sgidia oedd o'n wisgo, tybed?'

'Dyna gwestiwn rhyfedd, machgen i, ond do, mi wnes i, fel ma' hi'n digwydd bod. Rhyw fŵts rhyfedd welis i mo'u tebyg o'r blaen, yn enwedig ar ddyn. Brown tywyll, wedi'u gwneud allan o groen neidr neu rwbath tebyg i hynny. Petha fel'na mae'r fforinars 'ma'n wisgo, wyddoch chi.'

Diolchodd Jeff eto iddi cyn gadael.

Roedd pawb yn dal i fwyta pan gyrhaeddodd Jeff yn ôl i'r tŷ. Ceisiodd fwyta dipyn o'r bwyd roedd Mair wedi'i gadw'n gynnes iddo, ond doedd arno ddim llawer o archwaeth. Ceisiodd ymddangos fel petai'n gwrando ar y sgwrs o'i gwmpas, ond roedd ei feddwl ymhell i ffwrdd. Roedd newydd edrych ar yr ap ar ei ffôn a chadarnhau fod y drol ddyrnu yng nghanol Glan Morfa erbyn hyn. Gobeithiai mai hwn oedd yr unig gerbyd y byddai'r gŵr yn y bŵts crocodeil – Vasile, neu beth bynnag oedd ei enw – yn ei ddefnyddio, ac nad oedd modd i ap ar ffôn unrhyw un arall fod yn dilyn ffôn Meira. Ond efallai nad oedd hynny'n bwysig – roedd y diawliaid yn ymwybodol lle'r oedd Meira a'r plant yn aros.

Wedi i Twm bach a Mairwen fynd i'w gwlâu eisteddodd yr oedolion yn y parlwr. Cynigodd Twm Price wydraid o win i bawb – rhywbeth oedd wedi dod yn arferiad pan fyddai Jeff a Meira yn aros yno.

‘Dim diolch,’ meddai Jeff. ‘Dim heno. Efallai na ddylai ’run ohonan ni yfed diferyn heno, a deud y gwir,’ esboniodd, gan edrych i lygaid Meira.

‘Deud be sy’n dy boeni di, Jeff,’ mynnodd ei wraig. ‘Mae ’na rwbath wedi bod yn dy gorddi di ers i ti gyrraedd.’

Ochneidiodd Jeff. ‘Mae’n ddrwg gen i ddeud nad ydach chi’n saff yn fama,’ dechreuodd. Yna dywedodd yr holl hanes ... wel, yr hyn a oedd yn berthnasol i’w sefyllfa nhw.

‘Mae’n edrych yn debyg na wnaiff ysbryd dy frawd adael llonydd i ni, Twm,’ meddai Mair. Helynt ar stad Walter Price, ewythr Meira, a ddechreuodd yr ymchwiliad a chwalodd fusnes Valeriu Barbu saith mlynedd ynghynt.

‘Mae gen i ofn bod yn rhaid i mi ofyn i chi wneud rwbath i mi eto,’ meddai Jeff. ‘Rhaid i chi symud oddi yma nes bydd hyn i gyd drosodd – y pump ohonoch chi. A dim lol.’

Edrychodd y tri ar ei gilydd o’r naill i’r llall cyn troi yn ôl at Jeff.

‘Mi wnawn ni beth bynnag awgrymi di, Jeff,’ meddai Twm yn ddifrifol. ‘Chdi sy’n gwbod orau mewn sefyllfa fel hyn. Mae’n ddrwg gen i fod y busnes ’na ar ffarm fy mrawd wedi dod â chymaint o drafferth i ti ... ar ôl cymaint o amser.’

‘Peidiwch â sôn, Twm,’ meddai Jeff. ‘Mae gen i gynllun bach i’ch cadw chi i gyd yn saff, ond mi fydd yn rhaid i chi deithio yn reit bell ac aros yno am rai dyddiau. Dydw i ddim wedi gofyn am gymorth i wneud yr hyn sy gen i dan sylw eto, ond efo’ch caniatâd chi, mi wna i hynny rŵan.’

Cytunodd y tri. ‘Diogelwch y plant ydi’r peth pwysicaf,’ meddai Twm. ‘Ac mae hynny’n dy gynnwys di hefyd, Meira,’ ychwanegodd.

Gwenodd Meira'n ddiolchgar ar ei rhieni, yn synnu eu bod ill dau yn ymdopi cystal â'r sefyllfa erchyll.

'Ga' i ddefnyddio ffôn y tŷ, plis,' gofynnodd Jeff.

Wedi iddo gael caniatâd, gadawodd yr ystafell fyw a deialu'r rhif cyfarwydd. Atebwyd y ffôn yr ochr arall yn syth yng ngogledd yr Alban.

'Sut wyt ti'r diawl, ers talwm?' gofynnodd ei gyfaill oes, Graham, yn syn. 'Paid â deud bod gen ti wythnos i ffwrdd o'r gwaith a dy fod ti am ddod fyny i 'sgota?'

''Swn i wrth fy modd, Graham bach, ond dwi mewn dipyn mwy o drafferth yn fama nag y medra i ei sortio ar fy mhen fy hun ... a dwi angen cymorth gen ti, ar frys ...'

'Dwi'n gwrando,' atebodd Graham yn syth, ar ôl clywed y pryder yn llais ei gyfaill.

Dywedodd Jeff ddigon o'r hanes wrtho iddo allu deall y sefyllfa. 'Ond cofia,' meddai ar ddiwedd ei lith, 'Dydi'r rhain ddim yn bobl i falu cachu efo nhw. Maen nhw'n bobol beryg dros ben – pobol sy'n lladd pobol eraill heb feddwl dwywaith. Wyt ti'n dallt be dwi'n ofyn i ti?'

'Ydw, 'rhen fêt. Gad o efo fi, ac mi ddo i yn ôl atat ti gynted ag y medra i.'

'Heno, Graham? Mae brys ...'

'Cyn i ti droi rownd,' cadarnhaodd.

Ailymunodd Jeff â Meira a'i rhieni yn y parlwr. Aeth deng munud heibio, ugain munud, hanner awr, cyn i ffôn y tŷ ganu. Rhuthrodd Jeff i'w ateb.

'Reit, mêt, mae bob dim wedi'i sortio. Mi gân nhw aros ar faes carafannau Billy MacPhail yn Clach Toll. Mi fydd o a'i wraig, Caroline, yn falch o edrych ar eu holau nhw. Ti'n gwybod pa mor unig ac anghysbell ydi'r fan honno.'

'Ydw, tad, ond ydi'r lle'n saff? Rhaid i mi fod yn

berffaith sicr eu bod nhw'n ddiogel y tro yma, Graham.'

'Paid ti â phoeni am hynny, 'ngwas i. Dyna pam fues i mor hir yn dod yn ôl atat ti. Nid Billy a Caroline yn unig fydd yn edrych ar eu holau nhw. Mi fydd David, mab Billy, Alister Gaff a'i feibion, George a Charlie, a Keith Macrae yno hefyd. A Campbell Tate, os ydi o adra oddi ar y rigiau. Mae'r cwbl ohonyn nhw yn berchen ar reifflau i saethu ceirw, a phob un yn ddigon o shot i saethu pishyn chwe cheiniog o dri chanllath i ffwrdd, ddydd neu nos. Eith neb yn agos at dy deulu di. Mae hynna'n bendant. Sut a phryd mae pawb am deithio i fyny yma?' gofynnodd.

'Gyrru, a chyn gynted â phosib,' atebodd Jeff, y balchder yn amlwg yn ei lais. 'Os gychwynnwn ni o'r fan hyn tua hanner nos, a'i chymryd hi yn weddol ara deg, mi allwn ni fod yn yr House of Bruar ar yr A9 yn Blair Atholl erbyn iddyn nhw agor am hanner awr wedi wyth bore fory. Fedri di ein cyfarfod ni yn y fan honno a mynd â nhw weddill y ffordd?'

'Dim problem,' atebodd Graham. 'Mi fydd y wraig 'cw efo fi yn gwmni i'r plant a'r merched, ac mi awn ni â nhw yn syth i Clach Toll wedyn. Chymerith hi ddim mwy na thair awr a hanner o'r fan honno.'

'Wela i di yno, felly, Graham, ac mi bryna i frecwast i chi'ch dau.'

'Be, a thalu?'

Dyna'r tro cyntaf i Jeff chwerthin ers oriau.

Er syndod iddo, ni chymerodd lawer i berswadio'r tri fod yn rhaid iddyn nhw gychwyn eu taith cyn gynted â phosib. Prin y deffrodd Mairwen pan roddwyd hi yn ei sêt car – roedd sibrwd rhywbeth am wyliau arall annisgwyl ar lan y môr yn ddigon i'w chadw'n dawel. Gofynnodd Twm bach am ei fat criced i fynd efo fo, gan ddechrau crio pan ddywedodd Jeff wrtho nad oedd amser i chwilio amdano. Addawodd ei daid brynu un newydd sbon iddo yn Inverness ar y ffordd i fyny i'r gogledd, ac roedd hynny'n ddigon i'w dawelu. Roedd Meira angen ffôn newydd hefyd, gan fod Jeff am ddal ei afael ar yr hen un, oedd wedi'i ddiffodd o hyd.

Edrychodd Jeff ar yr ap SpyStealth a gweld bod y campyr-fan yn gadael Glan Morfa. Nid i Ryd-ddu roedd hi'n cael ei gyrru, ond i gyfeiriad Ffestiniog. Erbyn iddi gyrraedd y fan honno gwyddai y byddai tŷ Twm a Mair yn wag, yn dywyll ac yn ddistaw, a heb gar yn agos i'r lle gan fod car Twm wedi'i guddio'n ddiogel.

Gyrrodd Jeff y Passat yng nghwmni Mair, ac roedd Meira'n dynn ar eu sodlau yn y Touareg gyda'i thad a'r plant, y ddau wedi mynd yn ôl i gysgu'n braf. Roedd y lonydd yn wag, ond cymerodd Jeff ofal i sicrhau nad oedd neb yn eu dilyn.

Pennod 37

Am bron i naw o'r gloch y bore, cyrhaeddodd y ddau gar adeilad mawreddog gwyn House of Bruar, ganllath oddi wrth ochr yr A9, ddeng munud ymhellach draw na Pitlochry, ac roedd Graham a'i wraig, Katherine, yn disgwyl amdanynt yn y maes parcio. Roedd hi'n gyntaf o Fedi, ac er bod tymor ysgolion yr Alban wedi hen ddechrau, roedd y maes parcio'n dechrau llenwi â cheir a bysys yn llawn ymwelwyr. Cysgodd y plant y rhan fwyaf o'r ffordd, a chafodd Twm a Mair Price ambell gyntun yn ystod y siwrne hefyd. Ar ôl cyflwyno pawb i'w gilydd a defnyddio'r cyfleusterau i sbriwsio chydig, aeth y criw am frecwast.

Cyfareddwyd Twm bach gan yr arddangosfa o daclau pysgota hynafol, lluniau dramatig o afonydd, ac eogiaid mewn casys gwydr oedd o amgylch yr ystafell fwyta.

'Ydach chi wedi dal 'sgodyn gymaint â hwnna, Yncl Graham?' gofynnodd Twm bach ar ôl i bawb orffen bwyta.

'Dim ond yn ei freuddwydion,' atebodd Jeff.

Chwarddodd yr oedolion. Tra oedd pawb arall yn bwyta ac ymlacio, manteisiodd Jeff ar y cyfle i gael gair bach distaw â Graham.

'Fedra i ddim deud wrthat ti pa mor ddiolchgar ydw i am hyn i gyd, Graham,' meddai. 'Ydi bob dim yn barod i fyny yn y gogledd 'cw?'

'Does dim rhaid i ti ddiolch, Tad annwyl. A bydd, mi fydd popeth yn ei le erbyn i ni gyrraedd. Mi ges i afael ar

Campbell, y cogydd, ar ôl siarad efo chdi neithiwr, ac mi fydd o a Jeanette yn cadw cwmni iddyn nhw yn gyson yn y garafán.'

'Wnân nhw ddim llwgu felly,' meddai Jeff, gan geisio gwenu. 'Diolcha iddyn nhw'tha drosta i, plis.'

'Oes 'na unrhyw bosibilrwydd y bydd y bobl 'ma wnest ti sôn amdanyn nhw neithiwr yn dangos eu hwynebau i fyny yn Clach Toll?' gofynnodd Graham. 'Mi ddylai'r hogia gael gwybod os ydi hynny'n debygol o ddigwydd.'

'Ddim hyd y gwn i – ond ro'n i'n meddwl bod fy nheulu i'n saff yn Ffestiniog, cofia. Sgin i ddim syniad pa offer sydd ganddyn nhw i allu dilyn pobl, ond dwi mor sicr ag y medra i fod na wnaeth neb ein dilyn ni yma.'

'Wel mi gân nhw uffar o sioc os ddôn nhw'n agos i Clach Toll, mae hynna'n sicr i ti. Ti'n gwybod sut le sy 'na, a does neb yn nabod yr ardal yn well na'r hogia 'cw. Ac fel gwyddost ti, Jeff, maen nhw'tha'n fois caled iawn hefyd, yn eu ffordd eu hunain.'

'Ydyn. Mi ddo' i draw i ddiolch yn bersonol iddyn nhw pan ga' i'r cyfle.'

Doedd y ffarwelio ddim yn hawdd o gwbl. Ni wyddai neb beth oedd o'u blaenau, yng ngogledd yr Alban nac yng Nghymru. Wedi iddo gusanu'r plant, gafaelodd Meira yn dynn yn ei gŵr. 'Bydda'n ofalus, cariad,' meddai, gan geisio cuddio'r dagrau yn ei llygaid oddi wrth y plant.

'Mi fydda i'n iawn,' sicrhaodd Jeff hi, 'a chofia'n bod ni wedi addo prynu bat criced newydd i'r bychan ar y ffordd – un mawr. Os wyt ti'n prynu ffôn newydd i ti dy hun, gyrra'r rhif i mi, wnei di? Nid bod 'na signal ffôn yn Clach Toll i ti ei ddefnyddio fo, chwaith,' ychwanegodd.

Roedd hi'n tynnu at un ar ddeg pan drodd Jeff drwyn y Passat am yr A9 yn ôl am y de. Erbyn iddo adael yr Alban a chyrraedd gwasanaethau Tebay yn Cumbria, roedd ei lygaid yn dechrau llosgi a'i allu i ganolbwyntio yn pallu. Doedd pedair awr o gwsg echnos a dim y noson cynt yn dda i ddim – yn sicr ddim i yrru ar draffyrdd prysur. Caeodd ei lygaid am bum munud ym maes parcio'r gwasanaethau a deffrôdd ymhen yr awr, pan glywodd lais plentyn y tu allan i ffenest y car yn gofyn i'w fam a oedd o wedi marw. 'Dim eto,' meddai wrtho'i hun. Llyncodd gwpaned sydyn o goffi ac ailymunodd â'r M6 i gyfeiriad Caer a Chymru. Roedd hi'n hwyr yn y prynhawn erbyn hyn, a gobeithiai y byddai yn ôl cyn min nos. Edrychodd ar ffôn symudol Meira a oedd yn dal wedi'i ddiffodd ar y sedd wrth ei ochr. Hwn fyddai'r rhan bwysicaf yn ei gynllun heno, a gwnaeth yn siŵr fod digon o egni yn y batri, ond heb ei roi ymlaen.

Ffoniodd Lowri Davies, gan ddefnyddio system sain y car i wneud yr alwad, er mwyn egluro'r sefyllfa iddi. Gobeithiai, meddai wrthi, y byddai ganddo fwy o newyddion erbyn y bore canlynol. Rhybuddiodd fod siawns y byddai angen cymorth rhywdro yn ystod y dydd, ond na fyddai'n gwneud dim byd gwirion na di-hid ar ei ben ei hun. Rhoddodd Lowri'r ffôn i lawr, yn cydnabod yn iawn nad oedd y geiriau 'di-hid' a 'gwirion' yn golygu'r un peth i Jeff Evans ag yr oedden nhw i'r rhan fwyaf o bobl, hyd yn oed ditectifs profiadol eraill. Yn enwedig ditectifs profiadol call. Ysgydwodd ei phen, ond gwyddai o brofiad mai'r peth doethaf y gallai ei wneud oedd gobeithio am y gorau a pharatoi am y gwaethaf ... a disgwyl am air gan Jeff.

Ar ôl iddi ddechrau nosi, cuddiodd Jeff y Passat yng nghefn

y dafarn ym mhentref bach Rhyd-ddu, ac ar ôl cerdded ar draws y caeau am ddwy filltir, daeth at fferm Llidiart y Gog. Edrychodd ar yr ap ar ei ffôn ei hun a gwelodd fod y drol ddyrnu wrth ei gwaith yng Nglan Morfa unwaith yn rhagor. Troediodd yn araf, yn ddistaw ac yn wyliadwrus i gyfeiriad y ffermdy. Hen adeilad nodweddiadol o nifer o ffermydd sylweddol Eryri oedd o, gyda phedair neu bum ystafell ar y llawr isaf, a'r un nifer o lofftydd. O'i gwmpas roedd nifer o adeiladau allanol a fu unwaith yn feudai neu stablau, tybiodd Jeff. Gwelodd fod golau yn un neu ddwy o'r ystafelloedd i lawr y grisiau, felly aeth ychydig yn nes heb fentro gormod. Tynnwyd ei sylw gan geblau trydan oedd yn rhedeg i mewn i un o'r adeiladau allanol o'r tŷ – a sylwodd fod clo clap mawr ar gadwyn yn cadw'r hen ddrws i'r adeilad hwnnw ynghau. Aeth rownd i gefn yr adeilad a gwelodd ffenestr fechan. Dringodd i fyny ati, a chyda dipyn o ymdrech llwyddodd i'w hagor heb ei malu. Dringodd i mewn a chaeodd y ffenestr yn ofalus ar ei ôl.

Arhosodd am ennyd yn ei gwrcwd yn y tywyllwch, yn gwrando. Llanwyd ei ffroenau gan arogl gwair a hen daclau fferm, ond chlywai o ddim byd, felly rhoddodd ei dortsh bychan ymlaen. Wedi i'w lygaid ddod i arfer â'r golau gwan, dechreuodd edrych o'i gwmpas. Sylweddolodd ei fod yn sefyll mewn hen feudy hir gyda llociau haearn ar hyd un wal lle bu gwartheg yn amlwg yn cael eu godro ddegawdau ynghynt. Ymysg y llwch a'r sachau a'r bocsys yn y llociau hynny roedd cannoedd o boteli gwin gwag, rhai â label Château Mouton Rothschild 1942 arnynt ac eraill heb label o gwbl. Ymhellach draw, gwelodd fwy o boteli llawn mewn bocsys pren hen ffasiwn, yn barod i'w gyrru i gwsmeriaid ledled y byd a gafodd eu twyllo i'w prynu. Roedd nifer o gasgenni pren yn y beudy hefyd, rhai â Château Bellefort Saint Emilion ar eu labeli ac eraill yn nodi Château Malartic Lagraviere: gwinoedd o Bordeaux, ond o gyfnod llawer hwyrach na 1942 ... a llawer rhatach na'r Mouton Rothschild hefyd. Gwelodd fod mwy o gasgenni tebyg ymhellach draw – yn llawn o win rhatach, fel y ddwy gyntaf, tybiodd Jeff. Ar silffoedd roedd bocsys yn llawn o labeli ffug Château Mouton Rothschild 1942, wedi eu hargraffu yn hynod gelfydd i wneud iddynt edrych yn hynafol, a chyfarpar i lenwi a selio poteli. Roedd pencadlys y twyll gwin yng Nghymru wedi'r cyfan, felly, nid yn un o wledydd tir mawr Ewrop.

Rhewodd Jeff pan glywodd leisiau a sŵn traed tu allan i'r beudy, a'r rheiny, yn amlwg, yn nesáu. Symudodd cyn gyflymed a chyn ddistawed ag y gallai i gornel bellaf yr ystafell hir, a cheisio cuddio ymysg pentwr o hen sachau. Llwyddodd i dynnu nifer o'r sachau dros ei ben a diffodd ei dortsh cyn clywed sŵn y gadwyn, a ddynodai bod y clo oedd ar y drws mawr derw yn cael ei ddatgloi. Gwichiodd y drws wrth gael ei agor. Daeth golau gwan o fwlb a oedd yn hongian o'r to ger y drws, a diolchodd Jeff fod ei gornel fach o yn dal i fod yn weddol dywyll. O'i guddfan gwelodd ddau ddyn, ac er gwaetha'r gwyll, gwyddai mai Petre Radu oedd un ohonynt. Doedd wyneb y llall ddim yn gyfarwydd iddo – dyn ychydig fodfeddi'n fyrrach na Radu oedd hwnnw, ond dyn llydan a chryf yr olwg. Gwisgai wasgod ddu dros grys golau a throwsus tywyll, ac roedd y gwn a gariai mewn gwain o dan ei gesail yn amlwg. Doedd Jeff ddim yn ddigon o arbenigwr, nac yn ddigon agos, i allu dweud ai gwn 9mm oedd o.

Siaradodd y ddau ddyn â'i gilydd mewn iaith dramor –

Rwmaneg, tybiodd Jeff. Swniai'n debyg mai'r dyn arall oedd yn rhoi cyfarwyddiadau i Petre, nid fel arall, ac aeth ias i lawr asgwrn cefn Jeff pan glywodd Petre yn ei alw yn 'Val'. Roedd Valeriu Barbu yn sefyll o'i flaen, felly.

Dechreuodd y ddau edrych drwy bentwr o bapurau, yn amlwg yn trafod eu cynnwys. Pan roddwyd y papurau o'r neilltu ymddangosai i Jeff fod pwnc y drafodaeth wedi newid. Erbyn hyn roedd Val yn codi'i lais, a Petre yn ymddangos yn fwy amddiffynnol. Wrth gwrs, doedd Jeff ddim yn deall yr un gair, ond yn sydyn daeth geiriau cyfarwydd i'w glustiau: dywedodd Barbu yr enwau 'Maria Evans' a 'Vasile' yn yr un frawddeg. Doedd hynny ddim yn argoeli'n dda.

Aeth ugain munud heibio, a dechreuodd cyhyrau Jeff sgrechian o fod yn llonydd cyhyd. Teimlodd ryddhad enfawr pan ddiffoddwyd y golau, a mentrodd symud o'i guddfan pan glywodd y drws mawr yn cael ei gloi o'r tu allan. Diflannodd sŵn traed y dynion yn araf i ddistawrwydd y nos, ond disgwyliodd Jeff yn y beudy am ugain munud arall cyn mentro at y ffenestr, dringo allan trwyddi a'i chau cystal ag y medrai. Diolchodd ei bod hi'n noson glir a'r lleuad yn llawn, fel y gallai weld ei ffordd ar draws y caeau, trwy fwy nag un ffos, yn ôl i faes parcio'r dafarn yn Rhyd-ddu.

Roedd hi'n tynnu at un ar ddeg o'r gloch pan gyrhaeddodd y car, yn wlyb ac yn fwdlyd hyd at ei bengliniau. O'r diwedd, roedd ganddo ddigon o dystiolaeth i wneud cais am warant i chwilio adeiladau fferm Llidiart y Gog pe byddai angen.

Ond doedd hynny ddim yn rhan o'i gynllun. Ddim heno, o leiaf.

Pennod 38

Ystyriodd Jeff ddigwyddiadau'r oriau blaenorol wrth yrru i gyfeiriad Ffestiniog. Roedd ei fyd wedi cael ei droi ben ucha'n isaf ers iddo ddarllen y papur newydd hwnnw a adawyd iddo ar y traeth ym Mae Troulos bythefnos yn ôl i'r diwrnod – ond roedd bywydau nifer o bobl y dref wedi newid am byth, ystyriodd, a hynny yn ei enw fo. Drwy gydol ei yrfa yn yr heddlu, ac yn enwedig ers iddo gael ei ddyrchafu'n dditectif, ymchwilio i wahanol droseddau fu ei fywyd – ond nid ymchwiliad traddodiadol oedd hwn, lle byddai carcharor dan glo ar ei ddiwedd a phawb yn mynd adre'n hapus. Amddiffyn a diogelu yn hytrach na datrys oedd ei flaenoriaethau, ac roedd hynny'n anodd, yn enwedig o gofio nad fo oedd wedi bod yn rhedeg y sioe hyd yma. Cofiodd am Wil Morgan, Brian Owen a Trefor Hudson – tri diniwed oedd wedi dioddef oherwydd ei fod o wedi sathru ar y droed anghywir flynyddoedd ynghynt. 'Wel, Val, 'ngwas i,' meddai Jeff wrtho'i hun. 'Mae'n amser i ti ddechrau dioddef rŵan.'

Hyd yma, roedd y Rwmaniad wedi gallu rheoli ei ymgyrch ddieflig ymhell o gyrraedd Jeff a chrafangau'r gyfraith – ond nawr, roedd Valeriu Barbu yng Nghymru, ac roedd gan Jeff gyfle i sicrhau ei fod yn talu am ei holl weithredoedd erchyll. Byddai ei ymerodraeth frawychus ar ben pan fyddai dan glo unwaith ac am byth ... ond byddai'n rhaid ei ddal gyntaf.

Yn union fel yr oedd Barbu wedi defnyddio trafferthion Glan Morfa yn abwyd i ddenu Jeff a rheoli ei fywyd, roedd gan y ditectif gynllun i wneud yr un peth iddo fo.

Fel pob plismon arall, gwyddai Jeff ddigon am y gyfraith yng Nghymru a Lloegr i wybod y câi unrhyw berson amddiffyn ei hun yn erbyn ymosodiad, drwy drais pe byddai hynny'n angenrheidiol. Mewn amgylchiadau arbennig – dyna air y gyfraith. Mewn geiriau eraill, byddai ganddo hawl i ddefnyddio trais rhesymol yn erbyn Barbu a'i ddynion, yn gyfiawn, petaen nhw'n ymosod arno fo gyntaf.

Pan oedd o ddeng milltir i ffwrdd o Ffestiniog, rhoddodd Jeff ffôn symudol Meira ymlaen. O'r munud hwnnw, gobeithiai fod ei leoliad yn amlwg ar ba ffôn bynnag oedd wedi bod yn dilyn symudiadau Meira. Gobeithiai hefyd fod perchennog y ffôn hwnnw'n defnyddio'r drol ddyrnu'r noson honno, a bod y ffôn a roddodd oddi tani yn dal yn ei le.

Ychydig cyn hanner nos parciodd Jeff y Passat tu allan i dŷ rhieni Meira ac aeth i mewn gan ddefnyddio'r allwedd a roddodd Twm Price iddo. Aeth â ffôn Meira efo fo, a'i adael ymlaen. Hwn oedd yr abwyd. Edrychodd Jeff ar ei ffôn symudol ei hun a gwelodd fod y campyr-fan wedi gadael Glan Morfa a'i bod yn gwneud ei ffordd tuag at Rydddu. Roedd digon o amser. Gwnaeth damaid o fwyd iddo'i hun, a dechreuodd feddwl sut i weithredu ei gynllun. Mae'n debyg y byddai pwy bynnag a ddilynai signal ffôn Meira yn taro pan fyddai pawb yn eu gwlâu, felly ar ben y grisiau oedd y lle gorau iddo aros. Aeth i'r fan honno ac edrych o'i gwmpas. Symudodd fwrdd bychan ac addurniadau tsieina o'r ffordd i sicrhau fod digon o le ar ei gyfer. Roedd ystafell wely Twm a Mair ar y chwith ar dop y grisiau, a chloc-radio wrth ochr y gwely. Rhoddodd Jeff y radio ymlaen yn ddistaw, bron mor ddistaw fel nad oedd modd ei glywed.

Ychydig wedi un o'r gloch y bore, datgelodd yr ap SpyStealth fod y campyr-fan wedi gadael Rhyd-ddu. Gwelodd Jeff ei bod ym Mhenrhyndeudraeth ac yn teithio i gyfeiriad Maentwrog. Roedd dynion Barbu ar eu ffordd. Diffoddodd holl oleuadau'r tŷ ac eistedd yn y llofft oedd i'r dde o ben y grisiau i ddilyn taith y cerbyd. Ymhen ugain munud daeth i stop yn yr un lle ag y parciwyd hi ddeuddydd ynghynt.

Safodd Jeff i'r dde o ben y grisiau gyda bat criced mawr ei fab yn ei law. Os nad oedd hwnnw'n ddigon, roedd hi'n rhy hwyr i ddechrau poeni bellach. Safodd Jeff yn ei unfan yno am ugain munud hwyaf ei fywyd. Roedd golau'r lleuad lawn yn treiddio i'r tŷ a'r unig sŵn a oedd yn aflonyddu ar y distawrwydd oedd tician y cloc mawr ar waelod y grisiau, a'r miwsig distaw iawn oedd yn dod o'r radio yn yr ystafell wely. Roedd ceg Jeff yn sych fel cesail camel a'i dafod yn llenwi'i geg. Yna, clywodd wydr ffenestr yn cael ei falu oddi tano, a distawrwydd drachefn. Roedd ei galon fel gordd yn ei frest. Aeth sawl munud hir heibio cyn iddo glywed y sŵn bychan nesaf. Gwyddai i sicrwydd erbyn hyn fod rhywun arall yn y tŷ.

Ceisiodd reoli ei anadlu ond roedd ei waed yn pwmpio'n uchel yn ei glustiau. Clywodd sŵn gris yn gwichian dan bwysau troed – gwyddai o brofiad yn union pa ris oedd hwnnw. Cododd y bat criced. Yng ngolau'r lleuad gwelodd law a braich dyn wedi'i hymestyn allan yn nhop y grisiau. Roedd gwn yn y llaw. Trodd y dyn i'r chwith, i gyfeiriad miwsig distaw'r radio, a defnyddiodd Jeff ei holl egni i'w daro â'r bat mor galed ag y gallai. Petai ar y cae chwarae, byddai'r bêl fach ledr goch wedi teithio ymhell dros y llinell derfyn. Glaniodd yr ergyd ar ganol pen y dyn wrth iddo droi i gyfeiriad Jeff, a daeth fflach ac ergyd o'r gwn. Drwy lwc, glaniodd y fwled yn y wal gyferbyn, a disgynnodd y dieithryn i lawr y grisiau yn bendramwnwgl.

Neidiodd Jeff ar ei ôl gan daro'r switsh golau ar ben y grisiau ymlaen wrth fynd. Cyrhaeddodd waelod y grisiau hanner eiliad ar ôl y dyn arall, y bat yn dal yn ei law ac yn barod i daro ergyd arall – ond doedd dim angen. Rhoddodd Jeff efynnau llaw am arddyrnau'r dyn llonydd cyn gwneud dim arall. Nid oedd am gymryd risg. Rhoddodd olau cryfach ymlaen a throi yn ôl i gyfeiriad y corff ar y llawr wrth ei draed. Aeth drwy'r llith arferol o ddatgan ei fod wedi cael ei arestio, gan roi'r rhybudd angenrheidiol iddo yn llawn. Ni wyddai Jeff pam y gwnaeth hynny, oherwydd doedd dim gobaith fod y dyn wedi clywed yr un gair. Roedd yn hollol anymwybodol, ei wyneb yn llanast llwyr a gwaed yn llifo o'i geg, ei drwyn a'i glustiau.

Trais rhesymol, meddai Jeff wrtho'i hun, yn ôl cyfraith y wlad.

Cyrcydodd uwchben y corff, a thynnwyd ei sylw at ei esgidiau'r dyn – pâr o fŵts brown wedi'u gwneud allan o groen crocodeil. Gwenodd wrth chwilio trwy bocedi'r gôt ledr hir roedd o'n ei gwisgo. Tynnodd ohonynt allwedd cerbyd a ffôn symudol. Mewn poced arall cafodd hyd i dâp gludiog llydan a nifer o efynnau llaw plastig. Herwgipio oedd ar ei feddwl, felly. Gwibiodd ei feddwl at ei deulu draw yn Clach Toll a llifodd rhyw gryndod afreolus drosto. Diolch i'r nefoedd eu bod yn ddigon pell o'r tŷ heno.

Edrychodd Jeff trwy'r rhestr gysylltiadau ar y ffôn, a

gwelodd fod ynddi rifau ar gyfer Val, Petre a Gheorghe ymysg eraill. Ym mhoced tu mewn y gôt roedd dogfennau personol a'r enw Vasile Barbu arnynt, a llun ohono. Wel, wel. Gan ddefnyddio ffôn Vasile Barbu tynnodd lun o'r corff – nid y cyfan, dim ond yr wyneb gwaedlyd, ac wedi sicrhau bod y llun yn dangos cymaint â phosib o'i anafiadau, rhoddodd y ffôn yn ei boced ei hun. Yna, aeth i chwilio am y gwn. Daeth o hyd iddo ar y llawr ger y gegin, wedi disgyn oddi ar y grisiau uwchben. Gadawodd hwnnw yn lle'r oedd o.

Cymerodd allweddi'r cerbyd ac aeth allan i'r campyrfan. Roedd o angen sicrhau nad oedd neb ynddi yn disgwyl i Vasile ddychwelyd – doedd dim, felly aeth yn ôl i'r tŷ. Roedd Vasile yn dal i fod yn anymwybodol ar waelod y grisiau. Gafaelodd yn ei ffôn ei hun a galw rhif personol Lowri Davies. Cymerodd ychydig eiliadau iddi ateb mewn llais cysglyd.

'Mae'n ddrwg gen i ffonio mor hwyr,' meddai Jeff, 'ond ...'

Pennod 39

Bu nifer o wahanol adrannau o'r heddlu yn brysur iawn yng nghartref Twm a Mair Price yn Ffestiniog am weddill y noson honno ac yn ystod y dydd drannoeth. Dewisodd Jeff beidio â dweud wrth Meira na'i rhieni am ddigwyddiadau'r noson – roedd cryn dipyn o waith twtio i'w wneud cyn iddyn nhw ddychwelyd, heb sôn am dynnu'r fwled o'r wal ... a doedd dim rhaid iddyn nhw wybod y cwbl ar hyn o bryd, er byddai'r wybodaeth yn siŵr o weld golau dydd cyn hir. Ar ben hynny, roedd swyddogion Swyddfa Annibynnol Ymddygiad yr Heddlu wedi dangos eu trwynau, a rhoddwyd cyngor i Jeff gan rai uwch swyddogion iddo gymryd amser i ffwrdd o'i waith yn dilyn y fath brofiad.

Ond doedd gan Jeff ddim bwriad o wrando ar y cyngor hwnnw – roedd y diawl ynddo yn dal i fudlosgi, a'i gynllun ymhell o fod wedi'i gwblhau. Ni fyddai'n gorffwys nes byddai'r cwbl drosodd, un ffordd neu'r llall.

Cymerodd Jeff gambl ar y ffaith fod mwy nag un ffôn yn dilyn ffôn Meira – roedd rhan nesaf ei gynllun yn dibynnu ar hynny. I'r perwyl hwnnw, diffoddodd ffôn Meira wedi iddo ddenu Vasile i Ffestiniog.

Yn Llidiart y Gog, roedd Valeriu Barbu mewn penbleth dychrynllyd. Beth aflwydd oedd wedi digwydd i Vasile? Roedd hi wedi gwawrio ers meitin, a doedd o ddim wedi cysylltu na dychwelyd efo'i gaethion newydd. Roedd wedi ystyried galw ffôn symudol ei frawd ond gwyddai nad oedd hynny'n beth doeth i'w wneud pan oedd llofrudd proffesiynol wrth ei waith. Erbyn naw o'r gloch y bore roedd Valeriu ar binnau. Doedd Vasile erioed wedi methu mewn unrhyw ymdrech dreisiol yn ei fywyd, dim hyd yn oed yn erbyn troseddwyr mwyaf brawychus Ewrop, a ddylai gwraig rhyw bwt o blismon yng ngogledd Cymru ddim achosi unrhyw drafferth iddo o gwbl. Cerddodd yn ôl ac ymlaen drwy'r ffermdy am oriau heb allu dychmygu beth fuasai wedi gallu mynd o'i le. Erbyn deg o'r gloch y bore, penderfynodd Valeriu wneud rhywbeth nad oedd erioed wedi'i wneud o'r blaen, sef ffonio ei frawd yng nghanol ymgyrch. Canodd y ffôn am hir, ond nid atebodd ei frawd.

Edrychodd Jeff ar ffôn symudol Vasile yn canu o'i flaen a gwelodd yr enw Val ar y sgrin. Dyma'r amser i symud. Rhoddodd ffôn Meira ymlaen eto, a gyrrodd y Passat o gyfeiriad Ffestiniog i'r gogledd yn araf, trwy Borthmadog ac yna i gyfeiriad Caernarfon.

Ddeng munud yn ddiweddarach, rhoddodd Valeriu Barbu orchymyn i Petre a Gheorghe ei ddilyn, ac i sicrhau fod y gwaith yn cael ei orffen y tro hwn. Nid herwgipio'r ddynes a'i phlant oedd y cyfarwyddyd bellach ond eu lladd, bob un ohonyn nhw fesul un. Crynodd wrth feddwl beth allai fod wedi digwydd i'w frawd ... teimlad anghyfarwydd iawn i ddyn fel Valeriu Barbu.

Gan ddefnyddio'r ap, roedd y ddau ŵr o Rwmania o fewn golwg i'r Passat cyn iddo ddod i lawr yr allt i gylchfan y Faenol tu allan i Fangor, a dilynwyd y car o bell i fyny'r allt am Dreborth. Trodd y Passat am yr A55 i gyfeiriad Môn, a gwelodd y ddau ddyn o Rwmania mai dynes oedd yn ei yrru. Ni allen nhw weld y plant, ond doedd hynny ddim o bwys – mae'n rhaid bod eu pennau yn is na thop y sedd gefn. Roedd eu harfau yn barod wrth eu hochrau, yn barod am gyfle addas i'w lladd hi a'r plant. Eiliadau yn unig yr oedden nhw ei angen i roi'r masgiau dros eu hwynebau a thanio digon o ergydion cyflym i sicrhau fod gorchymyn Val wedi'i gyflawni i'r llythyren.

Dilynodd Petre a Gheorghe y Passat dros Bont Britannia i Fôn, gan sicrhau bod cerbyd arall, hen fan fach wen yn yr achos hwn, rhyngddyn nhw a'r Passat, rhag ofn i wraig Evans sylweddoli ei bod hi'n cael ei dilyn. Ar ôl croesi'r bont, trodd y Passat oddi ar yr A55 i'r chwith ac yna i'r dde i gyfeiriad Porthaethwy. Trodd y fan i'r chwith, ond yn gyfleus daeth car arall, Land Rover Discovery, o'r cyfeiriad hwnnw i ddilyn y Passat. Cymerodd Gheorghe, a oedd yn gyrru, ei le y tu ôl i hwnnw. Ym Mhorthaethwy, trodd y Passat i gyfeiriad Pont y Borth, y Discovery yn dal i fod y tu ôl iddo. Aeth y tri char dros y bont yn ôl i Wynedd: y Passat yn gyntaf, y Discovery yn ail a char y ddau Rwmaniad yn drydydd. Ni sylwodd Petre na Gheorghe nad oedd ceir yn teithio i'w cyfarfod ar y bont, nac ychwaith mai dim ond un car arall oedd ar y lôn y tu ôl iddynt: Land Rover Defender mawr gyriant pedair olwyn.

Pan oedd car y ddau ddarpar lofrudd yn mynd trwy'r bwa cyntaf, daeth y Discovery i stop o'i flaen, gan ei orfodi i frecio'n sydyn yng nghanol y bwa. Canodd Gheorghe ei gorn yn ddig, ond ar yr un eiliad trawyd eu car o'r tu ôl gan y Defender. Nid hwn oedd y lle na'r amser i gael damwain, ac er syndod i'r dynion cyrhaeddodd yr heddlu leoliad y ddamwain yn llawer iawn cynt na'r disgwyl. Neidiodd chwe phlismon arfog o'u ceir, a phlismones o'r Passat, gan anelu eu gynnau atynt a gorchymyn iddynt ddod allan gyda'u dwylo i fyny. Wnaeth ufuddhau ddim croesi meddwl y naill na'r llall. Cydiodd Gheorghe a Petre yn eu gynnau, yn barod i saethu'r heddweision, a cheisio'n ofer i agor drysau'r car yn y bwa cul. Cyn iddynt gael amser i feddwl am gynllun arall, daeth cawod o fwledi o ynnau pedwar o'r plismyn i chwalu ffenestri'r car. Chwalwyd, yn ogystal, bennau'r ddau fu'n gyfrifol am gyflenwi cocên llygredig i drigolion Glan Morfa.

Bu'r bont ynghau am weddill y diwrnod.

Wedi iddo glywed am lwyddiant yr ymgyrch, estynnodd Jeff ffôn symudol Vasile Barbu a gyrru neges destun i ffôn symudol Valeriu, y dyn mawr ei hun.

Fel yr oedd hi'n digwydd bod, roedd ffôn Valeriu Barbu yn ei law gan ei fod yn disgwyl am ganlyniad y gorchymyn a roddodd i Petre a Gheorghe, yn ogystal ag unrhyw neges gan ei frawd. Rhuthrodd Valeriu Barbu i agor y tecst pan sylweddolodd mai gan Vasile oedd o, ond cafodd ei lorio gan ei gynnwys. Nid oedd dim arall, drwy gydol ei yrfa waedlyd, erioed wedi cael y fath effaith arno. Ei frawd mawr, ei arwr a'r dylanwad mwyaf arno. Ei unig deulu. Roedd cymaint o niwed i'w wyneb, prin y gallai ei adnabod. Dechreuodd grynu – nid gan ofn ond o gynddaredd, casineb a dialedd.

Canodd y ffôn yn ei law. Pwysodd y sgrin i'w ateb gyda mymryn o obaith mai Vasile oedd yno, ond gwyddai mai breuddwyd gwrach oedd hynny.

'Pwy sy 'na?' gofynnodd mewn llais distaw a phwyllog nad oedd yn llwyddo i guddio'r cryndod oedd ynddo.

'Dy elyn, medda chdi. Ditectif Sarjant Evans sy 'ma, Mr Barbu.'

'Lle mae fy mrawd?'

'Mae Vasile gen i.' Distawrwydd.'A gen i fydd o hefyd os na cha i be dwi isio gen ti,' parhaodd Jeff.

'A be ydi hynny?' gofynnodd Barbu. Oedd gobaith?

'Mae mwy na digon o niwed wedi cael ei wneud i bobl Glan Morfa a'r cylch yn ystod y misoedd diwetha, ac mae'n amser i ddod â'r cwbl i ben. Mae'r gêm drosodd, Barbu, ond mi gei di dy frawd mawr yn ôl os ga' i'r holl gyffuriau sydd yn dy feddiant di. Y cwbwl, lle bynnag maen nhw. A dwi isio'r merched ddiawl 'na allan o Lan Morfa – yn syth, ac am byth.'

'Sut ydw i'n gwybod nad tric ydi hyn?'

'Dwyt ti ddim, ond os wyt ti isio dy frawd yn ôl, does gen ti ddim dewis. Rwyt ti a dy ddynion wedi achosi cymaint o boen i gymaint o bobl, ac ar ben hynny, wedi trio fy meio i am yr holl beth. Mi wn i pam wnest ti hynny, wrth gwrs, ond wnest ti ddim llwyddo, ti'n gweld, Barbu. Mae'r cwbwl ar ben, ac mae'n rhaid i mi sicrhau fod fy nheulu a 'nghymuned yn saff, a hynny'n barhaol. Unwaith y ca' i'r cyffuriau budur 'na gen ti, mi gei di dy frawd yn ôl. Mater rhyngddan ni'n dau ydi hwn. Mater personol.'

Meddyliodd Valeriu Barbu yn hir ac yn galed, ond roedd gwaed yn dewach na dŵr, yn enwedig gwaed a oedd wedi ymladd ochr yn ochr ers i'r ddau gael eu gadael yn blant ar strydoedd treisgar Bucharest.

'Lle wnawn ni hyn?' gofynnodd Barbu.

'Lle mae'r cyffuriau a'r merched?' gofynnodd Jeff.

'Ar ffarm o'r enw Llidiart y Gog, yn Rhyd-ddu.'

'Mi wn i am y lle,' cadarnhaodd Jeff. 'Chdi a fi felly – a neb arall. Cyfnewid dy frawd am y cwbwl. Mi gei di weld dy frawd os ga' i weld y cyffuriau a'r merched ar yr un pryd

... a dim triciau, neu mi fydd Vasile yn dod yn ôl efo fi i fynd o flaen ei well. Pryd?' gofynnodd Jeff.

'Tri o'r gloch pnawn 'ma. Mi fydda i'n barod.'

Am dri o'r gloch ar y dot edrychodd Valeriu Barbu ar y campyr-fan gyfarwydd yn cael ei gyrru'n araf ar hyd y trac garw o gyfeiriad y ffordd fawr tuag at ffermdy Llidiart y Gog. Roedd yr haul yn tywynnu'n ddisglair a'r dail ar y coed yn dawnsio yn yr awel ysgafn. Safai Barbu mewn trowsus tywyll a gwasgod o'r un lliw, ac roedd gwn awtomatig anferth yn y wain ledr o dan ei ysgwydd chwith. Roedd coler ei grys gwyn yn agored a thyfiant tywyll rhai dyddiau ar ei ên.

Daeth Jeff â'r fan i stop ychydig llai na hanner canllath oddi wrtho, ar ôl troi trwyn y fan i'r dde fel bod drws canol y cerbyd, ar ochr y teithiwr, yn wynebu'r ffermdy a Barbu ei hun. Gwnaeth Barbu sioe o dynnu'r gwn awtomatig o'r wain a'i ddal wrth ei ochr. Heb symud, culhaodd ei lygaid yn erbyn disgleirdeb yr haul er mwyn syllu ar y fan.

Agorodd drws canol y fan ac ymddangosodd Jeff yn y gwagle, yn gwisgo fest wrth-fwled. Neidiodd allan o'r drws gan afael ym mhen rhaff hir yn ei law dde. Rhoddodd blwc i'r rhaff ac ymddangosodd dyn oedd wedi'i glymu i'r pen arall. Roedd blanced fawr dros ei ben oedd yn cuddio popeth i lawr at ei bengliniau. Edrychodd Valeriu Barbu ar y jîns a'r esgidiau: bŵts brown tywyll wedi'u gwneud o groen crocodeil. Cerddodd y ddau ychydig o gamau yn unig oddi wrth y fan i gyfeiriad Barbu, gyda Jeff yn tynnu'r rhaff a oedd yn diflannu i rywle oddi tan y blanced.

'Felly chdi ydi Ditectif Sarjant Jeff Evans,' meddai Barbu, yn dal i afael yn y gwn.

'A chditha ydi Valeriu Barbu.'

'Ma' raid dy fod ti'n dipyn o foi,' meddai Barbu. 'Biti na fysan ni wedi cyfarfod yn rwla arall, mewn oes arall. Mi fyswn i wedi medru cynnig gwaith i ti.'

'Mae 'na un gwahaniaeth mawr rhyngddan ni'n dau,' meddai Jeff. 'Dwi'n trio gwneud y byd 'ma'n well lle ...' Doedd dim rhaid gorffen ei eglurhad. 'Lle mae'r cyffuriau a'r merched? Dwi isio'u gweld nhw.'

Syllodd Barbu i lygaid Jeff ac yna ar y dyn oddi tan y flanced. Edrychodd i lawr tuag at ei draed a'i esgidiau croen crocodeil. Dywedodd rywbeth yn ei famiaith ond ni allai Jeff ddeall y geiriau na phenderfynu efo pwy roedd o'n siarad. Yna, trodd ei ben a gwaeddodd 'Alina!' cyn cyfarth rhywbeth a swniai fel gorchymyn. Bron iawn yn syth, ymddangosodd rhes o ferched o gyfeiriad y ffermdy, gan stopio cyn cyrraedd Barbu. Roedd dwy o'r merched yn cario bocs mawr rhyngddyn nhw – y ferch glwyfedig a welodd Jeff dridiau ynghynt yn nhoiled y campyr-fan oedd un ohonynt. Roedd y pedair merch arall hefyd yn edrych yn hynod o lwydaidd, eu llygaid ofnus yn llonydd o ganlyniad i flynyddoedd o gam-drin eu cyrff â chyffuriau.

'Dyna'r cwbwl ti'n gael nes i mi gael fy mrawd yn ôl,' meddai Barbu. 'Rŵan!' gwaeddodd yn awdurdodol.

'Sut dwi'n gwybod bod yr holl gyffuriau – a'r merched i gyd – yma?' gofynnodd Jeff. 'Rhaid i minna gael gweld cynnwys y bocs 'na cyn y gwna i ryddhau Vasile,' ychwanegodd. 'A dwi angen bod yn siŵr nad oes yr un ferch arall mewn perygl yma.'

'Wel, Ditectif Evans, mi wyt ti'n meddwl dy fod ti'n giamstar ar y bargeinio 'ma, yn dwyt? Wel, dwi wedi syrffedu arnat ti erbyn hyn, dallt, ac ma' hi'n hen bryd i ni ddod i ddealltwriaeth ... unwaith ac am byth. Mae dy amser di ar ben. Oes,' meddai, gan oedi'n ddramatig a gwenu'n fileinig. 'Mae un ferch arall mewn perygl yma heddiw. Alina!' Gwaeddodd Barbu yr enw eto, ar dop ei lais, ond ni symudodd ei lygaid oddi ar Jeff a'r gŵr a safai oddi tan y blanced wrth ei ochr.

Trwy gornel ei lygaid gwelodd Jeff symudiad o gyfeiriad y ffermdy. Nid un ddynes a ymddangosodd o'r cyfeiriad hwnnw ond dwy. Yr eneth dlos a welodd yn y fan oedd y gyntaf, er nad oedd hi'n edrych mor ddeniadol erbyn hyn. Roedd hithau'n cario gwn awtomatig yn ei llaw dde ac yn ei bwyntio i gyfeiriad pen y ferch arall a oedd wrth ei hochr, un a wisgai efynnau llaw plastig o amgylch ei harddyrnau. Llusgodd Alina hi ymlaen yn erbyn ei hewyllys a phwyso'r gwn ar ei harlais.

'Nansi!' gwaeddodd Jeff.

Gwenodd Barbu yn fodlon. 'Dipyn o yswiriant, yli,' meddai wrth Jeff, y balchder yn amlwg yn ei lais ciaidd. Roedd y ffordd y galwodd Jeff ei henw wedi bod yn ddigon i Barbu gadarnhau gwerth ei arf cudd, er nad oedd yr enw ei hun yn gyfarwydd.

'Jeff, safia fi. Plis Jeff!' gwaeddodd Nansi'n ôl.

Gwenodd Barbu eto.

Rhoddodd Alina slap iddi ar draws ei boch efo'r gwn, a chwarddodd Valeriu Barbu yn uchel. Yn uwch nag erioed.

Yn chwys domen erbyn hyn, sylweddolodd Jeff ei gamgymeriad. Ddylai o byth fod wedi gyrru Nansi i brynu'r cocên. Yn amlwg, roedd Gheorghe Iorgovan neu Petre, neu'r ddau, wedi sylweddoli bod cysylltiad rhwng gwerthu'r cyffur i Nansi, cwsmer y tu allan i'w rwydwaith arferol, ac arestio Iorgovan yn fuan wedyn. Dyna pam, mae'n rhaid, y cafodd Rachel Higgs y fath gurfa. Roedd hi, yn sicr, wedi dweud wrth y Rwmaniaid pwy oedd Dilys Hughes a lle'r oedd hi'n byw. Dyna pam roedd y fan wedi'i pharcio ger ei thŷ hi – ei gwylio hi roedden nhw, nid puteinio.

Oedd ganddo amser i ailystyried ei gynllun, tybed, er mwyn achub bywyd ei hysbysydd mwyaf gwerthfawr? Ond roedd hi'n fwy na hynny. Roedd hi'n gefnogaeth iddo, yn ffrind.

'Wel, Ditectif Evans,' daeth llais heriol Barbu i dorri ar draws ei feddyliau. 'Mae'n edrych yn debyg bod y drol wedi'i throi go iawn. Fel y gweli di, fi sy'n dal y cardiau gorau rŵan.' Safai'n hyderus erbyn hyn, gan chwarae â'r gwn yn ei law dde. 'Dyma be wnawn ni, Ditectif Evans,' parhaodd. 'Mi gei di'r ast yma'n ôl ac mi ga' inna 'mrawd yn ei lle hi. Dwi am gadw'r cocên i gyd, a'r merched. Dyna ydi fy nhelerau i, ac mi wyt ti'n sylweddoli, siŵr gen i, mai fi ac Alina sy'n cario'r gynnau. Felly pa ddewis arall sy gen ti?'

Mewn gwirionedd, doedd gan Valeriu Barbu ddim bwriad o adael i Nansi fynd. Na'r cyffuriau, na'r merched chwaith.

'Jeff, plis,' llefodd Nansi.

Dyna pryd y clywodd Jeff y llais yn y trosglwyddydd a wisgai yn ei glust. Llais y rheolwr cudd oedd yn rheoli'r holl sefyllfa.

'Rŵan!' meddai'r llais.

Mewn fflach, tynnodd Jeff y blanced oddi ar y dyn wrth ei ochr. Yno roedd Sarjant Rob Taylor wedi'i wisgo mewn dillad gwrth-fwled o'i gluniau i fyny, a gwn baril dwbl yn ei ddwylo. Pan welodd y symudiad lleiaf yn llaw dde Barbu syrthiodd Rob ar un pen-glin a lluchiodd Jeff ei hun i'r naill ochr. Cyn iddo daro'r ddaear, ac fel yr oedd gwn Barbu yn cael ei godi i'w anelu, daeth dwy ergyd swnllyd o wn Rob.

Ar yr un pryd, daeth hanner dwsin o ergydion eraill o ynnau'r plismyn oedd wedi bod ynghudd y tu mewn i'r campyr-fan.

Syrthiodd Valeriu Barbu yn farw. Ffrwydrodd gwaed tywyll o gyfeiriad pennau Alina a Nansi, a gwelodd Jeff y ddwy ddynes yn disgyn i'r ddaear mewn cwmwl o lwch. Dechreuodd y merched eraill sgrechian yn uchel, ac mewn panig llwyr, gollyngwyd y bocs llawn cyffuriau a rhedodd y merched i gyd i wahanol gyfeiriadau.

Cerddodd Rob Taylor yn araf ac yn wyliadwrus i gyfeiriad corff Barbu a chicio'r gwn yn ddigon pell o'i law. Ar yr un pryd, rhedodd Jeff nerth ei draed at Nansi, oedd yn gorwedd ar y ddaear, ei phen a'i dillad yn waed i gyd. Penliniodd Jeff wrth ei hochr a gafael ynddi. Cododd ei chorff i'w freichiau a'i gwasgu'n dynn, gan fwytho'i phen, ei gwallt gwaedlyd a'i hwyneb nes yr oedd ei ddwylo'n goch.

'O, Nansi bach,' meddai. 'Mae'n ddrwg gen i, Nansi ... Nansi!'

'Dwn i ddim wir, Jeff Evans,' meddai hithau. 'Y pethau dwi'n gorfod 'u gwneud i gael bod yn dy freichiau di fel hyn.'

Tynnodd Jeff ei ben yn ôl mewn penbleth a gwelodd lygaid direidus Nansi'n edrych i fyny arno. Roedd hi'n gwenu. Edrychodd Jeff i un ochr a gwelodd Alina yn farw wrth ei ochr. Roedd twll tywyll lle roedd y fwled wedi malu ei phenglog.

Edrychodd Jeff yn ôl i lygaid Nansi. 'Ti'n iawn?' gofynnodd. 'Dwn i ddim be fyswn i'n wneud hebddat ti ... dwi'n meddwl y byd ohonat ti, sti.'

'Ydw, dwi'n iawn, dwi'n meddwl. Mi fyswn i'n mynd drwy'r cwbwl eto i gael dy glywed di'n deud hynna, a dy gael di'n gafael yndda i fel hyn.'

Disgynnodd tawelwch rhyfedd o amgylch ffermdy Llidiart y Gog. Tawelwch annaturiol. Dim ond yr awel deg yn sisial yn nail y coed oedd i'w glywed am funudau hir.

'Ga' i dynnu'r blydi sgidia crocodeil gwirion 'ma, Jeff?' Daeth llais Rob i dorri ar y distawrwydd. 'Maen nhw'n hanner fy lladd i.'

'Cadw nhw os leci di, Rob,' atebodd Jeff. 'Mae eu perchennog nhw yn y môrg, a fydd o mo'u hangen nhw eto.'

Wrth i Jeff helpu Nansi i godi ar ei thraed gallai deimlo'i chorff yn crynu. Rhoddodd ei fraich o'i hamgylch a dan ei chesail er mwyn cymryd dipyn o'i phwysau, a'i harwain yn ofalus i'r fan.

'Ti'n siŵr dy fod ti'n iawn?' gofynnodd iddi.

'Nac'dw wir, Jeff. Well i ti ddal d'afael yndda i am sbel go dda eto,' meddai.

Chwarddodd y ddau.

Roedd tipyn o waith clirio i'w wneud cyn nos. Aeth yr heddlu â'r cyffuriau a'r gwin i'r pencadlys a throsglwyddwyd y merched i ofal y gwasanaethau cymdeithasol. O fewn ychydig ddyddiau darganfuwyd mai'r gwn a oedd ym meddiant Vasile Barbu oedd yr un a defnyddiwyd i saethu Trefor Hudson. Yn y cyfamser, roedd Jeff wedi cael gafael ar Mrs a Mrs Morgan a Mr a Mrs Owen, er mwyn rhannu'r datblygiadau efo nhw. Yn ogystal, ffoniodd Emyr Huws er mwyn cadw'i addewid iddo, a chafodd hwnnw sgŵp i'r *Daily Post*, gan gynnwys hanes y cyhuddiadau ffug yn erbyn Norman Jones.

Ond roedd un alwad arall i'w gwneud – un a oedd yn bwysicach i Jeff na'r un o'r lleill. Galwad i Meira i fyny yng Nghlach Toll yn yr Alban.

Pan ddywedodd wrth Meira fod y cyfan drosodd, clywodd Jeff y rhyddhad yn ei hochenaid.

'Mae 'na rywun isio gair efo chdi yn fama,' meddai ei wraig, ar ôl cael sgwrs fer ag o.

Clywodd Jeff lais ei fab.

'Dewch i'n nôl ni rŵan, Dad. Ma' hi'n chwythu'n ofnadwy ac yn bwrw glaw, ac mae Mam yn deud na cha i fynd allan i chwara 'cofn i mi gael annwyd.'

'Dwi ar fy ffordd, 'ngwas bach i. Dwi ar fy ffordd,' atebodd.

Nofelau gan yr un awdur:

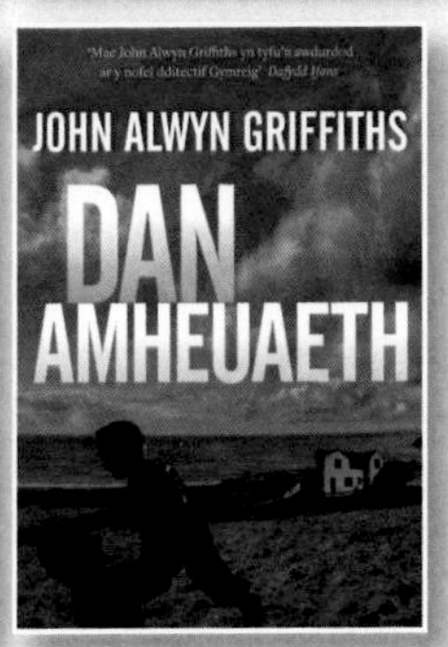

"Diolch am waith sy'n llifo'n ddidrafferth am fod y Gymraeg yn glir, syml a dealladwy. Dw i'n rhyfeddu pa mor hawdd oedd hon i'w darllen. Diolch hefyd fod gennym yng Nghymru awdur Cymraeg sy'n feistr ar y grefft o ysgrifennu nofel dditectif."

Dan ei Adain, Tweli Griffiths, Gwales

www.carreg-gwalch.cymru